클라우스 슈밥의
위대한 리셋

| 제4차 산업혁명 × 코로나19 |

클라우스 슈밥의
위대한 리셋

클라우스 슈밥 · 티에리 말르레 지음 | 이진원 옮김

COVID-19: The Great Reset

메가스터디BOOKS

한국의 독자들에게

이 책의 원고 집필을 끝낸 무렵인 2020년 7월, 우리는 팬데믹 최악의 상황은 아직 오지 않았다고 내다봤습니다. 슬프게도, 이 암울한 예측은 현실이 되었습니다. 백신 개발로 확산된 기대에도 불구하고 세계는 감염 사례 증가에 직면하고 있습니다. 특히 영국, 미국, 대다수의 유럽연합국, 브라질 등의 국가들은 최악의 코로나19 상황에 처해 있는 상황입니다. 반면, 처음부터 이 바이러스를 효과적으로 억제해 온 나라들도 존재합니다. 대한민국은 그 국가들 중 하나입니다.

다수의 동아시아 국가와 마찬가지로, 한국은 바이러스의 전파를 효율적으로 통제함으로써 국제적 추세에 역행하는 모습을 보여주었습니다. 코로나19에 대한 한국의 대응은 다른 선진국에서 실시한 사업체 폐쇄령이나 민간 이동금지령과 같은 엄격한 조치에 의존하지 않았음에도 불구하고 전염병 곡선을 비교적 완만하게 만들었기 때문에 특히 주목을 받았습니다. 처음부터 한국은 팬데믹 상황의 발견, 봉쇄, 치료라는 중요한 세 가지 단계를 성공적으로 실행하였습니다. 또한 한국은 다른 나라들은 실패한 정부와 과학기술 분야 사이의 건설적 협력을 처음부터 확립하는 것에 성공을 거두었습니다. 이것은 다른 많은 나라에서 벌어지고 있는 상황과 비교했을 때 찾아보기 어려운 업적이라 할 만합니다.

다른 지역과 마찬가지로 한국도 팬데믹 상황이 끝나지 않았지만, 대체적으로 잘 통제되고 있다 할 수 있습니다. 코로나19가 사라지고 나면, 이 위기를 극복한 한국은 분명 더 강해질 것입니다. 과거로 돌아가거나 예전과 같은 방식으로 일을 진행하는 것이 아니라, 보다 회복력 있는 사회와 경제를 구축함으로써 '위대한 리셋'을 이룰 수 있다는 것을 보여줄 거라 확신합니다.

이처럼 한국은 우리 모두에게 놀랍고 고무적인 본보기입니다. 정부의 결정적 조치와 적절한 정책, 자원의 대량 동원, 그리고 강력한 사회적 협력과 정보 공유 덕분에 다른 나라들보다 더 빠르고 더 지속 가능한 방식으로 회복할 것입니다. 무엇보다도 한국은 공동의 노력과 사회 화합을 통해서 무엇을 이룰 수 있는지 보여주고 있습니다.

이 책의 결론에 쓴 바와 같이 팬데믹이 지난 후 세계는 두 가지 길 중 하나를 선택해야 할 것입니다. 하나는 우리가 살고 있는 사회와 경제를 보다 포괄적이고, 지속 가능하며, 회복력이 있는 미래로 이끄는 길이고, 다른 하나는 우리를 더 위험하고, 불안정하며, 점점 더 살기 어려운 세상으로 인도할 길입니다. 한국은 이미 분명하게 첫 번째 길을 선택하였습니다.

클라우스 슈밥, 티에리 말르레

●

최재붕
성균관대학교 서비스융합디자인학과 교수
국회 제4차산업혁명포럼 ICT신기술위원회 위원장

클라우스 슈밥의 혜안을 통해
절대 혼돈 시대의 생존 전략을 찾다

코로나 이후의 시대를 예측하는 것은 불가능하다. 인류에게 찾아온 최악의 위기 코로나19는 비상체제를 정상체제로 인지해야 하는 뉴노멀 시대를 열어버렸다. 도무지 앞길이 오리무중이지만 이럴 때일수록 지식인의 지혜는 더 절실하다. 《제4차 산업혁명》이라는 저서를 통해 디지털 문명 시대를 예견하고 인류 생태계 변화를 깊이 고찰했던 클라우스 슈밥 세계경제포럼 회장의 신간 《위대한 리셋》은 그래서 더욱 반갑다.

이 책은 코로나19 이후의 인류사회를 거시적 관점에서 바라보며 시작한다. 클라우스 슈밥은 디지털 문명의 확산 이후 촘촘히 연결된 인터넷에 의해 국가 간, 사회 간 상호의존성이 어느 때보다 강화되었으며 동시에 변화의 속도가 엄청나게 빨라졌음에 주목한다. 그리고 이 연결된 하나의 거대 지구촌 시스템은 복잡성에 기반을 두어 작동하면서 하나의 사건이 지구 곳곳에서 예측 불가능한 리액션으로 나타난다고 분석한다. 물리학적 접근에 기반한 그의 지구 생태계 분석은《제4차 산업혁명》때와 궤를 같이한다. 그리고 그 거대 변화에 기대어 산업, 일자리와 성장 그리고 재정과 통화 정책까지 아우르는 '경제적 리셋'을 언급하며 거시적 변화에 대한 분석을 시작한다. 분석은 사회적 변화로 이어진다. 코로나19 이후의 불평등 문제, 사회불안 심리 그리고 이로 인한 큰 정부의 귀환을 역사적 교훈과 엮어 잘 분석하고 미래 지향점까지 제시하고 있다. 이어지는 '지정학적 리셋'에서는 이러한 사회현상이 국가 간 관계에서는 어떤 불평등과 거버넌스의 변화를 가져올지 예측하며 특히 코로나19 이후의 미중 간의 패권 경쟁에 대해 깊이 있게 언급한다. 그리고 다시 '환경적 리셋'으로 이어지는데, 코로나19 이후의 세계를 경험한 인류가 성장과 환경 회복의 양극으로 움직일 것이라고 보는 그의 시선은 특히 고개를 끄덕이게 한다. 그리고 마지막으로 '기술의 리셋'을 언급한다.《제4차 산업혁명》에서 가장 우선시했던 기술이 이제는 맨 마지막에 언급되는 것으로 보아 디지털 문명 전환에 따른 기술 변화에 대한 인식은 이미 보편적 상식이 되었다고 생각하는 것이 아닐까 짐작된다.

'미시적 리셋'은 산업과 기업 차원의 변화를 예고한다. 디지털화의 가속과 ESG의 부상도 꼼꼼히 기술하면서 전체 산업의 대전환 방향도 적시한다. 회복 탄력성을 키우는 산업의 부상도 예고한다. 마지막으로 그는 '개인의 리셋'도 잊지 않는다. 그런데 그 출발이 놀랍게도 '인간성의 재정의'와 '도덕적 선택'이다. 디지털 문명을 배우고 코딩을 익히라는 이야기가 아니다. 슈밥은 코로나19의 공포 속에서 인류애의 가치가 주목받게 되었고 그 공감대가 확산되면서 휴머니티의 중요성이 더욱 부각되고 있음을 언급하며 아울러 정신건강과 웰빙의 중요성도 다루고 있다. 마지막은 '우선순위의 변경'이다. 지금까지 마음속에서 가장 중시하던 일들의 순서를 바꿀 것, 즉 문명에 대한 시각을 바꿔야 한다는 주장을 펼친다. 그 역시도 첫 번째로 중요한 것은 디지털 기술이 아니라 '창의성'임을 강조한다.

《포노 사피엔스》와 《CHANGE 9》이라는 책을 통해 기술 중심의 《제4차 산업혁명》과는 다른 시각으로 문명의 변화를 분석해왔던 나로서는 오히려 《위대한 리셋》이 인류 변화의 본질을 더 잘 아우르는 공감 가는 책이라 느껴졌다. 기술 위주로 바라보던 그의 시선이 인간과 사회에 더 깊이 머물러 있고, 그 중심에는 Z세대로 불리는 포노 사피엔스가 자리하기 시작했다. 모든 것을 떠나 그의 혜안과 지식의 깊이는 마치 우주에서 지구를 내려다보는 듯하다. 지구촌의 전체 시스템을 물리적 관점에서 분석하고 작동 원리를 역사라는 타임테이블과 연동시켜가며 코로나19가 만들어낸 충격파의 영향을 하나의 이야기로 풀어내는 그의 지식의 깊이는 실로 놀라움 그 이상이다. 그의 예상이 맞고 안 맞고는 여전히 알 수 없다. 나의 생각과 결이 다른 부분도 없지 않다. 그러나 뉴노멀의 신문명을 바라보는 그의 시선을 함께 따라가는 것만으로도 그간 목말랐던 지식으로의 여행을 다녀온 듯 갈증이 가신다. 팬데믹으로 여행에 굶주린 독자들이라면 코로나19 이후의 새로운 세계를 탐색하는 클라우스 슈밥과의 독서 여행을 꼭 한번 권하고 싶다.

02

미시적 차원의 리셋

산업과 기업

03

개인적
차원의 리셋

Covid-19: The Great Reset

우리가 사는 세상을
'리셋'해야 하는 지금

현대 역사상 코로나19 팬데믹으로 촉발된 전 세계적 위기만큼 심각한 상황은 없었다. 이 사태가 세계 전체뿐만 아니라 우리 각자를 여러 세대 만에 직면해본 가장 어려운 시기로 몰아넣고 있다고 해도 결코 과장이 아니다. 지금은 우리에게 결정적인 순간이다. 우리는 향후 수년간 코로나19의 영향에서 벗어나지 못할 것이며, 많은 것들이 영원히 변할 것이다. 코로나19는 엄청난 규모의 경제적 혼란을 초래하고, 정치·사회·지정학 등 다양한 차원에서 위험하고 변동성이 큰 시기를 만들고 있다. 이로 인해 환경에 대한 심각한 우려가 초래되고, 해로움과 유익함을 막론하고 우리 삶에서 기술의 영향력이 확장되고 있다. 어떤 산업이나 기업도 이러한 변화의 영향에서 벗어날 수 없다. 수백만 개의 기업이 사라질 위험에 빠졌고, 다수의 산업이 불확실한 미래에 직면하고 있다. 개인적인 측면에서는 많은 사람들이 유지해왔던 삶이 놀라운 속도로 흐트러지기 시작하고 있다.

그러나 심각한 실존적 위기는 자기 성찰을 도와주고, 변화의 잠재력을 내포하고 있기도 하다. 사회적 격차, 공정성 결여, 협력 부재, 글로벌 거버넌스global governance(지구적 차원의 문제를 해결하기 위하여 국가 이외의 여러 행위자들이 서로 협동하거나 공동으로 통치하는 일—옮긴이 주)와 리더십 실패 등의 약점들이 전 세계적으로 전에 없이 강하게 드러나고 있고, 그 과정에서 사람들은 재창조의 시기가 도래했다고 느끼고 있다. 새로운 세계가 등장할 것이다. 그리고 새로운 세계의 윤곽을 상상하고 그리는 건 우리 몫이다.

이 책을 쓰고 있는 지금도 전 세계적으로 코로나19 팬데믹이 계속해서 악화되고 있다. 많은 이들이 언제 상황이 다시 정상화될지에 대해 생각하고 있지만, 간단히 대답하자면 그런 일은 절대 일어나지 않을 것이다. 코로나19 팬데믹이 우리의 궤도에 근본적인 변곡점이 된 이상 결코 그 어떤 것으로도 위기 전 팽배했던 '고장난broken' 정상 감각을 되찾을 수 없을 것이다. 분석가들마다 코로나19 팬데믹을 주요한 분기점이라거나 엄청난 규모의 심각한 위기라거나 다양한 이름으로 부르고 있지만 본질은 모두 같다. 바로 2020년 초까지 우리가 알고 있던 세상은 팬데믹의 맥락 속에서 용해돼 더 이상 존재하지 않는다는 것이다. 그러한 결과가 빚어낸 급진적 변화들이 닥치자 일부 전문가들은 이제 '코로나바이러스 이전before coronavirus(BC)'과 '코로나바이러스 이후after coronavirus(AC)'로 시대를 분리해서 언급하고 있다. 우리는 이러한 변화의 신속성과 예상치 못한 상황에 계속해서 놀라게 될 것이고, 변화들은 융합되면서 2·3·4차적 결과, 연쇄 파급 효과cascading effect, 그리고 예상치 못한 결과를 야기할 것이다. 이제는 지나간 일이 되어버린 예전과 근본적으로 다른 새로운 일상인 '뉴노멀new normal'이 눈앞에 와 있다. 그 과정에서 우리가 이때까지 세상의 흐름에 대해 가져왔던 믿음이나 예측은 산산조각날 것이다.

그러나 '모든 것이 바뀔 것'이라는 등의 광범위하고 급진적인 선언과 모 아니면 도 같은 흑백논리식 분석은 매우 신중하게 전개할 필요가 있다. 당연히 현실은 훨씬 더 복잡미묘하다. 코로나19가 세상을 완전히 변화시키지는 않더라도 코로나19 창궐 전부터 일어나고 있었던 많은 변화들을 가속화함으로써 결과적으로 다른 변화들을 촉발할 가능성이 크다. 단 한 가지 확실한 사실은, 이런 변화들이 선형적이 아닌, 급격하면서도 단절적인 형태를 띨 것이란 점이다. 이 책은 미래의 변화를 찾아내고 조명하는 한편, 더 바람직하고 지속 가능한 변화가 어떤 모습일지를 살피는 데 조금이나마 기여하기 위한 시도다.

우선 몇 가지 것들을 살펴보면서 시작해보자. 인간은 약 20만 년, 가장 오래된 박테리아는 수십억 년, 그리고 바이러스는 최소한 3억 년 동안 존재해왔다. 다시 말해서 사람들이 살기 시작한 이래로 팬데믹은 항상 존재해왔고 인류 역사의 중요한 일부였을 가능성이 아주 크다는 뜻이다. 지난 2,000년 동안 그것은 예외가 아니라 규칙이었다. 팬데믹이 본래부터 가진 파괴적인 성격 때문에 팬데믹은 역사적으로 줄곧 지속적이면서 종종 급진적인 변화를 일으킨 동력이었다. 팬데믹은 폭동의 도화선 노릇을 했고, 인구 충돌과 군사적 패배의 원인을 제공했으며, 다른 한편으로는 혁신을 촉발하고, 국경을 다시 설정했으며, 종종 혁명의 길을 닦아주기도 했다. 541년 경에 발생한 유스티니아누스 역병Plague of Justinian 당시 비잔틴 제국Byzantine Empire처럼 팬데믹 발병으로 제국은 전쟁의 진로를 바꿔야 하기도 했고, 아즈텍Aztec과 잉카Inca 황제와 대부분의 신하들이 유럽의 세균으로 사망했을 때처럼 일부 제국은 아예 사라지기도 했다. 또 팬데믹 확산을 억제하기 위해 취해진 권위 있는 조치들은 항상 정책적 무기로 활용됐다. 따라서 코로나19 확산 차단을 위해 전 세계의 많은 지역에 격리와 봉쇄 조치가 취해졌다는 사실이 전혀 새로울 것은 없다. 수 세기 동안 흔하게 취해진 관행이었기 때문이다. 가장 초기의 격리quarantine는 1347년부터 1351년 사이 전체 유럽 인구의 3분의 1 정도의 목숨을 앗아간 흑사병Black Death 방역을 위해 시행됐다. 이탈리아어로 '40'을 뜻하는 단어 'quaranta'로부터 나온 40일 동안 사람들을 격리한다는 생각은 당국이 무엇을 억제하려고 하는지조차 제대로 이해하지 못한 채 생겨났지만, 이 조치들은 현대 국가의 '권력 강화'를 정당화하는 데 도움을 준 최초의 '공중보건 제도'의 한 형태였다.[1] 왜 40일이어야 하는지에 대한 의학적인 근거는 없다. 이 기간은 단지 상징적이고 종교적인 이유로 결정되었을 뿐이다. 구약과 신약 성서 모두에서 40은 종종 '정화淨化'의 의미를 내포한다. 사순절四旬節·Lent(예수 그리스도의 부활 주일 전 40일 동안의 기간으로 이 기간 동안 교인들은 광야에서 금식하고 시험받은 그리스도의 수난을 되살리기 위하여 단식과 속죄를 행한다－옮긴이 주) 기간이 40일이며, 창세기에 나오는 타락한 인간을 심판하기 위한 대홍수도 40일간 이어졌다.

전염병은 확산하면서 공포와 불안, 집단 히스테리를 부채질한다. 그 과정에서 전염병은 위기 관리를 위한 사회적 응집력과 집단적 능력에 도전장을 내민다. 분열을 조장하고 트라우마를 일으키는 게 전염병의 속성이다. 우리가 맞서 싸우고 있는 상대는 눈에 보이지 않는다. 우리의 가족, 친구, 이웃 모두 감염원이 될 수 있다. 공공장소에서 친구를 만나는 것처럼 우리가 소중히 여기는 일상적인 의식들이 전파의 매개체가 될 수 있다. 그리고 봉쇄 조치를 시행함으로써 우리를 안전하게 지키려고 노력하는 당국은 종종 억압자처럼 인식된다. 역사적으로 이런 시기에는 희생양을 찾고 책임을 외부인에게 강하게 전가하는 패턴이 반복되어 왔다. 이는 의미심장한 패턴이다. 중세 유럽에서 유대인들은 전염병이 돌 때마다 끔찍한 집단 학살의 희생자가 되어왔다. 한 가지 비극적인 사례를 들어보겠다. 흑사병이 유럽 대륙에 확산하기 시작한 지 2년 뒤인 1349년 밸런타인데이 때 프랑스 동북부 스트라스부르에서 유대인들은 도시의 우물을 오염시켜 전염병을 퍼뜨렸다는 비난을 받으며 개종을 강요당했다. 1,000여 명이 개종을 거절했고 그들은 산 채로 화형에 처해졌다. 같은 해 다른 유럽 도시들에 거주하던 유대인 공동체는 해체되어 유럽 동부 지역(폴란드와 러시아)으로 대규모 이주를 할 수밖에 없었고, 이 과정에서 유럽의 인구통계학적 구조는 영구히 바뀌었다. 유럽에서 퍼진 반유대주의는 절대주의 국가의 부상과 교회의 점진적인 쇠퇴뿐 아니라 상당 부분 팬데믹이 원인이라고 할 수 있는 많은 역사적 사건을 초래했다. 변화는 매우 다양하고 광범위하게 퍼져 '복종 시대의 종말'로 이어졌고, 봉건주의와 농노의 시대가 종식되고, 계몽주의 시대가 시작됐다. 간단히 말해서 "흑사병은 현대 인류가 탄생한 비공식적 출발점일지도 모른다."[2] 그러한 심오한 사회적·정치적·경제적 변화가 중세 세계의 전염병에 의해 촉발되었다면, 코로나19 팬데믹 또한 오늘날 우리 세계에 장기간 지속될 극적인 결과를 초래하는 전환점의 시작을 의미할 수도 있지 않을까?

과거의 특정 전염병과는 달리 코로나19는 새로운 실존적 위협을 가하지는 않는다. 코로나19로 예상치 못한 대규모 기근이나 중대한 군사적 패배, 정권 교체가 일어나지는 않을 것이기 때문이다. 인구 전체가 몰살당하거나 추방되지도 않을 것이다. 그러나 안심할 수는 없다. 현실적으로 코로나19 팬데믹은 우리가 너무 오랫동안 적절하게 대처하지 못해왔던 기존의 위험들을 극적으로 악화시키고 있다. 그것은 또한 장기간에 걸쳐 쌓여온 불안정한 추세를 가속화할 것이다.

  의미 있는 대응 방법을 자세히 설명하기 위해선 먼저 다가올 일에 대해 성찰하고 그것을 이해하도록 안내하는 개념적인 틀 내지는 간단한 인식도認識圖가 필요하다. 이때 역사가 제공하는 통찰은 특히 유용하다. 우리 자신에게 무엇이 어느 정도까지 바뀔지 까다로운 질문을 던져볼 수밖에 없는 상황에서 기준 역할을 한다. 우리를 안심시킬 수 있는 '정신적 닻'을 자주 역사에서 찾게 되는 것도 이런 이유 때문이다. 그렇게 함으로써 우리는 다음과 같은 질문들을 통해 선례를 찾는다. 코로나19가 1918년 창궐한 스페인 독감(3차 유행을 통해 전 세계적으로 5,000만 명 이상의 목숨을 앗아간 것으로 추정되는)과 유사한가? 1929년에 시작된 대공황 같은 것일 수 있을까? 9.11 테러 때 받은 심리적 충격과 비슷한 점이 있는가? 2003년 터진 중증급성호흡기증후군 사스SARS와 2009년 일어난 신종플루와 유사한 면이 있는가? 2008년 대형 금융위기와 비슷한, 혹은 더 큰 충격이라고 할 수 있을까? 달갑지 않지만 이 모든 질문에 대한 정답은 "아니다!"이다. 코로나

19로 인해 인간이 받은 고통과 경제적 파괴의 파급력과 패턴에 맞먹는 것은 없다. 특히 경제적 여파는 현대사의 어떤 위기와도 비견될 수 없다. 팬데믹의 와중에 많은 국가와 정부의 수장들이 지적한 바와 같이 우리는 보이지 않는 적과 전쟁 중이다. 은유적인 표현을 써서, "우리가 겪고 있는 것을 정말로 전쟁이라고 할 수 있다면, 그것은 분명 전형적인 전쟁은 아니다. 현재의 적은 모든 인류의 공통적인 적이다"라고 말할 수 있다.[3]

그렇지만 제2차 세계대전은 앞으로 일어날 일을 평가하기 위한 노력에 있어서 가장 적절한 정신적 닻 중 하나가 될 수 있다. 제2차 세계대전은 세계질서와 경제에 근본적인 변화를 촉발했으며, 결국 근본적으로 새로운 정책과 사회계약 조항(여성이 유권자가 되기 전에 경제활동에 참여하게 된 것 등)을 마련하기 위한 길을 닦아준 사회적 태도와 신념의 급진적인 변화를 수반한 전형적인 변화 전쟁이었다. 팬데믹과 전쟁 사이에는 분명 근본적인 차이점이 있지만(이 문제는 이후 좀 더 자세히 검토해보겠다) 변화를 이끌어내는 힘의 크기는 비견할 만하다. 둘 다 이전에는 상상할 수 없었던 규모의 변혁적 위기를 초래할 가능성이 있다. 그러나 우리는 피상적인 유사성을 경계해야 한다. 최악의 끔찍한 시나리오에서도 코로나19는 흑사병을 포함한 대역병大疫病·Great Plagues(1665년 영국 런던에서 발생한 선腺 페스트 – 옮긴이 주)이나 제2차 세계대전 때보다는 훨씬 적은 수의 사람의 목숨을 앗아갈 것이다. 게다가 오늘날의 경제는 육체노동과 농업이나 중공업에 의존했던 과거

세기의 경제와는 전혀 다르다. 그러나 오늘날처럼 고도로 상호연결되고 상호의존적인 세계에서 코로나19가 미치는 실제 영향은 '단순히' 죽음, 실업, 파산 등과 관련된 (이미 충격적으로 나쁜) 통계치를 훨씬 뛰어넘을 것이다.

이 책은 앞으로 수 년에 걸쳐 영향이 이어질 코로나19 위기가 진행되는 와중에 집필되었다. 지금 우리 모두는 어안이 벙벙한 상태다. 극도의 충격에 휩싸였을 때 혼란함을 느끼거나 예상하지 못했던 이례적인 결과가 나타날지 모른다는 불안을 갖는 건 너무나 당연하기 때문이다. 이런 낯선 느낌은 알베르 카뮈Albert Camus의 소설 《페스트The Plague》에 나오는, "그러나 이 모든 변화가 어떤 의미에서 너무 환상적이면서도 너무 갑자기 일어났기 때문에 어떤 영속성을 띨 것처럼 간주하기가 쉽지 않았다"라는 구절에 잘 묘사되어 있다.[4] 상상할 수 없던 일이 닥친 이상, 이제 팬데믹 직후와 가까운 미래에 무슨 일이 일어날지 잘 생각해보아야 한다.

물론 코로나19처럼 '중대한' 변화가 앞으로 초래할 일에 대해 어떤 합리적 정확성을 갖고 말하는 건 상당히 시기상조지만, 이 책은 앞으로 일어날 일에 대해 논리정연하면서 개념적으로 건전한 지침을 가능한 한 포괄적인 방법으로 제시하고자 한다. 이 책의 목표는 독자들이 다가올 변화의 다면적인 면을 파악하도록 돕는 것이다. 팬데믹은 무엇보다도 세계화로부터의 일부 후퇴, 미국과 중국 간 탈동조화 심화,

자동화의 가속화, 감시 강화를 둘러싼 우려, 웰빙 정책에 대한 관심 증가, 민족주의nationalism 부상과 그에 따른 이민의 두려움, 기술력 성장, 온라인상에서 기업의 존재감 강화 필요성 확대 등 코로나19 위기 이전부터 이미 가시화됐던 체제 변화를 가속화할 것이다. 그러나 그것은 이전에는 바꿀 수 없을 것 같았던 것들을 바꿔놓는 식으로, 단순히 변화에 가속도를 붙이는 수준 이상의 역할을 할 수 있다. 다시 말해 이미 관례화된 헬리콥터 머니helicopter money(중앙은행이 소비 진작을 위하여 헬리콥터에서 돈을 뿌리듯 대량으로 시중에 푸는 자금-옮긴이 주) 같은 새로운 형태의 통화정책, 몇몇 사회적 우선순위들에 대한 재고再考와 재설정 및 정책 목표로서의 공공재에 대한 검색 강화, 정치적 역량과 급진적 복지와 과세 조치 확보 시의 공정성에 대한 인식, 그리고 급격한 지정학적 재편처럼 코로나19가 창궐하기 전에는 상상조차 하지 못했던 변화가 일어날 수도 있다.

더 광범위한 차원에서 이런 설명도 가능하다. 변화의 가능성과 그로 인한 새로운 질서는 이제 무제한이고, 좋든 싫든 우리의 상상력에 의해서만 제한된다는 것이다. 사회는 한층 평등주의적 내지는 권위주의적이 되거나 혹은 소수나 다수의 이익을 위해 집단주의나 개인주의 쪽으로 맞춰질 수 있다. 경제는 회복할 때 더욱 포용적인 길을 걸으면서 세계 공동체의 요구에 더 부합되거나 원래 기능을 회복할 수 있을 것이다. 우리는 이 전례 없는 기회를 이용하여 우리가 사는 세상을 새롭게 '리셋'해야 한다. 위기에서 벗어났을 때 더 바람직하고 유연한 세상으로 만들기 위해서 말이다.

우리는 광범위한 이슈들을 모두 깊이 있게 다루려는 이 책의 시도가 매우 어려운 과제임을 알고 있다. 책의 주제와 그와 관련된 모든 불확실성은 어마어마하기 때문에 다 이야기하려면 지금의 다섯 배 분량이 될 수도 있었을 것이다. 하지만 독자들이 다양한 영역에서 일어날 일을 이해할 수 있도록 비교적 간결하고 간단한 책을 쓰려고 노력했다. 본문의 흐름을 최대한 방해하지 않기 위해 참고 자료 정보는 책 맨 뒷부분에 넣어두었고, 직접적인 출처 표시는 최소한도로 줄였다. 코로나19 위기 도중 추가 감염 파동이 예상되는 가운데 출간된 책인 만큼, 주제의 변화적 성격을 고려해서 앞으로 계속해서 수정될 것이다. 향후 새로운 발견, 최신 연구, 수정된 정책 조치 및 독자들의 지속적인 피드백을 반영하며 개정해나갈 예정이다. 이 책은 가벼운 학술서와 논문을 섞어놓은 것이다. 다양한 이론과 실례가 들어 있지만, 포스트코로나 세상이 어떤 모습이 될 수 있고, 될지에 대한 많은 추측과 생각을 넣어 설명하듯 쓰려 노력하였다. '뉴노멀'로 나아가는 세계에 대한 단순한 일반화나 권고를 제시하지는 않았다. 이 책이 여러분에게 유용하길 바라는 마음이다.

총 3개의 파트로 구성된 이 책은 향후 세계의 모습을 파노라마식으로 보여주고 있다. 파트 1에선 코로나19 팬데믹이 다섯 가지 주요 거시적 범주, 즉 경제적·사회적·지정학적·환경적·기술적 요인에 미치는 영향을 평가하였다. 파트 2에선 특정 산업과 기업에 미치는 미시적 영향을, 파트 3에선 개인적 차원에서 생길 수 있는 결과의 성격에 대한 가설을 제시하였다.

MACRO RESET

MICRO RESET

INDIVIDUAL RESET

거시적 차원의 리셋

우리 여정의 첫 번째 구간은 오늘날의 세계에서 무슨 일이 일어나고 있는지, 그리고 그것이 앞으로 어떻게 진화할지를 이해하기 위한 포괄적인 분석 체계를 제시하는 다섯 가지 거시적인 범주에 걸쳐 진행된다. 그들이 상호의존적이라는 점부터 이야기는 시작될 것이다. 우리 뇌는 우리가 선형적인 사고를 하게 만들지만, 우리를 둘러싸고 있는 세계는 선형적이지 않고, 복잡하고, 적응력이 있고, 빠르게 변하며, 모호하다.

CHAPTER 1

개념 체계

오늘날의 세계를 정의하는 세 가지 특성

CONCEPTUAL FRAMEWORK

상호의존성
Interdependence

거시적 차원의 리셋은 오늘날 세계를 형성하는 상호의존성 interdependence, 속도velocity, 복잡성complexity이라는 세 가지 힘의 맥락 속에서 일어날 것이다. 이 세 가지는 우리가 누구든 어디에 있든 간에 우리 모두에게 크고 작은 영향을 미친다.

21세기의 본질을 딱 한 단어로 정의해야 한다면 '상호의존성'이 되어야 할 것이다. 세계화와 기술적 진보의 부산물인 상호의존성은 본래 '시스템을 구성하는 요소들 사이의 상호의존적 역학'이라고 정의할 수 있다. 지난 수십 년 동안 세계화와 기술 발전이 대규모로 진행되자 일부 전문가들은 이제 세계가 '초연결hyperconnected'되었다고 선언

했다. 초연결이란 한마디로 '스테로이드가 투여된 상호의존성의 변종'
이다. 실제로 이러한 상호의존성은 무엇을 의미하는 걸까? 단순히 세
상이 '사슬처럼 이어져' 있다는 것, 즉 다 같이 연결되어 있다는 것만
을 뜻할까? 2010년대 초 저명한 정치학자이자 전직 외교관인 키쇼어
마부바니Kishore Mahbubani 현 싱가포르국립대학교 리콴유공공정책대학원
장은 "지구상에 거주하는 70억 명의 사람들은 더 이상 100개가 넘는
배(나라)에 각각 따로 살지 않는다. 대신 모두 같은 배 위의 193개 선
실에서 산다"며 이런 현실을 배에 비유해 잘 포착해냈다. 그의 말에
따르면 코로나19 위기는 역사상 가장 위대한 변화에 속한다. 2020년
그는 코로나19 팬데믹의 맥락 속에서 다시 이 비유를 들어서 "75억
명의 사람들이 지금 바이러스에 감염된 유람선에 함께 모여 있다면
바이러스가 퍼지는 복도와 공기 통로는 무시한 채 우리의 개인 선실
만을 청소하고 문질러 닦아봤자 과연 소용이 있을까? 대답은 분명히
'아니오'다. 하지만 우리는 늘 그렇게 해왔다. (중략) 지금처럼 배를 타
고 있는 이상 인류는 전 세계를 전체적으로 돌봐야 한다"라고 썼다.[5]

상호의존적인 세계는 모든 위험이 복잡한 상호작용망을 통해 서로
에게 영향을 미치는 심오한 시스템적 연결성의 세계다. 그러한 조건에
서는 경제적 위험이 경제적 영역에 국한된다거나 환경적 위험이 경제
나 지정학 같은 다른 성격의 위험에 영향을 미치지 않는다는 주장을
더 이상 옹호할 수 없다. 집단적 사회 불안으로 이어지는 급격한 실업
자 증가처럼 경제적 위험이 정치적 위험으로 바뀌는 경우 혹은 휴대

전화를 이용해 코로나19를 추적하는 문제가 사회적 반발을 유발하는 것처럼 기술적 위험이 사회적 위험으로 변질되는 경우를 생각해볼 수 있다.

어떤 위험이 다른 성격의 위험에 영향을 미치지 않는다는 주장은 경제적이건 지정학적이건 사회적이건 환경적이건 간에 개별 위험을 따로따로 고려해야만 비로소 그러한 위험들을 억제하거나 완화할 수 있다는 잘못된 인상을 주게 된다. 그러나 실제 세계에선 시스템의 연결성은 그런 인상이 '인공 구조물artificial construct' 같은 것임을 보여준다. 상호의존적인 세계에선 위험들끼리 서로를 증폭시키는 '연쇄 파급 효과'를 낸다. 고립이나 억제가 상호의존성과 상호연결성과 조화를 이룰 수 없는 이유가 이 때문이다.

33페이지에 수록된, 세계경제포럼 〈글로벌 리스크 보고서 2020〉[6]에서 가져온 차트는 우리가 집단적으로 직면하고 있는 위험들의 상호연결성을 보여준다. 다시 말해, 개별 위험은 항상 그것이 속한 거시적 범주에서 생긴 위험뿐만 아니라 다른 거시적 범주에서 나온 개별 위험들과 합쳐진다. 각각의 위험은 이러한 방식으로 다른 위험을 자극함으로써 '물수제비 효과ricochet effect'를 낼 수 있는 잠재력을 갖는다. 차트를 통해 분명히 드러나듯, 예를 들어 '감염성 질병' 위험은 '전 세계적 지배구조의 실패', '사회 불안', '실업', '재정 위기', '비자발적 이주' 등에 직접적인 영향을 미칠 수밖에 없다. 이들 각각은 다른 개별 위험

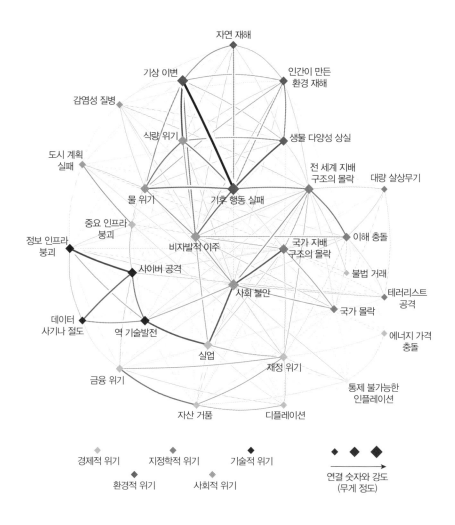

자연 재해

기상 이변

인간이 만든
환경 재해

감염성 질병

식량 위기

생물 다양성 상실

도시 계획
실패

전 세계 지배
구조의 몰락

대량 살상무기

물 위기

기후 행동 실패

중요 인프라
붕괴

이해 충돌

정보 인프라
붕괴

비자발적 이주

국가 지배
구조의 몰락

사이버 공격

불법 거래

데이터
사기나 절도

사회 불안

테러리스트
공격

역 기술발전

국가 몰락

실업

에너지 가격
충돌

금융 위기

재정 위기

통제 불가능한
인플레이션

자산 거품

디플레이션

경제적 위기　　지정학적 위기　　기술적 위기

환경적 위기　　사회적 위기

연결 숫자와 강도
(무게 정도)

출처: 세계경제포럼 〈글로벌 리스크 보고서 2020〉 중 2020 글로벌 위기 상호연관성 지도

에 영향을 미칠 텐데, 이는 연쇄 효과를 일으킨 개별 위험(특별한 경우 '감염성 질병')이 결국에는 그것이 속한 거시적 범주(사회적 위험)뿐만 아니라 다른 네 가지 거시적 범주에서도 다른 많은 위험을 증폭시킨 다는 뜻이다. 이것은 시스템적 연결에 의한 전염 현상을 보여준다. 이 후 하위 장에서는 경제적·사회적·지정학적·환경적·기술적 관점에서 코로나19가 초래할 수 있는 위험을 알아보기로 하겠다.

소통과 융통성을 방해하는 칸막이식 사고를 뜻하는 '사일로식 사고silo thinking'를 무력화시킨다는 점에서 상호의존성은 중요한 개념적 효과를 낸다. 융합과 체계적 연결성이 궁극적으로 강력한 효과를 발휘하는 이상 다른 문제를 배제한 채 문제를 해결하거나 현안이나 위험을 평가한다는 건 무의미하고 헛된 일이다. 과거에 이런 사일로식 사고는 2008년에 신용 위기를 예측하지 못한 경제학자들이 그토록 많았던 반면, 2011년 '아랍의 봄Arab Spring(2010년 12월 북아프리카 튀니지에서 촉발되어 아랍·중동 국가 및 북아프리카 일대로 확산된 반정부 시위 운동 – 옮긴이 주)'이 올 거라고 예상했던 정치학자들이 극소수에 불과했던 이유를 일부나마 설명해준다. 오늘날, 이런 문제는 코로나19도 마찬가지다. 전염병학자, 공중보건 전문가, 경제학자, 사회학자 및 향후 도래할 일을 의사결정자가 이해할 수 있게 돕는 일을 하는 다양한 과학자와 전문가들은 각자 자신의 전문 분야를 뛰어넘기 어렵다(그리고 때로는 불가능하다)는 걸 깨닫는다. 코로나19 팬데믹의 진행 억제와 경제 재개 사이에서 복잡한 절충안을 찾아내기가 극도로 어려운 이유도 이 때문이다. 전문가들은 대체로 점점 더 좁은 분야로 분리되어버리는 경우가 많다. 안타깝게도 그들에겐 의사결정자들에게 절실하게 필요한, 보다 완전한 그림을 제공하는 폭넓은 시야가 부족한 게 현실이다.

속도
Velocity

앞서 기술적 진보와 세계화가 상호의존성 확대의 '주범'임을 확실히 지적했다. 더불어 기술적 진보와 세계화는 모든 것이 이전보다 훨씬 빨리 움직인다고 해도 과언이 아닐 정도로 '신속성immediacy을 특징으로 하는 문화'를 창조해냈다. 이 놀라운 속도 증가의 단 한 가지 요인을 꼽는다면, 그것은 당연히 인터넷이다. 20년 전만 해도 온라인에 접속하는 전 세계 인구 비율이 8%도 안 됐지만, 지금은 이 비율이 절반 이상인 52%로 높아졌다. 2019년, 우리가 언제 어디서나 도달할 수 있게 해주는 속도의 상징이자 벡터vector(방향적 행동을 일으키는 추진력−옮긴이 주)인 스마트폰은 전 세계적으로 15억 대 이상이 팔렸다. 사물인터넷IoT은 이제 자동차부터 병원 침대, 전기 배전, 급수소 펌프,

부엌 오븐과 농용 관개農用灌漑 시스템에 이르기까지 220억 개 장치를 실시간으로 연결한다. 2030년이 되면 이 숫자는 500억 개 이상으로 불어날 것으로 예상된다. 속도 상승에 대한 다른 설명은 '희소성'의 문제와 연결된다. 즉, 사회가 부유해질수록 시간은 더 가치가 올라가지만 항상 부족하다고 여겨진다. 부유한 도시에 거주하는 사람들은 낭비할 시간이 없기 때문에 가난한 도시에 거주하는 사람들보다 항상 더 빨리 걷는다는 것을 보여주는 연구가 이를 뒷받침해준다. 인과관계가 어떻든지 간에 결과는 뻔하다. 소비자와 생산자, 배우자와 부모, 지도자와 추종자로서 우리 모두 비록 불연속이긴 하더라도 계속해서 빠른 변화의 대상이 된다.

우리는 어디에서나 속도를 목격할 수 있다. 위기든, 사회적 불만이든, 기술적 발전과 채택이든, 지정학적 격변이든, 금융시장이든, 그리고 전염병 발현이든 모든 것이 빠르게 진행되고 있다. 결과적으로 우리는 삶의 속도가 전례 없이 빨라지고 있다는 느낌에 시달리며 실시간 사회 속에서 움직인다. 속도에 집착하는 신속성의 문화는 '적기just-in-time' 공급망부터 초단타 매매, 스피드 데이트(독신 남녀들이 애인을 찾을 수 있도록 여러 사람들을 돌아가며 잠깐씩 만나보게 하는 행사–옮긴이 주), 패스트푸드에 이르기까지 우리 삶의 모든 면에서 뚜렷이 드러난다. 이런 현상이 너무 만연한 나머지 일부 전문가들은 이를 '긴급성의 독재화dictatorship of urgency'라고도 부른다. 이는 실로 극단적인 형태를 띨 수 있다. 마이크로소프트의 과학자들이 수행한 연구에 따르면, 웹사이트의 속도가 4분의 1초, 즉 250밀리 초만 늦어져도 방문자들은 '더 빠른' 경쟁 사이트들로 옮겨 가버린다! 정책이나 제품이나 아이디어의 유통기한, 의사결정자나 프로젝트의 수명이 급격하면서도 종종 예측 불가능하게 줄어들고 있다는 게 보편적인 결론이다.

2020년 3월, 놀라운 속도로 전파된 코로나19만큼 이를 생생하게 보여주는 사례는 없다. 불과 한 달도 채 안 돼 코로나19가 엄청난 속도로 전 세계를 집어삼키며 촉발된 대혼란으로부터 완전히 새로운 시대가 시작되었다. 중국에서 창궐한 코로나19가 기하급수적 속도로 전 세계로 퍼지자 많은 의사결정자들과 대중은 아연실색했다. 폭발적 전염의 의미를 인지하고 파악하기조차 힘들었기 때문이다. '감염자 수가 두 배가 되는 날'이라는 관점에서 다음 사례를 생각해보자. 3월 중순 코로나19 피해가 가장 심각했던 몇몇 국가에서 그랬던 것처럼 코로나19 감염자나 사망자 수가 하루에 30%씩 증가한다면 그 수는 이틀이 채 안 돼 두 배가 될 것이다. 20% 늘어난다면 4~5일, 10% 늘어난다면 1주일 정도면 그렇게 된다. 전 세계적으로 코로나19 감염 건수가 10만 건에 도달하는 데 3개월, 두 배인 20만 건에 도달하는 데 12일, 30만 건에 도달하는 데 4일, 이어 40만 건과 50만 건에 도달하는 데 각각 이틀이 걸렸다. 이 숫자들은 우리를 혼랍스럽게 만든다. 극단적으로 빠른 속도로 늘어나고 있기 때문이다! 기하급수적인 증가가 우리의 인지 기능에 심각한 혼란을 일으켜서 우리는 종종 그것이 그저 '아주 빠른' 정도일 뿐이라고 간주하는, 기하급수적으로

짧아진 '근시안'으로 그것을 판단하곤 한다.[7] 1975년에 행해진 한 유명한 실험에서, 두 심리학자는 우리가 기하급수적 과정을 예측해야할 때 우리는 종종 그것을 열 배 과소평가한다는 것을 알아냈다.[8] 이 증가 동력과 기하급수의 힘을 이해하면 왜 속도가 그토록 중요한 문제이고, 증가 속도를 억제하는 데 개입 속도가 왜 그렇게 중요한지를 명확히 알 수 있다. 미국의 소설가 어니스트 헤밍웨이는 이 사실을 이해했다. 그의 소설 《태양은 다시 떠오른다The Sun Also Rises》에 등장하는 두 인물은 다음과 같은 대화를 나눈다. "어떻게 파산했나요?" 빌이 물었다. "두 가지 방법으로요" 마이크가 답한다. "서서히, 그러다가 갑자기요" 일반적으로 큰 시스템적 변화나 붕괴도 이와 같은 방식으로 일어나는 경향이 있다. 처음에는 상황이 서서히 전개되다가 갑자기 돌변하는 경향이 있다. 거시적 리셋도 똑같은 경향을 보인다.

속도가 극단적인 형태를 띠기도 하지만 '조바심'처럼 '의도와 다른 효과perverse effect'를 일으킬 수도 있다. 그런 효과는 금융시장 참여자들의 행동(매매 속도가 중요한 모멘텀 트레이딩momentum trading 때문에 주가가 기본 가치나 '적정' 가격에서 계속해서 벗어나게 된다는 걸 시사해주는 새로운 연구도 나왔다)과 선거 때 유권자들의 행동에서도 마찬가지로 볼 수 있다. 후자는 포스트코로나 시대에 결정적 관련성을 띠게 될 것이다. 정부는 필요에 따라 결정하고 실행하는 데 뜸을 들이고 있다. 관료주의적 정부는 이 모든 결정을 행동에 옮기기 전에 많은 유권자 단체와 상충적인 이해관계를 고려하고, 국내 관심사와 대외적 고려 사항들 사이에서 균형을 맞추고, 입법적 승인을 확보해야 할 의무를 진다. 반면에 유권자들은 거의 즉각적인 정책적 성과와 개선을 기대하기 때문에 충분히 빨리 그런 기대가 충족되지 않을 때 곧바로 실망하게 된다. 시계視界에 현저한 차이가 있는 두 집단(정책 입안자와 일반대중) 사이의 비동시성asynchronicity 문제는 코로나19 상황 속에서 극심해질 텐데 이를 관리하기는 매우 어려울 것이 분명하다. 충격의 속도와 그것이 가한 고통의 강도와 관련해 정책적 측면에서 같은 속도로 대응하지 못할 뿐 아니라 대응할 수도 없을 것이다.

속도는 또한 많은 사람들이 코로나19를 계절 독감과 비슷한 질환으로 오판하게 만들었다. 팬데믹 초기 몇 달 동안 계속해서 이어진 이런 비교는 오해의 소지가 있었고 개념적으로도 틀렸다. 미국을 예로 들어 이 모든 사태에서 속도가 수행한 역할의 핵심을 더 잘 파악해보자. 미국 질병통제예방센터Centers for Disease Control에 따르면, 2019~2020년 겨울철에 3,900만~5,600만 명의 미국인이 독감에 감염됐고, 2만 4,000~6만 2,000명의 사망자가 나왔다.[9] 반면에 존스홉킨스대학교Johns Hopkins University에 따르면, 2020년 6월 24일 현재, 230만 명 이상이 코로나19에 감염됐고, 12만 1,000명 가까이가 숨졌다.[10] 그러나 다음 두 가지 이유 때문에 독감과 코로나19를 비교하는 건 더 이상 무의미하다. 첫째, 독감 감염자 수는 독감에 걸린 것으로 추정되는 사람들의 전체 수에 해당하는 반면, 코로나19 감염자 수는 확진된 사례에 해당하기 때문이다. 둘째, 계절 독감은 최대 6개월 동안 일정한 패턴으로 '부드러운' 파도처럼 퍼지는 반면, 코로나19 바이러스는 소수의 도시와 지역을 중심으로 핫스팟hotspot, 즉 집중 발병 지역이 발생하는 패턴을 따라 쓰나미처럼 확산함으로써 병원들이 감당하기 벅찰 정도로 환자들로 인산인해를 이룰 수 있기 때문이다. 병원들은 코로나19 환자를 치료하느라 다른 환자들을 치료할 수 없게 된다. 이 두 번째 이유, 즉 코로나19 팬데믹의 속도와 핫스팟이 나타나는 갑작스러운 현상은 계절 독감 때는 일어나기 힘들다. 따라서 코로나19를 독감과 비교하는 건 부적절하다.

속도가 첫 번째와 두 번째 이유의 근본 원인이다. 대부분의 국가에서 코로나19가 엄청난 속도로 전파되자 충분한 검사 능력을 확보할 수 없었다. '초고속'으로 퍼지는 코로나19가 아니라, 예측 가능하고, 재발하고, 확산 속도가 다소 느린 계절 독감을 다룰 수 있도록 갖춰진 많은 국가 보건 시스템은 우왕좌왕했다.

의사결정자들이 이전보다 더 많은 정보를 갖고 더 많은 분석을 할 수 있어도 결정할 시간은 줄어들게 되는 것도 속도가 미칠 수 있는 또 다른 중요하고 광범위한 영향이다. 정치인과 재계 지도자들 입장에선 전략적 시각의 필요성이 일상적으로 받는 즉각적인 의사결정에 대한 압박과 전례 없이 자주 충돌하는데, 이런 충돌은 특히 코로나19 사태 속에서 눈에 띄며, 이제부터 설명할 '복잡성'에 의해 더 심해진다.

복잡성
Complexity

복잡성은 최대한 간단하게 "우리가 이해하지 못하거나 이해하기 어려운 것"으로 정의할 수 있다. 심리학자 허버트 사이먼Herbert Simon은 '복잡한 시스템'을 "간단하지 않은 방식으로 상호작용하는 다수의 부분으로 구성된 것"이라고 정의했다.[11] 복잡한 시스템은 종종 구성 요소들 사이의 가시적인 인과관계가 없기 때문에 사실상 예측 불가능하다. 우리는 마음속 깊은 곳에서 시스템이 복잡할수록 무언가가 잘못되어 사고나 착오가 일어나 전파될 가능성이 커진다는 사실을 감지한다.

복잡성은 대략 다음과 같은 세 가지 요소로 측정할 수 있다. 첫째는 시스템 내 정보 콘텐츠의 양 내지는 구성 요소의 수다. 둘째는 이러한 '정보나 구성 요소들 사이의 상호대응성의 역학'으로 정의되는 상호연결성이다. 그리고 셋째는 비선형성non-linearity(비선형적 요소들은 종종 '티핑 포인트tipping points'라고도 불린다) 효과다. 비선형성은 복합성의 주요 특징으로, 시스템의 구성 요소 한 가지만 바꿔도 다른 곳에 놀랍고도 불균형한 결과를 초래할 수 있음을 의미한다.[12] 팬데믹 모델들이 종종 광범위한 결과를 낳는 이유가 바로 이 때문이다. 즉, 모델의 한 요소와 관련된 가정의 차이가 최종 결과에 극적인 영향을 미칠수 있다. 도저히 일어나지 않을 것 같은 일이 실제로 일어나는 현상을 일컫는 '블랙 스완black swan', '위기가 일어날 것'임을 안다고 하더라도 그것이 '언제가 될지' 모르는 걸 말하는 '알려진 무지known unknowns', 나비의 작은 날갯짓이 날씨 변화를 일으키듯 미세한 변화나 작은 사건이 추후 예상하지 못한 엄청난 결과로 이어진다는 의미의 '나비 효과butterfly effects'는 모두 비선형성이 작용하는 사례를 설명하는 말이다. 따라서 종종 세상의 복잡성을 보고 '놀라움', '격변', '불확실함'이란 단어를 떠올린다고 해서 이상할 건 없다. 2008년 미국발 주택담보증권 MBS(mortage-backed securities)이 전 세계 은행들이 제대로 기능하지 못하게 만들면서 궁극적으로 세계 금융 시스템을 붕괴 직전까지 몰고 갈 것으로 예상한 '전문가'는 얼마나 될까? 그리고 2020년 초, 코로나19의 세계적 대유행이 전 세계에서 가장 정교한 의료 시스템 중 일부를 마비시키고 세계경제에도 막대한 피해를 주리라고 예상한 의사결정자는 얼마나 될까?

팬데믹은 기업의 역할, 경제정책, 정부 개입, 보건 정치학, 국가 통치와 같은 변수들에 의해 행동이 영향을 받고, 생물학이나 심리학처럼 다양한 구성 요소나 정보로 구성된 복잡 적응계complex adaptive system(단순한 구성 요소가 수많은 방식으로 상호작용하면서 자발적으로 질서를 창출하는 체계-옮긴이 주)다. 이러한 이유로 팬데믹은 고정되지 않고 복잡하며 적응성이 있는 상호작용 시스템이자 변화하는 여건에 적응하는 '살아 있는 네트워크living network'로 볼 수 있고 또 보는 게 마땅하다. 팬데믹 상황은 상호의존성과 그로부터 파생된 상호연결성을 서로 '실뜨기cat's cradle'해놓은 것 같아서 복잡하다. 또한 팬데믹의 '양상'은 격리 규범에 적응할지, 혹은 대다수가 규칙을 준수할지 말지 등의 문제로 스트레스를 받을 때 혼란에 빠지고 '감당하기 어려워질' 수 있는 교점들(조직과 우리-바로 국민!) 사이의 상호작용을 통해 주도된다는 점에서 조정이 가능한 측면도 있다. 복잡 적응계를 관리(특별한 경우에는 '억제')하기 위해선 광범위한 지식 분야 사이에서뿐만 아니라 이 분야들 내 서로 다른 분야 사이에서도 변화무쌍한 실시간 협업이 계속해서 필요하다. 단순한 예를 들자면, 코로나바이러스 팬데믹을 억제하기 위해선 바이러스 등장을 곧바로 간파할 수 있는 전 세계적인 감시망, 신종 바이러스 변종을 신속하게 분석한 뒤 효과적인 치료법을 개발할 수 있는 전 세계 여러 곳의 연구소, 지역사회가 의사결정을 한후 대책을 효율적으로 시행하기 위한 효과적이고 적절하고 조율된 정책 메커니즘을 준비하고 대응할 수 있게 해주는 대규모 정보기술IT 인프라가 필요하다. 이때 중요한 건 팬데믹에 맞서기 위해선 개별적인 활동도 필요하지만 다른 활동들과 함께 고려되지 않으면 불충분하다는 사실이다. 결과적으로 이 복잡 적응계는 부분의 합이 전체보다 큰 체계다. 그 효과는 전체로 얼마나 잘 작동하느냐에 따라 달라지며, 그 연결고리는 그다지 강하지 못하다.

많은 전문가들이 코로나19 팬데믹이 복잡 적응계가 가진 모든 특성을 보여준다는 단순한 이유로 그것을 블랙 스완류의 사건으로 묘사하는 실수를 저질렀다. 그러나 실제로 그것은 2007년에 출판된 《블랙 스완Black Swan》에서 저자 나심 탈레브Nassim Taleb가 분명히 설명한 화이트 스완류white swan, 즉 과거의 경험에 의해 충분히 예상되는 위기임에도 불구하고 뚜렷한 해결책을 제시하지 못하는 사건이다.[13] 실제로도 그렇다! 세계보건기구WHO 같은 국제조직, 세계경제포럼과 2017년 다보스포럼 연차총회에서 출범한 전염병예방혁신연합CEPI(Coaltion for Epidemic Preparedness Innovations) 같은 국제기구, 그리고 빌 게이츠 같은 인사들은 다음 팬데믹 위험을 다년간 경고해왔다. 그들은 심지어 팬데믹이 경제 개발로 인간과 야생동물 사이의 거리가 줄어들 수밖에 없는 인구 밀집 지역에 출현하고, 여행과 교역망을 통해 빠르고 조용히 확산되고, 봉쇄망을 뚫고 결국 여러 나라로 퍼질 것이라고 구체적으로 경고했다. 다음 장들에서 보게 되겠지만, 팬데믹의 특성을 제대로 파악하고 이해하는 게 반드시 필요하다. 팬데믹의 특성에 따라 대비 정도가 달라지기 때문이다. 사스 사태를 겪은 많은 아시아 국가들은 논리적이고 조직적인 대비가 되어 있었기 때문에 비교적 신속하게 대응함으로써 팬데믹의 영향을 줄일 수 있었다. 반면에 많은 서양 국가들은 준비가 되어 있지 않아 더 피해가 컸다. 서양 국가들에서 그런 블랙 스완류의 사건에 대한 잘못된 개념이 가장 많이 유포된 게 우연은 아니다. 그러나 발생 확률이 높고 피해가 큰 화이트 스완류의 사건인 코로나19가 2차·3차·4차 유행 등을 통해 많은 블랙 스완류의 사건을 일으킬 거라는 점은 확실하다. 실업률이 치솟고, 기업이 파산하고, 일부 국가는 붕괴 직전에 이르는 연쇄적인 유행과 그에 따른 여파가 이어지면서 결국 무슨 일이 일어날지 예측하기는 어렵다. 이런 일들 자체를 예측할 수 없는 것은 아니지만, 다른 위험과 합쳐지면서 '퍼펙트 스톰perfect storm', 즉 두 가지 이상의 악재가 동시에 발생해 그 영향력이 더욱 커지는 현상을 일으키는 경향이 있다. 정리하자면, 코로나19 팬데믹 자체는 블랙 스완류의 사건은 아니지만, 초래하는 결과 중 일부는 블랙 스완류의 사건이 될 것이다.

복잡성은 사물에 대한 우리의 지식과 이해에 제약을 가한다. 따라서 지금처럼 복잡성이 확대되면 특히 많은 정보를 토대로 현명한 결정을 내릴 수 있는 정치인들(통상 의사결정자들)의 능력은 말 그대로 '무력화'될 수 있다. 이론 물리학자 출신인 아르멘 사르키샨Armen Sarkissian 아르메니아 대통령은 선형적이고 예측 가능하며, 결정론적이었던 아이작 뉴턴Isaac Newton 이후 고전 물리학의 세계가 어떻게 해서 고도로 상호연결적이고 불확실하며, 믿기 힘들 만큼 복잡하면서 관찰자의 위치에 따라 변하는 양자 세계에 의해 밀려났는지를 예로 들며 '양자 정치quantum politics'라는 신조어를 만들어냈다. 양자 정치라는 용어는 모든 것의 작동 원리를 설명해주고, "물질을 구성하는 소립자들의 성격과 그들이 상호작용하게 만드는 힘에 대해 우리가 갖고 있는 최고의 묘사"[14]인 양자물리학을 연상시킨다. 코로나19 팬데믹은 이런 양자 세계를 드러내줬다.

CHAPTER 2

경제적 리셋

ECONOMIC RESET

코로나19 경제학
The Economics of COVID-19

　현대 경제는 이전 세기의 경제와는 근본적으로 다르다. 과거에 비해 무한대로 상호연결되어 있고, 얼기설기 얽혀 있어 복잡하기 때문이다. 현대 경제는 기하급수적으로 증가한 세계 인구, 불과 몇 시간 만에 서로 멀리 떨어져 있는 여러 장소를 연결해줌으로써 매년 10억 명 이상이 국경을 넘나들게 해주는 비행기, 자연과 야생동물 서식지를 침해하는 인간, 수백만 명이 바짝 붙어 거주하는(종종 적절한 위생과 의료 시설이 부족한 상태로) 도처에서 무질서하게 뻗어 나가고 있는 거대 도시들을 특징으로 한다. 수 세기 전은 말할 것도 없고 단지 수십 년 전의 경제 상황과 비교해봐도 오늘날의 경제는 몰라볼 정도로 바뀌었다. 그럼에도 불구하고 과거 일어났던 팬데믹으로부터 얻을 수 있는 몇 가지 경제적 교훈은 앞으로 일어날 일을 이해하는 데 도움을 준다는 점에서 오늘날에도 여전히 유효하다. 지금 우리가 직면하고 있는 전 세계적 경제 재앙은 1945년 이후 가장 심각한 수준이다. 악화 속도 면에서는 역사상 유례가 없을 정도다. 과거 사회가 견뎌냈던 재난과 경제적 절박감에 견줄 수는 없지만, 자꾸 머릿속에 떠오르는 몇 가지 유사하면서도 강력한 특징이 있다. 1665년, 마지막 흑사병으로 18개월 동안 런던 인구의 4분의 1이 목숨을 잃었을 때 소설가 대니얼 디포Daniel Defoe는 1722년 발간한 〈흑사병 연대기 논문집A Journal of the Plague Year〉에서 이렇게 말했다.[15] "모든 거래는 멈췄고, 고용은 중단됐다. 가난한 사람들의 일과 빵이 끊겼다. 그리고 그들이 내는 울음소리가 너무나도 애처롭게 들렸다. 수천 명이 절망을 견디지 못하고 밀려났고, 길거리에서 죽음이 그들을 덮쳤다. 런던 사람들이 할 수 있는 것은 죽음을 알리는 전령傳令 역할뿐이었다. 디포의 책에는 부자들이 어떻게 '죽음과 함께' 시골로 탈출했고, 가난한 사람들이 어떻게 흑사병에 훨씬 더 많이 노출됐고, '돌팔이 의사와 사기꾼들'이 어떻게 엉터리 치료제를 팔았는지를 보여주는, 오늘날 상황을 연상시키는 일화들로 가득하다.[16]

역사는 교역로를 통해 팬데믹이 확산되는 방법과 공중보건과 경제의 이해관계 사이에 존재하는 충돌(뒤쪽에 나올 경제적 '일탈aberration'로 간주되는 것)을 반복적으로 보여준다. 역사학자 사이먼 샤마Simon Shama는 다음과 같이 설명했다.

재난이 닥쳤을 때 경제학은 항상 공중보건 분야의 이해관계와 충돌했다. 세균성 질병에 대해 이해하기 전까지 흑사병은 주로 더러운 습지에서 발생한다고 알려진 '오염된 공기'와 '유독한 증기' 때문에 일어났다고 여겨졌다. 그런데 이제는 번영을 가져다준 상업적 동맥들이 독의 매개체로 변모했다는 느낌이 든다. 그러나 방역 조치가 제안되거나 실시되면 시장, 박람회, 거래 중단으로부터 가장 피해를 보게 되는 상인과 일부 장소에서 일하는 장인匠人과 노동자가 강하게 저항했다. 튼튼하고 건강하게 부활할 수 있게 경제가 일단 죽어야 할까? 15세기부터 유럽 도시 생활의 구성원이 된 공중보건 수호자들은 "그렇다"고 말했다.[17]

역사는 유행병이 국가 경제와 사회 구조의 위대한 '리세터resetter' 역할을 해줬다는 걸 보여준다. 코로나19도 마찬가지다. 역사를 통틀어 주요 팬데믹이 장기적으로 경제에 미친 영향을 분석한 한 주요 논문은 거시경제 여파가 최장 40년 동안 지속되면서 실질 수익률을 크게 훼손할 수 있음을 보여준다.[18] 이것은 반대 효과를 내는 전쟁과는 대조적이다. 팬데믹과 달리 전쟁은 자본을 파괴한다. 전쟁은 실질금리를 끌어올리고 경제활동을 활성화하는 반면에 팬데믹은 실질금리를 낮춰 경제활동을 둔화시킨다. 게다가 소비자는 새로운 예방 조치 차원에서건 아니면 단순히 팬데믹 기간 동안 잃어버린 부를 만회하기 위해서건 저축을 늘려서 충격에 대비하는 경향을 보인다. 팬데믹 이후 통상 실질임금이 오르는 경향이 있기 때문에 노동계에서는 자본의 희생으로 이득을 볼 것이다. 1347년부터 1351년까지 유럽을 황폐화시킨 흑사병(불과 몇 년 만에 유럽 인구의 40%를 몰살시킨) 시대로 거슬러 올라가 보면, 당시 노동자들은 세상을 변화시킬 힘이 자신들 손에 있다는 사실을 생애 처음으로 깨달았다. 흑사병이 잠잠해진 뒤 불과 1년 만에 프랑스 북부 소도시 생토메르에서 일하는 섬유 노동자들은 잇따라 임금 인상을 요구해서 쟁취해냈다. 2년 뒤 많은 노동자 길드guild는 협상을 통해 때로는 흑사병 이전 수준보다 많게는 3분의 1 정도까지 노동 시간을 줄이고 임금은 올렸다. 이와 유사하지만 덜 극단적인 다른 팬데믹의 사례들도 비슷한 결과를 보여준다. 즉, 자본의 손상에 따라 노동자는 이득을 봤다. 오늘날 이러한 현상은 전 세계적인 인구 고령화 심화로 악화될 수 있지만(아프리카와 인도는 주목할 만한 예외다), 그러한 시나리오는 파트 1의 챕터 6 '기술적 리셋'에서 우리가 살펴볼 자동화의 확대로 인해 급격하게 변화될 위험이 있다. 이전의 팬데믹들과는 달리 코로나19 위기가 노동에 유리하고 자본에 불리한 쪽으로 균형을 맞춰줄지는 불확실하다. 정치적·사회적 이유로 인해 기술은 조합을 변화시킨다.

불확실성

코로나19를 둘러싸고 지속되는 높은 수준의 불확실성 때문에 그 위험을 정확하게 평가하기는 어렵다. 공포를 유발하는 모든 새로운 위험이 그렇듯이 코로나19는 경제활동에 영향을 미치는 많은 사회적 불안감을 조성한다. 글로벌 과학계에서는 중국의 대표적인 과학자인 중국 의학과학원 병원생물학연구소 진치金奇 소장이 2020년 4월 "코로나19가 장기간 인류와 공존하다 계절성 질환처럼 변해 인체 내에서 살아가는 유행성 전염병처럼 될 가능성이 매우 크다"고 했던 말이 옳았다는 공감대가 압도적으로 형성됐다.[19]

코로나19 창궐 이후 매일 많은 자료들이 끊임없이 쏟아져 나오고 있지만, 약 반 년이 지난 2020년 6월 현재도 우리 지식은 여전히 아주 부족해서 아직도 코로나19가 얼마나 위험한지 잘 알지 못한다. 코로나바이러스를 주제로 발표된 과학 논문이 많이 나왔지만, 치명률, 즉 코로나19에 감염된 환자 중 숨지는 환자의 비율은 여전히 논쟁거리다. 치명률이 약 0.4~0.5%에서 최대 1%까지 높아질 수 있기 때문이다. 확진자 중 무증상자 비율, 무증상자의 전염률, 계절 효과, 잠복기, 국가 감염률 등을 하나하나 이해하는 측면에서는 진전이 있지만, 다른 많은 요소들은 여전히 상당히 '알려진 무지'의 상태다. 정책 입안자와 공무원들은 이처럼 만연한 불확실성 때문에 적절한 공중보건 전략과 그에 상응하는 경제 전략을 고안하기가 매우 어렵다.

놀랄 일은 아니다. 앤 리무인Anne Rimoin UCLA 전염병학 교수는 "코로나19는 인류에게는 낯선 새로운 바이러스이며, 향후 닥칠 일을 누구도 모른다"라고 인정했다.[20] 이런 환경에선 상당히 겸손한 자세가 요구된다. 세계적 바이러스학자인 피터 피오트Peter Piot의 말대로 "우리가 코로나바이러스에 대해 더 많이 알면 알수록 더 많은 의문이 생기기 때문"이다.[21] 코로나19는 의료계를 당혹하게 만드는 변화무쌍한 증세들로 자신을 드러내는 변장의 달인이다. 코로나19는 호흡기 질환이지만, 상당수 환자들에게선 심장염과 소화기 질환에서부터 신장염, 혈액 응고, 뇌막염에 이르기까지 다양한 증세가 나타난다. 게다가 회복하더라도 다수는 만성 신장과 심장 질환뿐만 아니라 신경학적 후유증에 계속해서 시달린다.

불확실성 앞에서 향후 닥칠 일을 더 잘 이해하기 위해 여러 가지 시나리오를 짜보는 것도 합리적이다. 코로나19 사태로 예측하지 못한 사건과 임의적 상황에 해당하는 광범위한 결과들이 초래될 수 있다는 것은 잘 알고 있지만, 대표적으로 세 가지 시나리오를 가정해볼 수 있겠다. 각 시나리오는 향후 2년 동안 어떤 세상이 될지 윤곽을 그려보는 데 도움이 될 것이다.

이 세 가지 그럴듯한 시나리오[22]는 모두 코로나19가 2022년까지 우리에게 계속해서 영향을 미칠 수 있다는 중대 가정에 근거한 것이다. 따라서 이 시나리오들은 앞으로 닥칠 일에 대해 생각해보는 데 유용할 수 있다. 첫 번째는 2020년 3월부터 시작된 1차 유행에 뒤이어 2020년 중반부터 일련의 소규모 유행들이 나타나다가 2년 정도

기간이 흐른 2021년에 점차 소멸되는, 그래프로 그리면 유행 패턴이 '봉우리와 골짜기peaks and valleys' 모양처럼 되는 시나리오다. 이처럼 봉우리와 골짜기 모양이 생기는 횟수와 정도는 지리적으로 다양하며, 시행되는 구체적인 피해 최소화 조치에 따라 달라진다. 두 번째는 1차 유행에 이어 2020년 3·4분기에 더 큰 유행이 일어나고, 2021년에 몇 차례 소규모 유행(1918~1919 스페인 독감 대유행 때와 마찬가지로)이 이어지는 시나리오다. 이 시나리오대로 되려면 2020년 4분기 경에 감염 확산을 억제하고 의료 시스템이 붕괴되는 것을 막기 위한 피해 최소화 조치가 다시 시행돼야 한다. 세 번째는 2020년 1차 유행 뒤 전염과 사례 발생 속도가 '천천히 진정'되지만 확실한 유행 패턴은 나타나지 않고 감염자 수에 소폭의 변화만 보이는 시나리오다. 과거 인플루엔자 팬데믹 때와 달리 코로나19 때나 생각해볼 수 있는 시나리오다. 첫 번째와 두 번째 시나리오와 마찬가지로 이러한 패턴은 지역에 따라 다른 형태를 띠며, 특정 국가나 지역에서 시행된 초기 피해 최소화 조치의 성격이 어느 정도 변수가 된다. 이때는 감염과 사망 사례가 계속 발생하더라도 피해 최소화 대책을 재정비할 필요까지는 없다.

다수의 과학자들이 이 세 가지 시나리오가 제시하는 '틀'에 동의하는 것 같다. 코로나19 사태가 이 세 가지 시나리오 중 어떤 시나리오대로 전개되건 간에, 정책 입안자들은 다양한 지역에서 주기적으로 핫스팟이 나타나는 가운데 적어도 18~24개월 동안 코로나19 사태에 신중하게 대처할 준비가 되어 있어야 한다. 곧이어 주장하겠지만, 바

이러스를 물리치거나 극복하기 전까지 본격적인 경제 회복을 기대할
수는 없다.

● 성장을 위해 여러 생명을 희생시키는 경제적 오류

코로나19 팬데믹 내내 '생명과 경제 중 무엇을 살려야 하냐'의 문제,
즉 생명이 중요하냐 생계가 중요하냐를 둘러싼 문제에 대해 끊임없는
논쟁이 펼쳐졌다. 이것은 잘못된 '트레이드오프trade-off(하나를 얻으려고
다른 것을 희생해야 하는 경제 관계 - 옮긴이 주)'다. 경제적 관점에서 볼
때 공중보건과 경제성장의 타격 중 하나를 포기하고 하나만 선택해
야 한다는 신화는 쉽게 논박할 수 있다. 경제를 살리기 위해 일부 생
명을 희생하느냐가 다윈적Darwinian 사회적 명제냐 아니냐 하는 중요한
윤리적 문제를 제쳐두고, 생명을 구하지 않기로 하는 결정은 경제 복
지를 향상시키지 못할 것이다. 다음 두 가지 이유 때문이다.

1. 공급 측면에서 거의 모든 과학자들이 그렇게 될 거라고 믿는 대로
   여러 가지 제한과 사회적 거리두기의 규제를 섣불리 완화함으로써
   감염이 가속화될 경우, 감염되는 종업원과 노동자들이 늘어나 경
   영을 중단하는 기업 역시 늘어날 것이다. 2020년 코로나19 창궐
   이후 이런 주장이 옳다는 사실은 여러 차례에 걸쳐 증명되었다. 코
   로나19에 감염된 노동자가 너무 많아 가동을 중단해야 했던 공장

(육류 가공 시설 등 노동자들끼리 물리적으로 서로 가까운 거리에서 일할 수밖에 없는 작업 환경의 경우)부터 감염된 선원이 많아 정상 운항을 할 수 없어 운항을 중단한 해군 함정까지 사례는 다양했다. 노동력 공급에 부정적인 영향을 미치는 또 다른 요인은 전 세계적으로 노동자들이 감염될 것을 우려해 일터로 복귀하길 거부하는 사례가 반복되고 있다는 점이다. 많은 대기업에서 코로나19 감염 위험이 크다고 느낀 직원들은 작업 정지 등 일련의 행동에 나섰다.

2. 수요 측면에서의 논쟁은 언제나 경제활동의 가장 기본적이면서도 근본적인 결정 요인인 '심리'로 귀결된다. 소비자 심리가 경제를 좌지우지하는 이상 심리가 회복되고 나서야 비로소 어떤 종류의 '정상화'로의 복귀가 가능하다. 안전에 대한 개인의 인식이 소비자와 기업의 결정을 유도한다. 즉, 경제의 지속적인 개선 가능 여부는 코로나19를 극복했다는 확신(그렇지 못한다면 사람들은 소비하고 투자하지 않을 것이다)과 전 세계적으로 바이러스가 퇴치됐다는 증거(그런 증거가 없다면 사람들은 우선은 주변 지역이 안전하고, 이후에는 더 멀리 떨어진 곳까지도 안전하다고 느낄 수 없을 것이다)라는 두 가지에 달려 있음을 의미한다.

이 두 가지 이유에 대한 논리적인 결론은, 정부는 경제가 지속 가능하게 회복할 수 있도록 건강과 부를 위해 필요한 모든 조치를 취해야 하고, 비용이 얼마가 되든 감당해야 한다는 것이다. 한 경제학자이자 공중보건 전문가는 "생명을 살려야만 생계를 유지할 수 있다"[23] 면서 국민의 건강을 최우선순위에 두는 정책만이 경제 회복을 가능하게 한다고 분명히 밝혔다. 그는 이어 "정부가 생명을 살리지 못하면 바이러스를 두려워하는 사람들이 쇼핑, 여행, 외식을 재개하지 않게 되고 봉쇄 여부와 상관없이 경기 회복에 지장을 줄 것이다"라고 강조했다.

미래의 데이터와 그에 따른 분석만이 건강과 경제 사이에 트레이드오프가 존재하지 않는다는 걸 보여주는 명백한 증거를 제시해줄 것이다. 그렇다고 하더라도 미국 몇몇 주의 봉쇄 조치 해제 초기 단계에서 수집된 일부 데이터를 보면 봉쇄 이전부터 이미 지출과 일자리가 감소했다는 걸 알 수 있다.[24] 코로나19에 대한 우려가 시작되자 정부가 공식적으로 요청하기도 전에 이미 사람들은 사실상 경제를 '셧다운shutdown'하기 시작했다. 미국 몇몇 주들이 일부 경제활동 재개를 결정하기 시작한 이후에도 비슷한 현상이 나타났다. 즉, 소비는 여전히 위축된 상태였다. 이는 경제생활이 정부 지시에 의해 활성화될 수 없다는 것을 증명하는 동시에, 대부분의 의사결정자들이 경제 재개 여부를 결정해야 할 때 겪었던 어려움이 뭔지를 잘 보여준다. 봉쇄의 경제적·사회적 피해는 누구에게나 확연히 드러나지만, 성공적인 개방의 전제 조건인 코로나19 억제와 사망 방지 측면에서의 성공은 잘 드러나지 않는다. 사실 코로나바이러스 확진자나 사망자가 생기지 않아도 국민적 축하를 받지 못하므로 '잘해봤자 본전'이다. 너무 일찍 봉쇄나 개방 정책을 취하지 않고 미루고 싶은 유혹이 커질 수밖에 없는 이유가 이 때문이다. 이것이 공중보건 정책의 역설이다. 그러나 이후 나온 몇몇 연구들은 그러한 유혹이 얼마나 큰 위험을 수반하는지 보여주었다. 각기 다른 방법을 써서 했으나 비슷한 결론에 도달한 두 연구는 봉쇄 조치를 취하지 않았을 때 일어날 수 있는 일을 모델링해보았다. 영국 임페리얼 칼리지 런던Imperial College London이 실시한 연구에 따르면, 2020년 3월 가해진 광범위한 엄격한 봉쇄로 영국, 스페인, 이탈리아, 프랑스, 독일을 포함한 유럽 11개 국가에서 310만 명의 죽음을 막을 수 있었다.[25] UC버클리가 실시한 또 다른 연구는 각 국가가 취한 적극적인 방역 조치 덕에 한국, 미국, 중국, 이탈리아, 이란, 프랑스 6개 국가에서 총 6,200만 명이 감염을 피했다고 결론지었다. 그러면서 코로나19 진단 검사를 받지 않아 감염 사실을 모른 채 넘어가는 경우를 포함하면 약 5억 3,000만 명이 방역 조치의 효과를 본 것으로 파악했다.[26] 간단한 결론을 내리자면 이렇다. 최고조에 달했을 때 코로나19 확진 판정을 받은 사람 수가 이틀마다 약 두 배씩 늘어나던 국가들에서 정부는 엄격한 봉쇄 조치를 취하는 것 외에는 합리적인 대안이 없었다. 그렇지 않은 척하는 것은 팬데믹 확진자의 폭발적인 증가와 그로 인한 엄청난 피해를 무시하려는 행위에 불과하다. 극단적으로 빠른 코로나19의 전파 속도 때문에 개입 시기와 강제성이 절대적으로 중요해졌다.

성장과 고용
Growth and Employment

2020년 3월 이전에는 세계경제가 이렇게 갑작스럽고 잔인할 정도로 멈춰선 적이 없었다. 지금 살아 있는 사람 중에 과거에 성격과 속도 면에서 이렇게 극적이면서 급격한 경제 붕괴를 경험해본 사람은 없었다.

코로나19 팬데믹이 세계경제에 가한 충격은 경제사에 기록되어 있는 그 어떤 충격보다 훨씬 더 심각하고 빠르게 일어났다. 1930년대 초 대공황과 2008년 글로벌 금융위기 때도 국내총생산GDP이 10% 이상 마이너스 성장하고, 실업률이 10% 이상으로 치솟기까지 수년의 시간이 걸렸다. 반면 코로나19 팬데믹이 초래한 2020년 3월 실업자

수의 폭발적 증가와 GDP 급감이라는, 가히 재난에 버금가는 거시경제적 사건들은 불과 3주라는 짧은 시간 안에 모두 일어났다. 코로나19는 수급 위기를 초래하며, 세계경제를 100여 년 만에 가장 큰 추락으로 이끌었다. 경제학자 케네스 로고프Kenneth Rogoff가 경고한 대로 "모든 건 코로나19 사태가 얼마나 오래 지속되느냐에 따라 달라지겠지만, 이번 사태가 장시간 지속된다면 분명 온갖 금융위기를 초래할 것이다."[27]

경기 하강 시간과 정도뿐 아니라 그로 인해 성장과 고용이 받을 타격은 1) 코로나19 사태의 지속 기간과 심각성, 2) 각국이 이를 억제하고 여파를 최소화하는 데 성공하느냐 여부, 3) 봉쇄 이후 조치와 다양한 개방 전략을 다루는 데 있어서 각 사회의 응집력, 세 가지에 따라 달라진다. 이 책을 집필하고 있는 2020년 6월 말 현재는 이 세 가지 측면이 모두 미지의 상태로 남아 있다. 크고 작은 재확산 사례가 등장하고 있는 가운데 국가들이 거둔 코로나19 발병 억제 노력이 성공적으로 지속되거나, 아니면 반대로 새로운 유행에 의해 갑자기 실패로 끝나고, 사회의 결속력은 새로운 경제적·사회적 고통에 의해 도전받을 수 있다.

경제성장

2020년 2월과 5월 사이 전 세계 정부들은 잇따라 코로나19를 억제하기 위해 경제 전반을 폐쇄하기로 하는 신중한 결단을 내렸다. 이러한 전례 없는 일련의 사건들은 세계경제의 운용 방식에 근본적인 변화를 가져왔다. 모든 국가들은 앞다투어 나서서 어떤 형태로건 자족self-sufficiency을 지향하는 '자급 경제autarky' 형태로 복귀하려고 애썼고, 국가와 글로벌 생산은 감소했다. 이러한 결정의 영향은 무엇보다 전통적으로 건설업이나 제조업 같은 다른 산업보다 경제성장의 주기적인 변화에 덜 민감한 서비스 산업에 영향을 미쳤기 때문에 훨씬 더 극적으로 보였다. 결과적으로, 어떤 선진국 경제에서건 경제활동에서 단연코 가장 큰 비중을 차지하는 서비스 부문(미국 GDP의 약 70%와 고용의 80% 이상을 담당)이 코로나19로 가장 큰 타격을 받았다. 서비스 부문은 제조업이나 농업과 달리 한 번 입은 매출 손실은 영원히 사라진 것이라는 독특한 특성 때문에 더 고통받았다. 서비스 기업들은 재고를 쌓아놓거나 원자재를 비축해놓지 않기 때문에 매출을 이연移延할 수가 없다.

코로나19 사태가 터지고 몇 달 동안, 그것이 대부분의 서비스 기업들에게 소위 '평상시와 다름없이 영업'하는 척이라도 한다는 건 상상할 수 없는 것처럼 보인다. 이는 결국 백신이 등장하기 전까지는 '예전 생활'로의 완전한 복귀를 기대할 수 없다는 뜻이다. 그게 언제가 될까? 대부분의 전문가들에 따르면, 빨라도 2021년 1분기 이전까지는 그러한 완전한 복귀가 가능할 것 같지는 않다. 2020년 6월 중순 현재 이미 135건 이상의 백신 실험이 진행 중인데, 과거에 백신을 개발하는 데 최대 10년(에볼라의 경우 5년)까지 걸렸다는 점에서 개발 속도는 가히 놀라울 정도다. 문제는 과학이 아니라 생산이다. 수십억 명 분의 백신을 제조한다는 건 기존 시설의 대규모 확장과 전환이 필요한 까다로운 도전이다. 다음 관문은 백신 접종 거부자들이 늘어나더라도 전 세계적으로 충분히 많은 사람들(우리는 집단적으로 가장 약한 고리만큼만 강하다는 것을 기억해야 한다)에게 예방접종을 해야 하는 정치적 도전이다. 그 사이 몇 달 동안 경제는 전면 가동되지 않는 상태, 즉 '80% 경제'로 불리듯 국가별로 가동 수준이 다른 상태가 유지될 것이다. 여행, 접대, 소매 또는 스포츠와 같이 다양한 분야에 종사하는 기업들은 고객 감소(고객들은 높은 위험 회피 성향을 보이면서 불확실성에 반응할 것이다), 예비적 저축precautionary savings을 위해 평균적으로 소비자들의 씀씀이 축소, 거래 비용 상승(물리적 거리와 위생 조치로 인해 고객 1인당 응대 비용 증가)이란 세 가지 문제에 직면하게 될 것이다.

GDP 성장에 서비스가 중요하다는 점(부유한 국가일수록 성장에 서비스의 중요성이 커진다)을 고려해볼 때, 이 '80% 경제'라는 새로운 현실은 서비스 분야 영업 활동의 연속적인 중단이 부도와 실직을 유발해 경제 전반에 지속적인 영향을 미치고, 이러한 영향으로 사람들이 소득과 미래에 대한 자신감을 잃으면서 수요 붕괴를 초래할 수 있는지를 궁금하게 만든다. 이러한 시나리오는 거의 필연적으로 기업의 투자 급감과 소비자의 예비적 저축 급증으로 이어지면서, 한 나라 밖으로 대규모 자금이 신속하고 불확실한 방식으로 유출되며 경제위기를 더 악화시키는 자본 이탈을 유발함으로써 전 세계 경제에 파장을 불러일으킬 것이다.

경제협력개발기구OECD에 따르면, 경제 '가동 중단' 직후 주요 7개국 G7의 GDP가 연간 20~30% 감소할 가능성이 있다.[28] 그러나 재차 강조하지만, 이 추정치는 각국의 코로나19 발병 기간과 정도에 따라 달라진다. 즉, 봉쇄 기간이 길어질수록 실직, 파산, 설비투자 취소로 경제가 영구적인 상처를 입음으로써 구조적 피해는 더욱 커진다. 경험상 한 국가 경제의 상당 부분이 폐쇄된 상태를 유지할 때마다 매달 연간 성장률은 2%p씩 떨어질 수 있다. 그러나 우리가 예상했듯이, 제한 조치의 지속 기간과 그로 인해 GDP가 받는 영향 사이의 관계는 선형적이지 않다. 네덜란드 경제정책국은 경제 봉쇄 조치가 한 달씩 연장될 때마다 경제활동의 비비례non-proportional 악화 정도가 더욱 심해진다는 것을 발견했다. 이 모델에 따르면, 한 달 내내 경제가 '동면기 hibernation'에 들어가면 2020년 네덜란드 GDP가 1.2% 감소하는 반면, 3개월 동면기에 들어가면 감소폭이 5%로 확대된다.[29]

이미 봉쇄를 해제한 지역과 국가의 경우, 어떤 모습으로 경제가 성장할지 단언하기는 시기상조다. 2020년 6월 말 현재, 유로존 제조업

구매관리자지수PMI처럼 일부 지표는 V자형 회복을 하는 등 예상보다 강한 반등을 알려주는 몇몇 일회성 증거들이 등장하고 있지만 우리는 다음 두 가지 이유로 인해 아직 흥분해서는 안 된다.

1. 유로존과 미국의 PMI가 눈에 띄게 개선됐다고 해서 이들 국가 경제가 완전히 반등한 건 아니다. 이는 단순히 이전 몇 달에 비해 경제활동이 개선되었음을 나타낼 뿐이다. 엄격한 봉쇄 조치로 인해 경제활동이 중단됐다가 봉쇄 조치가 풀리자 경제활동이 다시 크게 살아나는 건 당연하다.

2. 미래 성장 측면에서 예의 주시해야 할 가장 유의미한 지표 중 하나가 저축률이다. 봉쇄 기간 중인 4월 미국의 개인저축률은 33%까지 올랐고, 유로존에서는 가계저축률(미국의 개인저축률과는 다르게 계산)이 19%까지 상승했다. 경제가 다시 개방되면 이 두 저축률은 모두 하락하겠지만, 아마도 이러한 저축률은 역사적으로 높은 수치로 기록될 것이다.

국제통화기금IMF은 2020년 6월 발간한 〈수정 세계경제 전망World Economic Outlook Update〉에서 "비교할 수 없을 만큼 심각한 위기"와 "회복의 불확실성"을 경고했다.[30] IMF는 2020년 세계 경제성장률 전망치를 두 달 전인 4월에 내놨던 전망치보다 2%p 낮은 마이너스 4.9%로 수정했다.

고용

코로나19는 엄청난 규모의 노동시장 위기를 일으키고 있다. 피해는 엄청나고, 아무리 노련한 정책 입안자들조차 말문이 막힐 정도로 너무나 갑작스럽게 일어났다. 제롬 파월Jerome Powell 미국 연방준비제도 이사회FRB(이하 '연준') 의장은 5월 19일 미 상원 은행위원회 증언에서 "경제활동의 급격한 감소로 미래에 대한 큰 불확실성 속에서 생활이 엉망이 됨에 따라 말로 표현하기 어려운 정도의 고통이 초래됐다"라고 고백했다.[31] 2020년 3월과 4월 불과 두 달 만에 3,600만 명 이상의 미국인이 실직했다. 무려 10년 동안 늘어났던 일자리가 일순간 사라진 것이다. 다른 곳과 마찬가지로 미국에서도 초기 봉쇄로 인한 기업들의 일시적 해고가 영구화돼 극심한 사회적 고통(강력한 사회안전망만이 경감해줄 수 있다)과 국가 경제에 심각한 구조적 피해를 줄지 모른다.

전 세계적 실업 수준은 궁극적으로 경제활동의 붕괴 정도에 따라 좌우되겠지만, 실업률이 두 자릿수 수준에 미치거나 초과하는 것은 당연하다. 다른 곳에 닥칠 위기에 대한 신호라 할 수 있는 미국의 2020년 공식 실업률이 대공황 때와 맞먹는 수준인 25%에 달할 수 있을 것으로 추산된다. 너무 낙담한 나머지 일자리 찾기를 중단해서 공식 통계에 반영되지 않는 노동자나 정규직 일자리를 찾고 있는 시간제 근로자처럼 숨겨진 실업자까지 포함한다면 실업률은 더 올라갈 것이다. 서비스업 종사자의 상황은 특히 심각해질 것이다. 공식적으로 채용되지 않은 노동자의 상황은 심지어 더 나빠질 것이다.

실업의 규모와 심각성이 경제성장에 미치는 영향은 국가별로 다르다. 국가마다 경제구조와 사회계약의 성격에 따라 받는 영향이 다를 것이다. 하지만 미국과 유럽은 이 문제에 대한 정책 입안자들의 해결 방법과 향후 과제에 대해 근본적으로 다른 두 가지 모델을 제시한다.

2020년 6월 현재 미국의 실업률(코로나19 발생 이전 실업률은 3.5%에 불과했다)은 다른 어느 곳보다 큰 폭으로 상승했다. 4월 미국의 실업률은 2월에 비해 11.2%p 올랐지만 같은 기간 독일의 실업률은 1%p 미만 상승했을 뿐이다. 이러한 현저한 차이가 생긴 첫 번째 이유는 미국 노동시장이 유럽에선 존재하지 않거나 법으로 금지된, '고용과 해고가 쉬운hire-and-fire' 문화이기 때문이다. 두 번째 이유는 코로나19 위기가 시작되자마자 유럽은 고용 지원을 위한 재정 조치를 시행했기 때문이다.

2020년 6월 현재까지 미국 정부의 지원 규모는 유럽보다 더 컸지만, 지원 성격에 근본적인 차이가 있었다. 미국 정부는 실직자에게 소득을 지원해주고 있는데, 지원 규모가 크다 보니 일부 실직자는 위기 이전 정규직으로 일할 때보다 오히려 더 소득이 늘어나는 경우도 종종 생겼다. 반면 유럽 정부들은 단축 근무를 시행하거나 아예 업무가 중단된 상태임에도 불구하고 노동자들의 '고용' 상태를 유지한 기업들을 직접 지원하기로 했다.

독일에서는 기업이 일시적으로 영업을 중단하거나 근로 시간을 급격하게 줄이더라도 공식적으로 고용 상태를 유지할 경우 정부 자금을 지원받아 직원 월급의 3분의 2 정도를 지급하게 해주는 일명 '쿠어츠아르바이트Kurzarbeit'라는 '단축근무제'를 도입해서 1,000만 노동자의 실직을 막았다. 프랑스 정부도 비슷한 제도를 도입해서 독일과 비슷한 수의 노동자들에게 이전 임금의 최대 80%까지를 지원해주었다. 다른 많은 유럽 국가들도 비슷한 지원책을 내놓았는데, 이런 지원책이 없었더라면 훨씬 더 대규모의 정리해고와 감원이 일어났을 것이다. 이러한 노동시장 지원책들 외에 부실기업의 파산을 늦추는 것과 같은 다른 비상조치들도 동원됐다. 많은 유럽 국가들에선 기업이 코로나19 사태로 유동성 문제가 생겼다는 것을 입증할 수 있다면 파산 신청을 늦출 수(일부 국가들에서는 최대 2021년 3월까지) 있게 해줬다. 경기 회복세가 자리 잡는다면 이런 정책은 타당하지만, 그게 아니라면 단지 문제를 지연시키는 정책에 불과할 수도 있다. 전 세계적으로 노동시장의 완전한 회복까지 수십 년이 걸릴 수 있으며, 다른 곳도 그렇지만 유럽에서도 대량 실업에 따른 대량 파산에 대한 두려움이 엄습하고 있다.

앞으로 몇 달 동안 상황은 더욱 악화될 수밖에 없다. 지속 가능한 경제 회복이 시작되기 전까지는 고용 상황이 크게 개선될 수 없기 때문이다. 백신이나 치료제가 등장하기 전까지는 그럴 것이다. 다시 말해, 많은 사람들이 실직하거나 실직 후 다른 직장을 찾지 못할 것이라는 걱정을 동시에 하게 되고, 이로 인해 저축률이 크게 오를 것이다. 좀 더 먼 시간, 즉 앞으로 몇 달에서 몇 년 뒤에는 두 부류의 사람들이 특히 암울한 고용 상황에 직면할 것이다. 그들은 코로나19로 무너진 고용 시장에 첫발을 내딛는 젊은이들과 로봇으로 대체되기 쉬운 노동자들이다. 이는 노동시장의 미래에 결정적인 영향을 미칠 경제·사회·기술의 교차점에 자리한 근본적인 문제다. 특히 자동화는 심각한 우려를 불러일으킬 것이다. 기술이 장기적으로 긍정적인 경제효과를 내는 사례는 이미 잘 알려져 있다. 이런 쪽 주장의 핵심은 자동화는 혁신적이며, 생산성을 향상시키고 부가가치를 창출함으로써 재화와 서비스에 대한 수요뿐만 아니라 그러한 수요를 충족시키기 위한 새로운 유형의 일자리를 늘린다는 것이다. 맞는 말이긴 하지만 지금과 한참 뒤 사이에는 무슨 일이 일어날까?

십중팔구 코로나19로 인한 경기 침체로 노동 대체labour-substitution가 급증함으로써 육체노동은 로봇과 컴퓨터로 대체되며 종국에는 노동시장에 지속적이고 구조적인 변화를 야기할 것이다. 기술 문제를 다룬 장에서 코로나19가 자동화에 미치는 영향을 더 자세히 분석해놓았지만, 이미 변화가 가속화되고 있다는 걸 보여주는 증거는 충분하다. 콜센터가 그런 상황을 보여주는 대표적 사례다.

코로나19 이전부터 이미 인공지능AI 기반의 신기술이 점차 도입되면서 사람들이 하던 일부 업무가 자동화되고 있었다. 코로나19 사태와 이후 취해진 사회적 거리두기 조치는 순식간에 이러한 혁신과 기술 변화 과정을 가속화했다. 아마존의 AI 플랫폼인 알렉사Alexa와 같은 음성인식 기술을 종종 사용하는 챗봇chatbot과, 평소 사람 직원이 수행하던 업무를 대체할 수 있는 소프트웨어가 빠르게 도입되고 있다. 위생 조치처럼 필요에 따라 야기된 이러한 혁신들로 인해 곧 수십만 명, 더 나아가 수백만 명의 일자리가 사라질 것이다.

앞으로 한동안 소비자들이 직접 대면보다 자동화된 서비스를 선호할 수밖에 없는 만큼 현재 콜센터에서 일어나고 있는 일이 다른 분야에서도 일어나지 않는다는 보장은 없다. 따라서 '자동화에 대한 우려'가 되살아날 것이고,[32] 경기 침체는 그런 걱정을 더욱 부추길 것이다. 자동화 과정은 결코 선형적이지 않다. 그것은 기업의 수익 감소로 인해 인건비가 상대적으로 더 비싸게 느껴지는 어려운 시기에 한꺼번에 일어나는 경향이 있다. 고용주가 노동생산성 제고를 위해 미숙련 노동자를 자동화 시스템으로 교체하는 때다.[33] 식품과 운송 같은 제조업과 서비스업 분야에서 단순 노동에 종사하는 저소득 노동자가 자동화의 영향을 가장 크게 받을 것으로 나타났다. 노동시장은 고임금 일자리와, 사라졌거나 보수가 좋지 않고 별로 재미없는 많은 일자리로 나뉘어서 점점 더 양극화될 것이다. 신흥국과 개도국(특히 '젊은이가 급증youth bulge'하는 나라)에서는 기술로 인해 '인구 격차demographic dividend'가

'인구 악몽demographic nightmare'으로 바뀔 위험성이 크다. 자동화로 인해 경제성장의 에스컬레이터에 오르기 훨씬 어려워지기 때문이다.

인간은 앞으로 다가올 일보다 사라져가는 일을 머릿속에 그려보기가 훨씬 쉽기 때문에 비관론에 빠지기 쉽다. 가까운 미래에 전 세계적으로 실업률이 오를 것을 알고 이해하고 있어도 앞으로 몇 년 혹은 몇 십 년 동안 계속 놀랄지도 모른다. 우리는 새로운 생산 방법과 수단에 의해 주도되는 전례 없는 혁신과 창의성의 물결을 목격할 것이다. 전 세계적으로 수억 명의 고용 창출이 기대되는 수십만 개의 새로운 '작은 산업들micro industries'이 폭발적으로 증가할 수도 있다. 물론 향후 경제성장의 궤적에 따라 많은 것이 좌우되리라는 점 외에는 미래가 어떻게 될지 정확히 알 수는 없다.

- 미래의 성장은 어떤 모습일까?

현재 나오고 있는 전망에 따르면, 포스트코로나 시대에는 과거 수십 년보다 훨씬 낮은 성장이 새로운 경제 '노멀'로 자리 잡을지도 모른다. 경기 회복이 시작되면 전분기 대비 GDP는 기저 효과로 인해 인상적인 성장세를 나타낼 수 있지만, 대부분의 국가 경제의 전체 규모가 코로나19 이전 수준으로 돌아가려면 몇 년이 걸릴 수 있다. 이번 사태로 인한 경제적 충격은 많은 나라에서 나타나고 있는 인구 감소와 고령화(인구는 '운명'이자 GDP 성장의 결정적인 원동력이다)란 장기적 추세와 맞물려 더욱 커질 것이기 때문이다. 이런 상황에서 경제성장률 하락이 기정사실처럼 보일 때 더 높은 GDP 성장 목표를 추구해봤자 의미가 없다는 결론에 도달하게 되면 성장에 '집착'하는 게 과연 유용한가 하는 의구심마저 가질 수 있다.

전 세계적으로 코로나19로 야기된 심각한 혼란은 진정으로 가치 있는 게 무엇인지를 성찰해볼 수 있는 강제적인 휴식을 제공했다. 코로나19 사태에 맞서 비상 경제 대책이 시행되고 있는 상황에선 경제를 더 공정하고 친환경적인 미래로 이끌 제도적 변화와 정책적 선택을 할 기회를 잡을 수 있다. 브레턴우즈Bretton Woods 체제(1944년 미국 뉴햄프셔주 브레턴우즈에서 열린 44개국 연합 회의에서 탄생한 국제통화제도. 미국 달러화를 기축통화로 금 1온스를 35달러에 고정시켜 통화 가치 안정을 꾀하는 환율 체제-옮긴이 주), 유엔, 유럽연합EU, 복지국가 확대 등 제2차 세계대전 이후 몇 년 동안 급진적인 재고再考의 역사는 앞으로도 대규모 변화가 가능하다는 걸 보여준다. 이에 따라 첫 번째로 경제 발전을 평가하는 새로운 나침반은 무엇이 되어야 하는가, 두 번째로 포용적이고 지속 가능한 경제를 만드는 새로운 동인은 무엇이 될 것인가란 질문에 대한 대답을 고민해볼 필요가 있다.

첫 번째 질문과 관련하여 답하자면, 진로를 수정하기 위해선 세계 지도자들이 모든 시민과 지구의 행복에 더 집중하고 우선순위를 두는 식으로 사고방식을 변화시킬 필요가 있다. 역사적으로 봤을 때 국가 통계는 주로 정부가 세금을 부과하고 전쟁을 치르는 데 필요한 가용 자원을 더 잘 이해할 수 있게 해주기 위해 작성되었다. 민주주의가 더 강해지면서 1930년대에 국가 통계의 소관이 인구의 경제적 복지를 파악하는 데까지로 확대되자[34] 이를 좀 더 잘 파악해보려는 차원에서 GDP가 최초로 등장했다. 경제 복지는 미래 자원의 가용성 여부를 고려하지 않고 현재의 생산과 소비만을 다루게 되었다. 정책 입안자들이 경제 번영의 지표로 GDP에 과도하게 의존하자 지금 같은 자연과 사회자원 고갈이란 문제가 생겼다.

경제 발전 여부를 더 잘 파악하기 위해 따져봐야 할 다른 요소들로는 뭐가 있을까? 첫째, GDP 자체가 디지털 경제에서 창출되는 가치, 무급 근무를 통해 창출되는 가치, 특정 유형의 경제활동을 통해 잠재적으로 파괴될 수 있는 가치를 반영하도록 개선될 필요가 있다. 가정에서 수행하는 작업을 통해 창출되는 가치의 누락은 오랫동안 논란거리였고, 그에 대한 평가 체계를 만들기 위한 연구에 탄력이 붙어야 할 것이다. 또 디지털 경제 규모가 확대되면서 측정된 활동과 실제 경제활동의 격차도 더욱 커지고 있다. 더욱이 GDP에 포함함으로써 가치를 창출하는 것으로 파악되는 특정 유형의 금융 상품은 단지 한 장소에서 다른 장소로 가치를 이동시키고 있거나, 아니면 때로는 심지어 가치를 파괴하는 효과를 내고 있다.

둘째, 경제 전체의 규모뿐만 아니라 이익 분배와 기회의 문의 점진적 개방도 중요하다. 많은 나라에서 소득 불평등이 그 어느 때보다도 두드러지고 있고, 기술 발전이 양극화를 심화시키고 있는 가운데 전체 GDP나 1인당 GDP와 같은 평균은 개인의 삶의 질을 제대로 가늠할 수 있는 지표로서 유용성을 점점 더 상실하고 있다. 부의 불평등은 오늘날 불평등의 역학에서 중요한 역할을 하므로 더욱 체계적으로 추적되어야 한다.

셋째, 경제 회복력resilience을 더 잘 측정하고 주시함으로써 튼튼한 경제 시스템을 유지하는 데 중요한 제도, 인프라, 인적 자본 및 혁신 생태계 등의 생산성 결정 요인들을 포함해서 경제의 진정한 건전성을 평가할 필요가 있다. 게다가 금융, 물리, 자연, 사회자본 등과 관련된 위기 상황에서 국가가 빼내서 쓸 수 있는 자본 준비금도 체계적으로 파악해둘 필요가 있다. 자연과 사회자본은 특히 평가하기가 어렵지만, 한 나라의 사회적 화합과 환경의 지속 가능성에 중요하므로 과소평가해서는 안 된다. 최근에는 공공과 민간 부문 데이터 소스를 통합함으로써 자연과 사회자본 등을 평가하려는 학술적 노력이 시작되고 있다.

정책 입안자들의 우선순위가 바뀌고 있다는 걸 보여주는 실제 사례가 등장하고 있다. 2019년 〈세계 행복 보고서World Happiness Report〉 10위권 안에 든 나라가 '웰빙 예산'을 공개한 것은 우연이 아니다. 저신다

아던Jacinda Ardern 뉴질랜드 총리는 정신건강, 아동 빈곤, 가정 폭력 등 사회적 이슈 해결에 예산을 배정함으로써 웰빙을 공공 정책의 명시적 목표로 삼았다. 이렇게 함으로써 아던 총리는 GDP가 증가해도 반드시 생활수준과 사회복지가 향상되는 건 아니라는, 모두가 오랫동안 알고 있던 사실에 대해 정책적 해결을 모색했다.

또 도시에서부터 유럽연합 집행위원회European Commission에 이르기까지 여러 기관과 조직은 미래에 우리가 '지구가 가진 한계planetary boundaries' 내에서 최대한 물질적 욕구를 충족할 수 있는 수준에서 경제활동을 유지할 수 있게 해줄 여러 가지 방안에 대해 검토 중이다. 암스테르담 시정부는 세계 최초로 포스트코로나 세계를 대비하기 위한 '도넛 경제 모델'을 차용한 새로운 도시 생태계 설계에 매진해왔다. 이 모델을 상징하는 디자인은 가운데 고리가 우리가 좋은 삶을 영위하는 데 필요한 최소한의 것(2015년 유엔 총회에서 채택된 글로벌 공동 추진 목표인 '지속 가능 발전 목표Sustainable Development Goals'에 명시되어 있다)을 나타내고, 외부 원은 지구 시스템 과학자들이 규정하는 생태적 한계ecological ceiling를 표현한 '도넛' 형태와 유사하다. 생태적 한계란, 기후, 토양, 해양, 오존층, 담수 및 생물 다양성에 미치는 부정적인 영향을 피하기 위해 인간의 활동으로 침범해서는 안 되는 경계를 뜻한다. 두 개의 고리 사이에는 우리 인간의 욕구와 지구의 욕구가 충족되는 스위트 스폿sweet spot(또는 '반죽')이 존재한다.[35]

아직 'GDP 성장의 횡포'가 유효할 수는 있겠지만, 여러 다른 신호들은 코로나19 사태로 뿌리 깊은 사회 규범 다수의 변화가 가속화될 수 있음을 나타낸다. 행복이 1인당 GDP에 의해 규정된 일정 수준의 부나 물질적 소비보다는, 접근 가능한 의료 시스템과 탄탄한 사회적 구조와 같은 무형적 요인에 의해 더 좌우된다는 사실을 모두 같이 깨닫는다면, 환경에 대한 존중, 책임 있는 식생활, 공감이나 관대함과 같은 다양한 가치들이 더 중요해지면서 점차 새로운 사회 규범으로 자리 잡게 될지 모른다.

최근 몇 년 동안 경제성장이 생활수준 향상에 어떤 역할을 해왔는지는 주변 상황에 따라 차이를 보였다. 고소득 경제에서는 1970년대 이후 생산성 성장세가 꾸준히 둔화했으며, 장기 성장을 되살릴 수 있는 뚜렷한 정책적 수단이 없다는 주장이 제기돼 왔다.[36] 아울러 불균형적 성장은 소득분배 지표 상위권에 속한 개인에게 유리하게 작용했다. 이 문제를 해결하기 위한 보다 효과적인 접근 방식은 정책 입안자들이 더 직접적인 복지 증진 개입을 목표로 삼는 것을 들 수 있다.[37] 대형 신흥 시장인 저소득 및 중산층 국가에서는 경제성장이 빈곤으로부터 수백만 명을 구제해주었다. 성장 성과를 높이기 위한 정책 옵션은 이미 잘 알려져 있지만, 제4차 산업혁명의 도래로 제조업 주도의 발전 모델이 빠르게 동력을 잃고 있는 이상 새로운 접근법을 찾아야 한다.[38]

이는 미래 성장에 관한 두 번째 핵심 질문으로 이어진다. 경제성장의 방향과 질이 성장 속도만큼이나 혹은 그보다 더 중요하다면, 포스트코로나 경제에 이 특성을 만드는 새로운 원동력은 무엇이 될까? 몇몇 영역은 좀 더 포용적이고 지속 가능한 역동성을 촉진할 수 있는 환경을 제공할 잠재력을 가진다.

녹색 경제는 녹색 에너지부터 생태 관광과 순환 경제에 이르기까지 다양한 가능성을 열어준다. 예를 들어, 생산과 소비에 대한 '자원 채취-대량생산-폐기'식 접근 방식에서 '디자인을 통해 회복과 재생산이 가능한' 모델로 전환하면[39], 유효 수명이 다한 제품을 재활용함으로써 자원을 보존하고 낭비를 최소화할 수 있게 되므로 결과적으로 혁신과 일자리 창출은 물론이고 궁극적으로는 성장에 기여해 경제적 이익을 올릴 수 있는 부가가치 창출이 가능해진다. 파타고니아Patagonia 아웃도어처럼 무료 수선 서비스를 제공하고 전화기와 자동차에서 패션에 이르기까지 수명이 긴 수선 가능한 제품을 선호하는 회사와 중고 제품을 거래할 수 있는 플랫폼 모두가 빠르게 성장하고 있다.[40]

사회적 경제social economy는 돌봄과 개인 서비스, 교육, 보건 분야 내 다른 고성장 및 일자리 창출 영역에 걸쳐 있다. 육아와 노인 돌봄 및 기타 돌봄 경제의 요소들에 대한 투자는 미국에서만 1,300만 개, 그리고 G7 전체적으로는 총 2,100만 개의 일자리를 창출하고, 연구 대상 국가들의 GDP를 2% 성장시킬 것이다.[41] 교육도 특히 초등과 중등 교육, 기술과 직업 교육 및 훈련, 대학 및 성인 훈련을 종합적으로 고려했을 때 대규모 일자리 창출이 가능한 분야다. 코로나19 사태가 증명해줬듯, 보건 분야는 인적 자본뿐만 아니라 인프라와 혁신 면에서 모두 훨씬 더 많은 투자가 필요하다. 이 세 영역은 각각의 고용 창출 잠재력과 그들이 평등과 사회적 이동성과 포용적 성장 관점에서 사회 전반에 선사하는 장기적 이익을 통해서 승수효과multiplier effect(어떤 경제 요인의 변화가 다른 경제 요인의 변화를 유발하여 파급적 효과를 낳고 최종적으로는 처음의 몇 배의 증가 또는 감소로 나타나는 총효과-옮긴이 주)를 낳는다.

생산, 유통, 비즈니스 모델의 혁신은 효율성을 높이고 더 높은 부가 가치를 창출하는 신제품이나 더 개선된 제품을 창출하여 새로운 일자리와 경제적 번영을 이끌어낼 수 있다. 따라서 정부는 시장과 우리의 경제와 사회에서 혁신의 역할에 대해 근본적으로 재고함으로써 공공 부문의 방향 설정과 인센티브를 상업적 혁신 역량과 결합하여 보다 포용적이고 지속 가능한 번영을 향한 전환을 도모하는 데 이용 가능한 도구를 확보할 수 있다. 그러려면 위에서 설명한 대로, 시장의 힘이 경제와 사회에 변혁적 영향을 미칠 수 있지만 작동해야 할 필수 전제 조건 중 일부가 여전히 부족한 분야(예를 들어 제품이나 자산을 대규모로 지속 가능하게 생산하는 데 필요한 기술적 역량은 여전히 부족하고, 표준이 잘 정의되지 않거나, 법체계가 아직 미비한 상태다)인 '프런티어 시장frontier markets(전 세계의 신흥 시장 중에서도 전반적인 경제 규모와 주식시장의 전체 시가총액이 상대적으로 작은 국가들)'에 지금과는 다르게 의도적으로 투자해야 한다. 이러한 새로운 시장의 규칙과 메커니즘의 제정과 조성이 경제에 혁명적인 영향을 미칠 수 있다. 정부가 새롭고 더 나은 종류의 성장으로 전환하길 원한다면, 그들에겐 위에서 설명한 분야에서 혁신과 창의성을 유도할 인센티브를 창출하기 위해 지금 행동 가능한 기회의 창이 열려 있다.

일각에서는 가장 부유한 국가에서 가시화되고 있는, 제로 내지는 역성장까지도 수용하자는 식의 소위 '탈성장degrowth'의 필요성을 주장하고 있다. 경제성장에 대한 비판이 주목받으면서 경제적 약자인 소비자의 힘을 강화하고 사회경제 부문에서 소비자 주권을 확립하자는 운동인 소비자중심주의consumerism가 공공과 민간 생활에서 갖는 금융·문화적 지배력도 재정비될 것이다.[42] 그런 움직임은 고기 소비나 비행편수를 줄이자는 주장처럼 일부 틈새 부문에서 나타나는 소비자 주도적인 탈성장 활동을 통해 명백하게 드러난다. 코로나19는 강제적인 탈성장을 촉발함으로써 경제성장의 속도를 뒤집고자 하는 이런 운동에 대한 새로운 관심을 불러일으켰다. 이로 인해 2020년 5월 전 세계 1,100명이 넘는 전문가들이 코로나19로 인한 경제적·인간적 위기에 대응하기 위해 탈성장 전략을 내세우는 선언문을 발표하기도 했다.[43] 그들은 공개 서한을 통해 "적은 걸 갖고도 더 잘 살 수 있는 미래로 이어줄, 민주적으로 계획됐지만 수정할 수 있고, 지속 가능하며, 공평한 경제 규모 축소"로 나아가줄 것을 요구했다.

  하지만 탈성장 추구가 성장 추구만큼 방향성이 없는 것으로 드러나고 있다는 데 주의하자. 따라서 가장 미래지향적인 나라들에서 정부는 대신 일자리를 늘리고, 생활수준을 개선하고, 지구를 지킬 수 있게 경제를 관리하고 평가하는 보다 포용적이고 지속 가능한 접근 방식을 우선시할 것이다. 더 적은 것으로 더 많은 일을 할 수 있는 기술은 이미 존재한다.[44] 우리가 발전을 정의하고 친환경적이고 사회적인 프런티어 시장에 대한 투자를 장려하기 위해 이처럼 한층 총체적이고 장기적인 접근 방식을 취한다면 경제적·사회적·환경적 요인 간의 근본적인 트레이드오프는 일어나지 않는다.

재정과 통화 정책
Fiscal and Monetary Policies

코로나19 팬데믹에 맞서 재정과 통화 분야의 정책적 대응은 대규모로 단호하고 신속하게 추진됐다.

시스템적으로 중요한 국가들의 중앙은행들은 코로나19 발발 직후 정부 차입 비용을 낮게 유지하기 위한 발권력 동원을 약속하고 대규모 양적 완화 프로그램을 시행하는 한편, 금리 인하를 결정했다. 미국 연준은 국채와 MBS 매입에 나섰고, 유럽중앙은행ECB은 팬데믹긴급매입프로그램PEPP을 통해 유로존 국채 매입을 약속함으로써 경제 상황이 양호한 유로존 회원국들과 취약한 회원국들 간의 차입 비용이 확대되지 않게 막는 데 성공했다.

이와 동시에 대부분의 정부들은 야심차고 전례 없는 재정 정책적 대응에 착수했다. 위기 초기부터 세 가지 목표로 긴급하고 포괄적인 조치가 취해졌다. 첫째는 진단 키트 생산, 병원 치료 역량 강화, 치료제와 백신 연구 등을 통해 가능한 한 신속하게 코로나19를 통제하기 위해 최대한의 지출을 통해 싸워나가겠다는 것이었다. 둘째는 파산과 재난의 위기에 처한 가정과 기업에 긴급자금을 지원하겠다는 것이었고, 셋째는 경제가 가능한 한 잠재 성장에 최대한 근접하게 운용될 수 있도록 총수요를 떠받치겠다는 것이었다.[45]

이러한 조치들은 엄청난 재정 적자로 이어지면서 부유한 국가들의 GDP 대비 부채 비율을 크게 상승시킬 가능성이 있다. 글로벌 수준에서 2020년 정부 지출에 따른 총 부양 규모는 세계 GDP의 20%를 넘어설 것으로 보인다. 단, 이 비율은 독일이 33%, 미국이 12% 등 국가별로 상당한 편차를 보일 수 있다.

이런 재정 여력 확충의 영향은 해당 국가가 선진국이냐 신흥국이냐 여부에 따라 크게 다르다. 고소득 국가들의 경우 부채 수준이 올라도 감당할 수 있고, 미래 세대를 위해 적절한 수준의 복지 비용을 충당할 수 있어 재정 여력이 더 양호하다. 중앙은행이 저금리 유지를 위해 무제한 국채 매입을 약속했고, 불확실성이 계속 민간 투자를 위축시키고 높은 수준의 예비적 저축을 정당화할 수밖에 없어 당분간 금리가 낮은 수준으로 유지될 것이라는 확신이 있기 때문이다. 이와는 대조적으로 신흥국과 개발도상국의 상황은 고소득 국가들과 극명하게 다를 수밖에 없다. 대부분 코로나19 충격에 대응하는 데 필요한 재정 여력이 없고 이미 심각한 자본 유출과 상품 가격 하락으로 고통받고 있기 때문이다. 이런 상황에서 확장적인 재정 정책을 펼쳤다간 환율이 타격을 입을 건 자명하다. 이러한 상황에서는 지원금과 부채 경감 형태의 지원과 혹시 모를 전면적인 국가 부도 선언[46]이 필요할 뿐만 아니라 매우 중요해질 것이다.

이것은 전례 없는 상황에 맞선 전례 없는 프로그램이다. 워낙 새로운 프로그램이다 보니 경제학자 카르멘 라인하트Carmen Reinhart는 '창의적인 온갖 재정 및 통화 정책을 대규모로 동원해야 하는 순간'이라고 불렀다.[47] 각국 정부들이 경기 침체가 재앙적인 불황으로 이어지는 것을 막으려고 애쓰고 있어, 코로나19 사태 이전에는 상상조차 할 수 없을 것 같았던 조치들이 전 세계적 표준이 되는 건 당연하다. 코로나19 사태로 인해 대량 해고와 기업 부도가 급증하는 것을 예방하거나 저지하기 위해 정부가 '최종 지급자payer of last resort'[48] 역할을 해야 한다는 요구가 앞으로도 점점 더 늘어날 것이다.

이 모든 변화들은 경제와 통화 정책에서 '게임'의 규칙을 바꿔놓고 있다. 중앙은행장들이 선출된 정치인들의 뜻을 비교적 더 많이 따르게 되면서 통화와 재정 당국의 개별적 독립성을 유지하게 해준 인위적인 장벽은 이제 해체되었다. 미래에는 정부가 인프라나 친환경 투자 기금 같은 주요 공공사업에 필요한 자금을 마련하기 위해 중앙은행에 영향력을 행사하려 할 것이다. 마찬가지로 정부가 개입해 노동자의 일자리나 소득을 보전하고 기업을 파산으로부터 보호할 수 있다는 규범 역시 이런 정책들이 일단락된 후에도 살아남을 것이다. 상황이 호전돼도 이런 제도를 유지하라는 대중적·정치적 압박은 계속될 것으로 보인다. 가장 큰 걱정거리는 이러한 재정과 통화 정책 사이의 암묵적 협력이 걷잡을 수 없는 인플레이션을 유발할 수 있다는 점이다. 정책 입안자들이 통상적인 국채 발행을 통해 자금을 조달하기보다는 발권력을 동원한 대규모 재정 부양책을 쓸 것이기 때문이다. 현대 통화 이론MMT(Modern Monetary Theory)(정부의 지출이 세수를 넘어서면 안 된다는 주류 경제학의 철칙을 깨고, 경기 부양을 위해 정부가 화폐를 계속 발행해야 한다는 주장−옮긴이 주)과 헬리콥터 머니를 옹호하는 사람들의 생각이 이것이다. 제로 금리 상황에서 중앙은행들은, 대부분 문제가 많아 쓰려고 하지 않는 금리를 마이너스 영역으로 대폭 내리는 조치를 취하지 않는 한 금리 인하 등의 고전적인 통화 수단으로 경제를 부양할 수 없다.[49] 따라서 재정 적자 확대를 통한 부양책을 써야 하는데, 이는 세수가 감소하는 때 공공 지출을 늘려야 한다는 뜻이다. 단순하게 설명하자면 MMT는 중앙은행이 인수할 국채를 정부가 발행하는 것과 같은 원리다. 중앙은행이 인수한 국채를 되팔지 않는다면 통화 발행량을 늘리는 효과를 낸다. 즉, 통화 발행량 증가를 통해 재정 적자가 조달되는, 일명 재정 적자의 화폐화monetarization가 일어나고 정부는 조달한 돈을 적절하다고 판단되는 곳에 사용할 수 있다. 예를 들어, 정부는 '돈이 필요한 사람들에게 헬리콥터에서 돈을 뿌리듯'

할 수 있게 된다. 이런 생각은 매력적이고 실현 가능하기도 하지만 사회적 기대나 정치적 통제와 관련해 중요한 문제를 일으킨다. 시민들이 '가상의 돈 나무' 같은 데서 돈을 찾을 수 있다는 것을 깨닫는 순간, 선출된 정치인들은 그런 나무를 점점 더 많이 키우라는 격렬한 대중적 압박에 시달리게 될 것이며, 이때 인플레이션 문제가 시작된다.

● 디플레이션이냐 인플레이션이냐?

발권 문제에 내재한 두 가지 기술적 요소는 인플레이션 위험과 연관된다. 첫째, 중앙은행이 정부 발행 국채를 매입하면 발권력을 동원하는 영구적인 양적 완화 정책을 취할 필요가 없어진다. 미래 상황에 따라서 돈이 '나무에서 자란다'는 생각을 숨기거나 밝히지 않을 수 있다. 둘째, 헬리콥터 머니가 인플레이션에 미치는 영향은, 적자를 메우느냐 메우지 못하느냐 여부와 관련되지 않고, 뿌린 돈의 액수와 정비례한다. 중앙은행의 발권력에는 명목상 제한이 없지만, 과도한 인플레이션 유발 위험 없이 리플레이션reflation, 즉 디플레이션에서 벗어나 심한 인플레이션까지는 이르지 않은 상태를 이뤄내기 위해 얼마나 많은 발권력을 동원할지에 대한 합리적인 제한은 존재한다. 그로 인한 명목 GDP의 증가로 실제 생산 효과가 올라가더라도 물가 수준 역시 상승할 것이다. 이 두 가지의 균형을 얼마나 잘 잡고, 인플레가 어떤 성격을 띨지는 통화 공급이 얼마나 엄격히 제한될 것이냐, 즉 궁극적으로는 발권량이 어느 정도냐에 따라 달라질 것이다. 중앙은행 입장에서는 2~3% 정도의 인플레이션에 대해서는 걱정할 것이 없고, 4~5% 정도까지도 괜찮다고 할 수 있다. 하지만 어느 선을 넘었다가는 인플레이션이 걷잡을 수 없게 변하고 진정한 걱정거리가 될지 그 상한선은 정해놓고 있어야 한다. 이때 문제는 어느 정도 수준의 인플레이션이 경제를 망가뜨리고 소비자들에게 강박적 걱정을 유발할지에 대한 결정이다.

디플레이션을 두려워하는 사람도 있고, 인플레이션을 걱정하는 사람도 있다. 미래에 대한 이러한 엇갈린 불안의 배경은 무엇일까? 디플레이션을 걱정하는 사람은 노동시장 붕괴와 상품 가격 하락 문제를 지적하며, 이러한 상황에서 어떻게 단시간 내에 인플레이션 압력이 커질 수 있을지 의아해한다. 반면에 인플레이션을 걱정하는 사람은 중앙은행의 대차대조표와 재정 적자의 급증 문제를 주시하면서 어떻게 언젠가 인플레이션, 그것도 높은 인플레이션 내지는 심지어는 초인플레이션이 유발되지 않을 수 있을지를 묻는다. 후자는 1923년 막대한 전쟁 부채 부담 속에 초인플레이션을 겪었던 제1차 세계대전 이후의 독일이나 제2차 세계대전 때 물려받은 GDP의 250%에 달하는 막대한 부채를 짊어진 채 인플레이션을 겪은 영국을 예로 든다. 이런 우려를 제기하는 사람들은 단기적으로 디플레이션이 더 큰 위험일 수 있다는 사실은 인정하지만, 대규모 경기 부양책 아래에서는 궁극적으로 인플레이션을 피할 수 없다고 주장한다.

현시점에서는 인플레이션이 조만간 발생할 수 있다고 상상하기는 어렵다. 생산 활동의 리쇼어링reshoring(생산 기반의 자국 내 복귀-옮긴이 주)이 간헐적이고 국지적인 인플레이션을 유발할 수 있지만, 그런 일은 여전히 제한적이다. 디플레이션 유발 성격이 강한 고령화와 기술 발전 등의 강력하고도 장기적인 구조적 추세와 수년간 임금 상승을 제약할 이례적으로 높은 실업률은 모두 인플레이션에 강한 하방 압력을 가한다. 포스트코로나 시대에는 소비자 수요가 강력할 거라곤 예상되지 않는다. 광범위한 실업, 인구 다수의 소득 감소, 미래에 대한 불확실성으로 인한 고통은 모두 예비적 저축의 증가로 이어질 수 있다. 사회적 거리두기가 결국 완화되면 억눌렸던 수요로 약간의 인플레이션이 유발될 수 있겠지만, 일시적으로 끝날 가능성이 커서 인플레이션 기대치에 영향을 미치지는 않을 것이다. 전 IMF 수석 경제학자 올리비에 블랑샤르Olivier Blanchard는 다음과 같은 세 가지 사건이 합쳐져야만 인플레이션이 일어날 수 있다고 생각한다. 첫째는 GDP 대비 부채 비율이 현재 전망치인 20~30%를 훨씬 더 상회할 정도로 올라가야 한다. 둘째, 경제가 인플레이션이나 디플레이션 압력이 없는 잠재성장률 수준을 회복할 수 있도록 하는 이론적 금리 수준인 '중립 금리neutral rate'가 급등해야 한다. 셋째로 통화 정책 우위에서 재정 정책 우위로 전환돼야 한다.[50] 이 세 가지 사건이 각자 개별적으로 발생할 확률조차 이미 낮은 이상 세 가지가 동시에 발생할 확률은 극히 낮다. 단, 그렇다고 0%는 아니다. 채권 투자자들도 같은 생각이다. 물론 상황이 뒤바뀔 수 있지만, 현재로서는 명목채와 물가채 사이의 낮은 금리 격차는 인플레이션이 기껏해야 매우 낮은 수준에 그치고 있다는 걸 보여준다.

향후 몇 년 동안 고소득 국가들은 지난 수십 년 동안 일본이 겪었던 것처럼 구조적으로 취약한 수요와 초저인플레이션과 초저금리 상황에 직면할 것이 분명하다. 부유한 세계가 이처럼 일본화되는 것은 성장이 멈추고, 인플레이션도 없고, 부채 수준은 견딜 수 없을 정도로 높은, 절망적이고도 복합적 상황으로 종종 묘사된다. 하지만 이는 오해의 소지가 있는 묘사다. 인구통계학적 자료를 반영해 데이터를 조정해보면 일본의 사정은 대부분의 다른 국가들보다 양호하기 때문이다. 일본의 1인당 GDP는 높고 성장하고 있으며, 2007년 이후 일본의 생산 가능 인구 1인당 실질 GDP는 다른 G7 국가보다 빠르게 증가했다. 당연히 여기에는 매우 높은 수준의 사회 자본과 신뢰 수준, 평균을 뛰어넘는 노동생산성 증가세, 노동시장의 성공적인 고령 노동자 흡수처럼 특별한 이유가 많지만, 인구 감소가 반드시 경제 망각economic oblivion으로 이어지는 건 아님을 보여준다. 일본의 높은 생활수준과 웰빙 지표들은 비록 경제적 고난을 겪고 있더라도 여전히 일본 경제에 희망이 있다는 유익한 교훈을 제공한다.

미국 달러의 운명

미국은 지난 수십 년 동안 '제국적인 힘을 갖는 특권이자 경제적 묘약' 노릇을 하는 세계 기축통화국 지위를 유지하는 '과도한 특권exorbitant privilege'을 누려왔다.[51] 미국의 힘과 번영은 상당 부분 달러에 대한 전 세계적 신뢰 및 대부분 미국 국채 형태로 달러를 보유하려는 해외 고객들에 의해 쌓이고 강화되어 왔다. 그토록 많은 나라와 외국 기관들이 가치 저장 수단이자 무역 거래 도구로 달러를 보유하기를 원한다는 사실은, 세계 기축통화로서 달러의 지위를 공고히 해주었다. 이로 인해 미국은 해외에서 저렴하게 차입하고, 국내에서도 저금리의 혜택을 누릴 수 있었고, 이 덕에 미국인들은 분수에 넘치는 소비를 할 수 있었다. 또 미국 정부는 최근 대규모 적자를 감수하면서 미국이 상당한 무역 적자를 내도 되게 해줬고, 환율 위험을 낮춰줬으며, 미국 금융시장의 유동성을 더욱 늘려줬다. 기축통화로서 미국 달러가 갖는 지위의 중심에는 중요한 신뢰의 문제가 자리 잡고 있다. 즉, 달러를 보유하고 있는 외국인들은 미국 달러와 관련되는 한 미국이 경제를 현명하게 운용함으로써 자신의 이익을 지킬 뿐 아니라 글로벌 금융 시스템에 효율적이고 신속하게 달러 유동성을 제공하며 달러를 현명하게 관리함으로써 나머지 국가 모두도 지켜줄 거라고 믿는 것이다.

상당 기간 일부 분석가와 정책 입안자들은 달러가 지배하는 시대가 끝날 가능성을 생각해왔다. 그들은 이제 코로나19 팬데믹이 이 생각이 옳다는 것을 증명해주는 촉매제가 될지 모른다고 여긴다. 그들의 주장은 두 가지인데, 모두 신뢰 문제의 양면과 관련이 있다.

경제를 현명하게 운용할 거란 면에서 달러 지배를 의심하는 사람들은 불가피하고 급격한 미국의 재정 상태 악화를 지적한다. 그들은 지속 불가능한 수준의 부채가 결국 미국 달러에 대한 신뢰를 훼손할 것으로 본다. 코로나19 사태 직전, 미국의 국방비, 연방 부채에 대한 이자, 그리고 노인 의료보험 제도인 메디케어Medicare와 저소득층과 장애인 의료 보조 제도인 메디케이드Medicaid 및 사회보장 제도 등의 복지후생 정책에 매년 드는 돈을 합치면 연방 세수의 112%(2017년에는 95%)를 차지했다. 이런 지속 불가능한 상태는 포스트코로나, 포스트구제금융 시대에 더욱 악화될 수 있다는 것이다. 이런 주장은 지정학적 역할의 대폭적 축소나 증세 내지는 이 두 가지 방법 모두를 통해 중대한 무언가가 바뀌지 않으면 외국 투자자들이 미국에 투자하길 꺼리는 한계점까지 적자가 증가할 것임을 시사한다. 결과적으로 미국의 기축통화국 지위는 부채 상환 능력에 대한 외국인들의 신뢰가 깨지면 더 이상 유지될 수 없다는 것이다.

반면, 나머지 세계를 위해 달러를 현명하게 운용할 거란 면에서 달러 지배를 의심하는 사람들은 미국 내에서 고조되고 있는 경제민족주의economic nationalism와 달러의 기축통화 지위가 양립할 수 없다는 점을 문제 삼는다. 회의론자들은 연준과 미 재무부가 달러의 전 세계적인 영향력을 효과적으로 관리하더라도 미국 행정부가 북한이나 이란과 거래하는 국가와 기업의 처벌 같은 지정학적 목적을 위해 달러를 무기화하려는 의지를 보임으로써 궁극적으로 달러 보유자들이 대안을 찾게 만들 수밖에 없다는 점을 강조한다.

실행 가능한 대안은 무엇일까? 미국은 가공할 만한 세계적 금융 패권(국제 금융 거래에서 달러의 역할은 국제 무역에서의 역할보다 눈에는 덜 띄나 훨씬 더 크다)을 유지하고 있지만, 많은 나라들이 달러의 세계적 지배력에 도전하고 싶어 하는 것도 사실이다. 단기적으로는 대안이 없다. 중국 위안이 한 가지 대안이 될 수 있겠지만 중국의 엄격한 자본 통제가 사라지고 위안이 시장을 결정하는 통화로 바뀐 뒤에야 가능할 것으로 예상되는데, 가까운 시일 안에 그런 일이 가능할 것 같지는 않다. 유로도 마찬가지다. 유로도 달러의 대안이 될 수 있지만, 유로존 붕괴 가능성에 대한 의심이 영구적으로 사라지기 전까지는 아니다. 그런데 향후 몇 년 안에 그런 의심이 영원히 사라지지는 않을 것이다. 전 세계 가상화폐의 경우 아직 달러를 대체할 만한 화폐가 등장하지 않고 있지만, 결국 달러 패권을 꺾을 수 있을지도 모를 디지털 화폐 발행 시도가 국가적 차원에서 이어지고 있다. 가장 의미 있는 시도는 2020년 4월 말 4개 대도시에서 국가 디지털 화폐 시험을 시작한 중국에서 추진됐다.[52] 중국은 강력한 전자결제 플랫폼과 결합된 디지털 화폐 개발 면에서 세계 다른 국가들보다 몇 년 앞서 있다. 이런 실험은 분명 디지털화 확대를 향해 나아가면서 미국의 중개로부터 벗어나려고 애쓰는 통화 시스템이 존재한다는 것을 보여 준다.

궁극적으로 미국 달러 패권의 종식 여부는 미국에서 일어날 일에 따라 달라질 것이다. 헨리 폴슨Henry Paulson 전 미국 재무장관은 "미국 달러의 중요성은 국내에서 시작된다. (중략) 미국은 세계적인 신뢰와 자신감을 불어넣어 주는 경제를 유지해야 한다. 그렇게 하지 못한다면 시간이 지나면서 달러의 지위가 위험에 빠질 것이다"라고 경고했다.[53] 미국의 국제적 신뢰도 또한 지정학적 위치와 사회적 모델의 매력도에 따라 크게 좌우된다. 달러가 가지는 '과도한 특권'은 세계적인 힘, 미국이 신뢰할 수 있는 파트너라는 생각, 다자간 기관들의 업무에서 미국이 수행하는 역할이 복잡하게 얽혀 있다. 배리 아이켄그린Barry Eichengreen UC버클리 교수와 ECB 대표들은 "미국이 자기 이익만을 우선시하는 독자 정책을 더 선호하면서 그러한 역할이 덜 확실하고, 보안 보장도 덜 철저해진 것처럼 보인다면 달러가 누리는 안전 프리미엄은 줄어들 수 있다"고 경고했다.[54]

글로벌 기축통화로서 달러의 향후 지위에 대한 의문과 의구심은 각국 경제가 고립되어 존재하지 않는다는 사실을 상기시켜 준다. 이러한 현실은 종종 '달러로 표시dollar-denominated'되곤 하는 부채를 상환할 수 없을 정도로 부채 상태가 심각한 신흥국과 빈국에게 특히 가혹하다. 이런 국가들에게 코로나19 위기는 사회적·인도주의적 고통을 야기하는 상당한 경제적 피해를 주었고, 해결에 엄청난 노력과 시간을 투자하게 만들 것이다. 코로나19 위기는 선진국이나 신흥국이나 개발도상국 모두를 긴밀한 협력으로 이끌어줄 걸로 기대했던 점진적 융합 과정에 작별을 고할 수밖에 없다. 그에 따라 사회적·지정학적 위험이 올라가면서, 경제적 위험이 사회적·지정학적 문제들과 상당 수준 결부된다는 사실이 극명하게 드러날 것이다.

CHAPTER 3

사회적 리셋

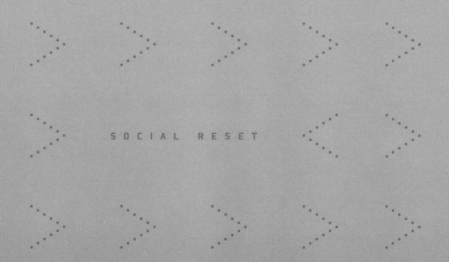

SOCIAL RESET

사회적 리셋의 의의

Social Reset

역사적으로 팬데믹은 사회를 철저하게 테스트해왔다. 2020년 코로나19 사태도 마찬가지이다. 우리가 방금 살펴본 경제, 그리고 다음 장에서 살펴볼 지정학과 달리 코로나19에 의해 촉발된 사회적 격변은 수 년 동안, 그리고 아마도 수 세대에 걸쳐 이어질 것이다. 가장 즉각적이면서 가시적인 영향은, 코로나19 대응에 있어 부적절했다거나 준비가 안 됐던 것처럼 보였던 정책 입안자와 정치인을 향한 공분과 비난이 커질 거라는 점이다. 헨리 키신저Henry Kissinge 전 미국 국무장관은 "국가는 각 기관들이 재앙을 예견하고, 영향을 차단하고, 안정을 되찾을 수 있다는 신뢰를 얻어야 응집하고 번창한다"면서 "코로나19 팬데믹이 끝나면 많은 국가 기관들은 실패했다고 간주될 것이다"라고 말했다.[55] 이런 인식은 연구·과학·혁신 면에서 강력한 자산과 정교한 의료 시스템을 갖춘 일부 부유한 나라들에서 특히 더 강할 것이다. 시민들은 정부 당국이 다른 나라 정부들과 비교했을 때 왜 그렇게 코로나19 사태 대응이 서툴렀는지 따져 물을 것이다. 그리고 이 과정에서 사회적 구조와 사회·경제 체제의 본질이 대다수 시민의 사회·경제 복지를 보장하지 못한 '진범'으로 드러나 비난받을 수 있다. 더 가난한 나라들에서는 코로나19가 사회적 비용 측면에서 극적인 타격을 줄 것이다. 코로나19를 계기로 예전부터 그들을 괴롭혀왔던 사회적 문제들, 특히 빈곤, 불평등, 부패 문제가 더욱 악화될 것이다. 이것은 경우에 따라 사회의 붕괴(사회 전체뿐만 아니라 개인이나 개인 집단 간 상호작용의 붕괴를 모두 지칭한다)만큼 심각한 결과를 초래할 수도 있다.

코로나19 대처 면에서 효과 유무와 관련하여 배워야 할 시스템 상의 교훈이 있는가? 각국의 대응이 어느 정도까지 특정한 사회나 지배 체제에 대한 본질적 장단점을 드러내주는가? 무엇보다 한국, 싱가포르, 덴마크와 같은 몇몇 나라들은 대부분의 다른 나라들보다 잘 대처한 것으로 보인다. 미국, 영국, 이탈리아, 스페인 같은 나라들은 준비, 위기관리, 홍보 활동, 확진자와 사망자 수, 그리고 다양한 다른 기준을 따져봤을 때 여러 면에서 부진한 성과를 나타낸 것 같다. 프랑스와 독일은 구조적으로 유사한 점이 많고 코로나19 확진자 수도 대략 비슷하지만 사망자 수는 현저히 달랐다. 이러한 명백한 차이를 설명해줄 수 있는 게 의료 인프라의 차이 외에 또 무엇이 있을까? 2020년 6월 현재 코로나19가 일부 국가나 지역에서 특히 심각하게 확산된 반면 다른 국가나 지역에선 그렇지 않은 이유에 대해 여전히 모르는 점이 많다. 그러나 전체적으로 봤을 때 이번 사태에 더 잘 대응한 국가의 경우 다음과 같은 광범위한 특징을 공유한다.

- 논리적이고 조직적으로 닥쳐올 일에 '대비'했다.
- 신속하고 단호한 결정을 내렸다.
- 비용 대비 효율적이고 포용적인 의료 시스템을 갖추고 있다.
- 사회 구성원들이 국가 지도자들과 그들이 제공하는 정보를 높이 신뢰한다.
- 개인적 열망과 욕구보다 공익을 중시하며, 진정한 연대 의식을 보여줘야 한다는 압박을 받는 것 같다.

좀 더 기술적(기술성 안에는 문화적 요소가 내재되어 있지만)인 첫 번째와 두 번째 특성을 제외하면 다른 모든 특성은 '호의적인' 사회적 특성으로 분류할 수 있다. 그런 특성은 또 포용, 연대, 신뢰란 핵심적 가치가 강력하고도 결정적인 요소이면서 코로나19 억제 성공에 중요한 기여를 한다는 걸 증명해준다.

물론 국가별로 사회적 리셋이 어떤 형태를 띨지를 어느 정도 정확하게 묘사하기는 시기상조지만 그것이 전 세계에 미칠 광범위한 영향의 윤곽 중 일부는 지금도 묘사 가능하다. 무엇보다도, 포스트코로나 시대에는 부자에게서 빈자로, 그리고 자본에서 노동으로 거대한 부의 재분배가 시작될 것이다. 둘째로 코로나19는 연대보다는 경쟁을, 정부의 개입보다는 창조적 파괴를, 사회복지보다 경제성장을 각각 지지하는 것으로 정의될 수 있는 신자유주의neoliberalism에 종말을 고할 것으로 보인다. 여러 해 동안 많은 논객, 재계 지도자, 정책 입안자들이 신자유주의의 '맹목적 시장숭배주의market fetishism'에 대한 비난 수위를 높여오면서 그 원칙이 약화되어 왔는데 여기에 코로나19가 치명타를 가했다. 지난 몇 년 동안 가장 열렬하게 신자유주의 정책을 수용해왔던 미국과 영국 두 나라가 코로나19 팬데믹 피해자가 가장 많은 나라라는 건 우연이 아니다. 대규모 재분배와 신자유주의 정책 포기라는 두 가지 병존하는 힘은 불평등이 어떻게 사회 불안을 부추길 수 있는지부터 정부 역할의 확대와 사회계약의 재정립에 이르기까지 사회 조직에 결정적인 영향을 미칠 것이다.

불평등
inequalities

누구나 똑같이 감염시킨다는 점에서 코로나바이러스를 '위대한 평등주의자great leveller'라 칭하는 사람도 있는데, 이것은 심각하게 잘못된 상투적 비유에 불과하다.[56] 현실은 정반대다. 코로나19는 언제 어디서든 기존의 불평등 상태를 악화시켰다. 그만큼 코로나바이러스는 의학적으로나 경제적으로나 사회적으로나 심리적으로 '평등주의자'가 아니다. 오히려 소득, 재산, 기회의 차이를 더 심화시킨 '위대한 불평등주의자great unequalizer'다.[57] 코로나19로 인해 경제적·사회적으로 취약한 전 세계 수많은 사람뿐만 아니라, 취약성(이것은 사회 안전망이 부실하거나 존재하지 않거나 가족과의 유대감이나 사회적 유대감이 약한 나라들에서 더욱 만연된 현상이다)의 깊이와 정도까지 만천하에 드러났다. 물론 코로나19 발발 전부터 이미 상황이 그렇긴 했지만, 다른 범세계적 문제들에서도 목격됐듯이 코로나바이러스가 증폭기 역할을 하면서 과거 너무 많은 사람들이 너무 오랫동안 무시해왔던 불평등과 관련된 문제의 심각성을 인지하고 인정할 수밖에 없게 됐다.

코로나19 팬데믹의 첫 번째 영향은 다양한 사회 계층이 노출된 위험 정도의 충격적인 차이를 조명함으로써 사회적 불평등이란 거시적 난제를 부각시킨 것이다. 세계 많은 곳에서 봉쇄 기간 동안 이분법적 사회의 모습이 명확하게 드러났다. 즉, 상위층과 중산층은 집에서 재택근무와 자율학습이 가능했지만, 일자리가 있는 노동자계층은 집에 머물 수도 자녀 교육을 감독할 수도 없었다. 이들은 병원 청소, 슈퍼마켓 계산, 필수품 운반, 안전 관리 등을 하며 일선에서 (직간접적으로) 사람들의 생명과 경제를 구하는 일에 일조했다. 미국처럼 고도로 발달한 서비스 경제의 경우 전체 일의 약 3분의 1을 재택 또는 원격으로 처리할 수 있는데, 업종별 소득에 따라 상당한 차이가 존재한다. 예를 들어, 미국의 금융 및 보험 종사자의 75% 이상이 원격으로 업무를 수행할 수 있는 반면 식품 산업에서는 훨씬 적은 급여를 받는 노동자의 3%만이 그런 식으로 일할 수 있다.[58] 코로나19 사태 와중(4월 중순 기준)의 감염 사례와 사망자 수를 보면 코로나19가 많은 사람들이 발발 초기에 불렀던 '위대한 평등주의자'와는 거리가 멀다는 것을 알 수 있다. 오히려 코로나바이러스가 사람들에게 공정하거나 공평하게 치명적 피해를 주는 건 아니라는 사실이 곧장 드러났다.

미국에서는 코로나19가 아프리카계 미국인, 저소득층, 노숙자와 같은 취약 계층에 특히 더 큰 피해를 줬다. 인구의 15% 미만이 흑인인 미시간주에선 흑인 거주자들이 코로나19 합병증으로 인한 사망자의 약 40%를 차지한다. 코로나19가 흑인 사회에 지나칠 정도로 불균형한 영향을 미쳤다는 사실은 단지 기존의 불평등 양상을 보여준 것에 불과하다. 다른 많은 나라들과 마찬가지로 미국에서도 아프리카계 미국인들은 더 가난하고, 실직하거나 할 일이 많지 않고, 수준 이하의 주거지나 생활환경에서 살 가능성이 크다. 또 이들은 코로나19에 특히 더 치명적인 비만, 심장병, 당뇨병과 같은 지병에 더 많이 시달리고 있기도 하다.

코로나19와 그에 따른 봉쇄의 두 번째 영향은 수행되어야 하는 일의 본질적 성격과 내재적 가치 및 그것이 주는 경제적 보상 사이의 심각한 단절을 드러낸 점이다. 다시 말해서, 우리는 사회가 가장 필요로 하는 개인들을 경제적으로 가장 하찮게 여겨왔다. 냉정하게 현실을 따져보면, 당면한 코로나19 위기의 영웅들, 즉 위험을 무릅쓰고 아픈 사람을 돌보고 경제를 어쨌든 돌아가게 만든 사람들은 간호사, 청소부, 배달 기사, 식품 공장과 요양원과 창고에서 일하는 노동자 등 가장 돈을 못 버는 직업에 종사하는 사람들이다. 경제적·사회적 복지에 대한 그들의 공헌은 줄곧 무시되어 왔다. 이건 전 세계적 현상이지만, 빈곤과 불안정이 공존하는 앵글로색슨 국가들의 경우 특히 더 극명하다. 이들 나라의 하위 노동 계층은 낮은 임금을 받을 뿐만 아니라 실직 위험도 가장 높다. 예를 들어, 영국에서는 지역사회에서 일하는 요양보호사들 60% 가까이가 '제로아워 계약zero-hour contract'에 따라 일한다. 즉, 그들은 정해진 노동 시간 없이 임시직 계약을 한 뒤 일한 만큼 시급을 받는 노동 계약을 체결한 상태로 일한다.

마찬가지로, 식품 공장 노동자들은 보통 계약보다 권리가 적고 고용 안정도 보장되지 않는 임시 고용 계약을 맺는 경우가 다반사다. 대부분 자영업자로 분류되는 배달 기사들은 운송 건당 보수를 받고, 병가病暇도 없으며, 공휴일 수당도 받지 못한다. 이런 현실은 켄 로치 Ken Loach 감독의 최신작인 〈미안해요, 리키Sorry We Missed You〉에서 신랄하게 묘사되어 있다. 이 영화는 항상 경미한 불행이 닥치더라도 곧바로 육체적, 감정적, 혹은 경제적 파멸을 겪게 되고, 스트레스와 불안으로 인해 그런 상황이 더욱 악화되는 노동자들의 모습을 극적으로 보여준다.

포스트코로나 시대에는 사회적 불평등이 커질까? 아니면 반대로 줄어들까? 많은 일화적인 증거들을 살펴보면 적어도 단기적으로는 불평등이 커질 가능성이 크다. 전술한 바와 같이 소득이 없거나 낮은 사람들은 코로나19로 인해 더욱 심한 고통을 받고 있다. 그들은 만성 질환과 면역 결핍에 시달리기 때문에 코로나19에 감염되고 그로 인해 심각한 고통을 겪을 가능성이 크다. 이런 현상은 앞으로도 계속될 것이다. 흑사병 같은 이전의 팬데믹 사태 때처럼 모두가 의학적인 치료와 백신의 혜택을 동등하게 누릴 수 있는 게 아니다. 부인인 앤 케이스Anne Case 프린스턴대학교 경제학과 교수와 함께 《절망사와 자본주의의 미래Deaths of Despair and the Future of Capitalism》를 공동으로 저술한 노벨 경제학상 수상자 앵거스 디턴Angus Deaton 프린스턴대학교 경제학과 교수는 "마약 제조업자와 병원이 가장 가난한 계층의 사람들을 희생시켜 그 어느 때보다 강력하고 부유해질 것"이라고 말했다.[59] 또한 전 세계적으로 추진되는 초완화적 통화 정책은 특히 금융시장과 부동산 분야 자산 가격에 기름을 부음으로써 부의 불평등을 확대할 것이다.

하지만 시간이 조금만 지나면 추세가 역전되어 반대로 불평등이 줄어들 수 있다. 어떻게 그런 일이 일어날 수 있을까? 부자들이 독점적으로 누리는 특혜의 부당함에 분노한 사람들이 급증하면서 광범위한 사회적 반발이 일어날 수 있다. 미국에서는 다수 또는 아주 목소리가 큰 소수가 의료 시스템에 대한 국가 내지는 지역사회의 통제를 요구할 수 있다. 유럽에서도 의료 시스템에 대한 자금 지원 부족이 더 이상 정치적으로 용인되지 않을 수 있다. 또 코로나19는 결국 우리가 진정으로 가치 있게 생각하는 직업들에 대해 재고해보고, 우리 모두가 그들에게 보상하는 방법을 재설계하도록 만들어줄 것이다. 앞으로 사회는 경제·사회·복지에 대한 기여도가 의심스러울 정도로 낮은 공매도short-selling(특정 종목의 주가가 하락할 것으로 예상되면 해당 주식을 보유하고 있지 않은 상태에서 주식을 빌려 매도 주문을 내는 투자 전략으로 주로 초단기 매매차익을 노리는 데 사용되는 기법이다 - 옮긴이 주) 전문가인 스타 헤지펀드 매니저가 수백만 달러의 연봉을 받는 반면에 사회복지에 크게 기여하는 간호사는 그 금액의 극히 일부만을 번다는 사실을 용인하지 않을 것이다. 이러한 낙관적인 시나리오 속에서는 저임금과 불안정한 일자리를 가진 다수의 노동자들이 우리의 집단적 복지에 꼭 필요한 역할을 한다는 사실을 점점 더 많이 인식하게 됨에 따라, 이들의 근로 조건과 보수를 높여주는 쪽으로 정책 방향이 조정될 것이다. 기업의 이윤이 감소하거나 물가가 오르더라도 이들의 임금은 더 나아질 것이다. 또 불안정한 계약과 노동력을 착취하는 허점을 정규직과 더 나은 훈련으로 대체하라는 사회적·정치적 압박도 거세질 것이다. 단, 그럼으로써 불평등은 감소할 수 있지만, 과거의 경험에 비춰봤을 때 무엇보다 대규모 사회적 혼란 없이는 이런 낙관적인 시나리오대로 될 것 같지는 않다.

사회 불안
Social Unrest

포스트코로나 시대가 직면한 가장 심각한 위험 중 하나가 사회 불안이다. 일부 극단적인 경우 그것이 사회적 붕괴와 정치적 몰락으로 이어질 수 있다. 수많은 연구와 기사에서는 사람들이 직업도, 소득도, 더 나은 삶에 대한 기대감도 없을 때 종종 폭력에 의존하게 된다는 명백한 관찰 결과에 근거하여 이러한 위험을 부각시키고 있다. 다음 인용문이 문제의 본질을 잘 포착하고 있다. 인용문 내용은 미국에 해당하지만 결론은 전 세계 대부분의 국가에도 유효하다.

희망도, 일자리도, 자산도 없는 사람들은 더 부유한 사람들에게 쉽게 등을 돌릴 수 있다. 이미 미국인 약 30%는 무일푼

이거나 빚만 지고 있다. 현재의 위기에서 벗어나더라도 돈도 일 자리도 없고 의료 서비스를 이용하지 못하는 사람들이 더 늘 어나고, 이 사람들이 절박해하고 분노한다면, 최근 이탈리아에 서 일어난 죄수 탈옥이나 2005년 허리케인 카트리나Katrina가 덮 친 직후 뉴올리언스에서 일어난 약탈 같은 장면들이 일상화될 수도 있다. 정부가 폭동을 진압하기 위해 예비군이나 군대를 동원해야 한다면 사회는 붕괴되기 시작할 수 있다.[60]

코로나19가 세계를 집어삼키기 훨씬 전부터 이미 전 세계적으로 사회 불안은 고조되고 있었기 때문에 이런 위험은 새로운 것이 아니지만, 코로나19에 의해 사회 불안은 한층 증폭되었다. 지난 2년 동안 프랑스에서 일어난 노란 조끼 시위(2018년 11월 프랑스에서 유류세 인상에 반대하면서 시작돼 점차 반정부 시위로 확산된 시위로 시위 참가자들이 '노란색 야광 조끼'를 입었다 - 옮긴이 주)부터 볼리비아, 이란, 수단 같은 나라에서 일어난 반독재 시위에 이르기까지 부국과 빈국 등 전세계 곳곳에서 100건 이상의 중대한 반정부 시위가 일어났다.[61] 특히 반독재 시위 대부분은 잔혹하게 진압되었다. 독재 정부들이 코로나19 확산을 막기 위한 봉쇄 조치를 강제로 시행했을 때 다수의 시위대는 전 세계 경제처럼 동면에 들어갔다. 그러나 집단 모임과 가두시위 금지령이 해제되면 과거의 불만과 일시적으로 억눌렸던 사회적 불안이 다시 힘을 얻으면서 재분출될 것이다. 포스트코로나 시대에는 일자리를 잃고, 걱정하고, 비참하고, 분개하고, 병들고, 굶주린 사람이 극적으로 늘어나 있을 것이다. 개인적인 비극이 누적되면서 실업자, 가난한 사람, 이민자, 죄수, 노숙자, 소외된 모든 사람들을 포함한 여러 사회 집단 속에서 분노와 억울함과 격분이 커질 것이다. 이런 에너지가 어떻게 폭발하지 않을 수 있겠는가? 사회 현상은 종종 팬데믹과 동일한 특성을 나타낸다. 앞에서 살펴본 바와 같이 사회 현상이나 팬데믹 모두 갑자기 큰 변화가 생기는 시점이나 계기가 있다. 빈곤, 박탈감, 무력감 등이 일정 수준에 이르면 파괴적인 사회적 행동이 최후의 선택 수단이 되는 경우가 흔하다.

코로나19 위기 초기에 저명인사들이 공통적으로 이러한 우려를 지적하면서 전 세계적으로 높아지는 사회 불안의 위험에 대해 경고했다. 스웨덴의 산업가인 야코프 발렌베리Jacob Wallenberg도 이들 중 한 명이다. 그는 2020년 3월 다음과 같이 썼다. "위기가 장기간 지속되면 실업률은 20~30%에 이르고, 경제는 20~30%까지 역성장할 수 있다. (중략) 회복은 기대할 수 없을 것이다. 사회 불안이 고조되고, 폭력 사태가 발발하고, 사회경제적 파장이 있을 것이다. 다시 말해 실직자가 급증하고 시민들은 심각하게 고통받는다. 죽는 사람도 생기고, 사는 게 끔찍하다고 느끼는 사람도 생긴다."[62] 전 세계 많은 나라에서 실업률이 20~30%를 넘고, 2020년 2분기에 대부분의 경제가 이전에 걱정스럽게 여겨졌던 수준을 뛰어넘는 마이너스 성장을 하면서 우리는 이제 발렌베리가 '걱정스럽다'고 생각했던 기준을 넘어섰다. 앞으로 상황이 어떻게 전개될까? 사회 불안이 발생할 가능성이 가장 높은 곳은 어디일까? 사회는 어느 정도로 불안해질까?

코로나19는 이미 전 세계적으로 사회 불안의 물결을 일으켰다. 미국에선 2020년 5월 말 경찰의 과잉 진압으로 인해 비무장 상태인 흑인 남성 조지 플로이드George Floyd가 사망한 사건 이후 '흑인의 목숨도 중요하다Black Lives Matter'라는 시위가 시작됐고, 사회 불안은 전 세계로 빠르게 확산됐다. 이때 코로나19가 결정적인 역할을 했다. 플로이드의 사망은 사회 불안에 불을 지핀 불꽃이었지만, 코로나19가 더 확실히 드러내준 인종 불평등과 실업률 상승 등의 문제는 시위를 증폭시키고 유지해주는 연료였다. 어떻게 그럴 수 있었을까? 지난 6년 동안, 100명 가까운 아프리카계 미국인들이 경찰서에서 구류된 채 숨졌지만 전 국가적인 봉기를 촉발한 건 플로이드의 죽음이었다. 따라서 앞에서 지적한 바와 같이 미국 흑인 사회에 불균형적으로 영향을 미친 코로나19 사태 와중에 이러한 분노가 폭발한 게 우연이 아니다. 2020년 6월 말 현재, 미국 흑인들의 코로나19 치명률은 미국 백인에 비해 2.4배나 높다. 이와 동시에 미국 흑인들의 일자리는 코로나19 사태로 인해 급감하고 있다. 놀랄 일도 아니다. 아프리카계 미국인과 백인 미국인의 경제적·사회적 격차가 워낙 심하다 보니 거의 모든 면에서 흑인 노동자들은 백인 노동자들에 비해 불이익을 받고 있다.[63] 2020년 5월 아프리카계 미국인의 실업률은 16.8%(전국 실업률은 13.3%)로, 사회학자들이 '전기적 가용성biographical availability'[64]이라고 부른 현상에 부합할 정도로 아주 높은 수준이다. 전기적 가용성이란 정규직의 축소가 사회운동 참여도를 높이는 경향을 말한다. 우리는 '흑인의 목숨도 중요하다' 운동이 어떻게 진화할지, 그리고 만약 이 운동이 계속된다면 어떤 형태가 될지는 모른다. 그러나 이 운동이 인종 문제보다 더 광범위한 문제로 변화하고 있음을 보여주는 조짐들이 있다. 제도적 인종차별에 맞서는 시위는 좀 더 일반적인 차원에서의 경제적 정의와 포용주의에 대한 요구로 이어졌다. 앞에서 설명한 불평등 문제에 대해 이런 요구가 이어진 건 논리적으로 타당하다, 이는 위험들이 어떻게 상호작용을 하고 서로를 증폭시키는지를 잘 보여준다.

어떤 상황도 돌이킬 수 없는 건 아니며, 당기기만 하면 무조건 사회 불안이 야기되는 '기계 방아쇠' 같은 건 없다. 사회 불안은 다수의 요인으로 인해 생기는 집단적인 인간의 행동 역학과 마음가짐의 표현이다. 상호연결성과 복잡성이란 개념에 걸맞게 사회 불안의 폭발은 광범위한 정치·경제·사회·기술·환경적 요인들에 의해 촉발될 수 있는, 본래 비선형적인 사건이다. 그런 요인들은 경제적 충격, 악천후로 인한 고통, 인종적 긴장, 식량 부족, 그리고 심지어 불공평하다는 느낌까지 다양하다. 여러 요인들은 거의 항상 상호작용을 하면서 연쇄적 파급 효과를 만들어낸다. 따라서 특정한 혼란 상황을 예측할 수는 없지만 그런 상황을 예상하고 대비할 수는 있다. 어느 나라가 사회 불안에 가장 취약할까? 언뜻 보면, 사회안전망이 없는 빈곤국과 사회안전망이 부실한 부국이 가장 취약할 것 같다. 소득 감소의 충격을 낮출 수 있는 실업급여 같은 정책 수단이 없거나 부족해서다. 이러한 이유로 미국처럼 개인주의가 강한 사회는 남유럽처럼 연대 의식이 강하거나 북유럽처럼 소외 계층을 도울 수 있는 사회 시스템을 갖춘 유럽이나 아시아 국가보다 더 위험할 수 있다. 가끔은 두 가지를 모두 가진 나라도 있다. 예를 들어, 이탈리아와 같은 나라들은 강력한 사회안전망과 연대 의식(특히 세대 간)을 모두 가지고 있다. 비슷한 맥락에서 지나칠 정도로 많은 아시아 국가들에 퍼져 있는 유교는 개인의 권리보다 의무감과 세대 간의 연대를 우선시한다. 그것은 또 공동체 모두에 이익이 되는 조치와 규칙에 높은 가치를 둔다. 물론 그렇다고 해서 유럽이나 아시아 국가에선 사회 불안이 일어나지 않는다는 뜻은 아니다. 전혀 그렇지 않다! 프랑스의 경우, 노란 조끼 시위를 통해 증명됐듯이, 튼튼한 사회안전망을 갖추고 있어도 사회적 기대감이 채워지지 않는 국가라면 폭력적인 사회 불안이 지속적으로 분출될 수 있다.

사회 불안은 경제와 사회복지에 모두 부정적인 영향을 미치지만, 정부뿐만 아니라 기업과 다른 조직들이 올바른 정책을 추진함으로써 위험을 완화할 준비를 할 수 있다. 이런 이유로 잠재적인 사회 불안에 직면하더라도 무기력하지는 않다고 강조하고 싶다. 사회 불안을 유발하는 가장 큰 근본 원인은 '불평등'이다. 용납할 수 없는 수준의 불평등과 싸우기 위한 정책 도구는 확실히 존재하며, 정부가 그 도구를 갖고 있는 경우가 종종 있다.

'큰' 정부의 귀환
The Return of "Big" Government

존 미클스웨이트John Micklethwait와 에이드리언 울드리지Adrian Wooldridge는 2020년 4월 〈블룸버그〉 사설에서 이렇게 말했다. "코로나19 팬데믹으로 정부가 다시 중요해졌다. 다시 강력하고 (한때 강력했던 기업들이 도움을 구걸하는 상황을 보라) 필수적인 것이 되었다. 당신이 사는 나라가 우수한 의료 서비스, 유능한 관료, 건전한 재정을 확보하고 있는지가 대단히 중요해졌다. 좋은 정부인지의 여부가 삶과 죽음을 결정한다."[85]

지난 5세기 동안 미국과 유럽이 배운 가장 중요한 교훈 중 하나는 심각한 위기가 국력을 키우는 데 일조한다는 것이다. 항상 그래왔고, 이번 코로나19 팬데믹도 마찬가지다. 역사학자들은 18세기 이후 자본주의 국가들이 재정 여력을 키운 이유가 항상 전쟁, 특히 먼 나라에서 일어나서 해양 활동 능력을 요구하는 전쟁과 밀접한 관련이 있다고 지적한다. 유럽의 모든 강대국들이 참여함으로써 최초의 진정한 세계 전쟁으로 묘사된, 1756~1763년에 일어났던 '7년 전쟁(중부 유럽 지역인 슐레지엔 영토를 둘러싸고 유럽 대국들이 둘로 갈라져 싸운 전쟁-옮긴이 주)'이 대표적인 사례다. 이후 주요 위기에 대한 대응은 항상 '모든 독립 정부의 당연한 권리에 속하는 주권의 고유하고 본질적인 속성'[66]인 과세부터 시작해서 국가의 힘을 더욱 공고히 해줬다. 그렇다는 걸 잘 보여주는 몇 가지 사례들은 과거처럼 이번에도 세수稅收가 증가할 것임을 강하게 시사해준다. 과거처럼 '나라가 전쟁 중이기 때문(이번에는 보이지 않는 적에 맞선다는 식의)'이란 논리가 세수 확대의 사회적 근거와 정치적 정당성으로 제시될 것이다.

1914년 프랑스의 최고 소득세율은 제로였다가 제1차 세계대전이 끝나고 1년 뒤에는 50%로 올라갔다. 캐나다는 1917년 전쟁 재원 마련을 위한 '임시' 방편으로 소득세를 도입했다가 제2차 세계대전 때 법인이 아닌 개인이 납부하는 모든 소득세에 20%의 가산세를 일률적으로 부과하고, 69%라는 높은 한계 세율(초과 수익에 대해 세금으로 지불해야 할 비율-옮긴이 주)을 도입하며 소득세를 대폭 확대했다. 전쟁 이후 세율이 내려갔지만, 전쟁 이전보다 여전히 상당히 높은 수준을 유지했다. 마찬가지로, 제2차 세계대전 당시 미국의 소득세는 개인의 재산과 수입에 따라 부과되는 '등급별 과세class tax' 방식을 버리고 누구나 내야 하는 이른바 '대중세mass tax'로 바뀌었고, 이로 인해 1940년 700만 명이었던 납세자 수는 1945년 4,200만 명으로 급증했다. 미국 역사상 가장 높은 누진세율이 도입됐던 건 1944년과 1945년으로, 이때는 20만 달러 이상의 소득에 94%의 세율이 적용되었다 (2019년 화폐로 따지면 240만 달러에 상당한다). 세금을 내야 하는 사람들이 종종 '몰수'나 마찬가지라고 비난했던 이 최고 세율은 이후 20년 동안 80% 아래로 떨어지지 않았다. 제2차 세계대전이 끝날 무렵 많은 다른 나라들은 이와 유사하거나 종종 더 극단적인 과세 조치를 시행했다. 전쟁 중 영국의 최고 소득세율은 무려 99.25%나 될 정도로 높았다![67]

가끔 국가는 과세 주권을 통해 복지 제도 구축과 같은 다른 영역에서 가시적인 사회적 이익을 창출했다. 그러나 완전히 '새로운' 것으로의 이런 대규모 전환은 항상 폭력적인 외부 충격이나 다가올 미래의 위협에 대한 대응이란 관점에서 정의되었다. 예를 들어, 제2차 세계대전은 대부분의 유럽 국가에서 '요람에서 무덤까지cradle-to-grave' 누리는 국가 복지제도 도입으로 이어졌다. 제2차 세계대전 후 미국과 소련 간의 냉전 때도 그랬다. 자본주의 국가 정부들이 내부 공산주의의 반란을 지나치게 우려한 나머지 이를 미연에 방지하기 위해 국가 주도의 모델을 세웠다. 관료들이 운송에서 에너지에 이르는 경제의 상당 부분을 관리하던 이 시스템은 1970년대까지 잘 유지됐다.

오늘날의 상황은 당시와 근본적으로 다르다. 그 사이 수십 년간 서양 세계에서는 국가의 역할이 대폭 축소됐다. 지금은 코로나19가 가한 것과 같은 대규모 '외생적인 충격'이 순전히 시장 기반의 솔루션만으로 어떻게 해결될 수 있을지 상상하기는 어렵기 때문에 변화를 맞게 된 상황이다. 이미 거의 하룻밤 사이에 코로나바이러스는 민간과 공공 영역 사이의 복잡하고 섬세한 균형을 후자에 유리하게 바꿔놓는 데 성공했다. 코로나19 사태를 겪으면서 건강과 교육 등의 책임을 개인과 시장에 떠넘기는 게 사회의 이익에 최선이 아닐 수 있다는 게 밝혀졌다. 그 결과 사회보험이 더 효율적이라는 인식이 커지고 있다. 불과 몇 년 전만 해도 아주 끔찍하게 간주될 수 있었던 '정부가 공공의 이익을 증진할 수 있는 반면에 규제 없이 제멋대로 가는 경제는 사회복지를 파괴할 수 있다'는 생각이 이제 일반적 생각이 될지도 모른다. 실로 놀랍고도 갑작스러운 변화가 아닐 수 없다. 정부와 시장 사이의 연속성을 측정하는 눈금판이 있다면 바늘이 정부 쪽으로 크게 움직인 셈이다.

마거릿 대처Margaret Thatcher 전 영국 총리가 "사회 같은 것은 없다. 다만 개인적인 남녀가 있고 가족이 있을 뿐이다"라는 말로 시대정신을 드러낸 이후 처음으로 정부가 우위를 차지하는 시대가 왔다. 포스트코로나 시대에 도래하는 모든 것들은 우리가 정부의 역할을 다시 생각하도록 이끌 것이다. 경제학자 마리아나 마주카토Mariana Mazzucato가 제안한 대로 단순히 시장이 실패했을 때 그것을 고치기보다는 "정부는 지속가능하고 포용적으로 성장하는 시장을 적극적으로 만들고 창조하는 방향으로 나아가야 한다. 또 정부 기금이 투입된 기업과의 제휴가 영리가 아닌 공익을 목적으로 추진되도록 해야 한다.[58]

정부의 확대된 역할이 어떤 식으로 드러날 것인가? 더 '큰' 정부의 중요한 역할이 대폭 확대됐고, 사실상 정부가 즉각적으로 경제에 대한 통제를 할 수 있게 됨으로써 정부 역할의 확대가 이미 가시화되고 있다. 파트 1에서 상세히 기술한 것처럼 매우 신속하고 전례 없는 규모로 공적 경제 개입이 일어나고 있다. 2020년 4월, 코로나19가 전 세계를 휩쓸기 시작했을 때 전 세계 정부들은 극빈자들의 기본 욕구를 지원하고, 가능하면 일자리를 보존하고, 기업의 생존을 돕기 위해 마치 8~9개의 마셜 플랜Marshall Plan(제2차 세계대전 후 1947년부터 1951년까지 미국이 서유럽 16개 나라에 행한 대외 원조 계획 – 옮긴이 주)을 동시다발적으로 추진하듯 수조 달러에 달하는 경기부양책을 발표했다. 중앙은행은 금리를 인하하고 필요한 모든 유동성을 공급하기로 했고, 정부는 사회복지 혜택을 확대하고, 현금을 직접 지원하고, 임금을 보전해주고, 대출과 모기지 상환을 중단하는 등의 조치에 착수했다. 오직 정부만이 경제적 재앙과 완전한 사회적 붕괴가 만연하는 걸 막을 수 있는 결정을 내릴 힘과 능력과 권한을 가지고 있다.

향후 정부들은 각기 정도의 차이는 있더라도 일부 게임의 규칙을 다시 써서 자신의 역할을 영구적으로 강화하는 것이 사회에 가장 이익이 된다고 판단할 가능성이 크다. 1930년대 미국에서 대규모 실업과 경제 불안이 정부의 역할 확대로 점진적으로 해결되었을 때 그랬듯이, 오늘날에도 정부는 당분간 당시와 유사한 행동 경로를 따를 가능성이 있다. 새로운 사회계약에 대해 논할 다음 파트를 비롯해 이 책의 다른 파트에서 정부가 어떤 경로를 밟을지 다루고 있지만, 여기서 잠시 가장 핵심적인 몇 가지 경로를 간략하게 살펴보기로 하겠다.

건강과 실업보험은 처음부터 새로 만들거나 아니면 기존 보험을 강화할 필요가 있을 것이다. 사회안전망도 가장 '시장 중심적'인 앵글로색슨 사회에서 강화되어야 한다. 코로나19 사태의 충격을 완화하기 위해 실업수당 연장과 병가 및 다른 많은 사회적 조치들이 시행되어야 하고, 이후 이들은 표준이 될 것이다. 많은 나라에서 재개된 노동조합의 관여는 이런 과정을 촉진할 것이다. 주주 가치는 부차적인 고려 사항이 되고, 이해관계자 자본주의stakeholder capitalism(기업이 주주에 대한 배려보다는 채권단, 고객, 사회, 직원 등 관련된 모든 종사자와 더불어 존재하고 번영하는 것을 경영 목표로 하는 자본주의의 한 형태-옮긴이 주)가 우선시되리라고 본다. 과거 지대한 관심을 끌었던 세계의 금융화financialization는 아마도 역행할 것이다. 특히 금융화 영향을 가장 많이 받는 미국과 영국 정부는 금융에 대한 집착을 통해 보여준 많은 특성들을 재고해야 할 것이다. 자사주 매입을 불법화하는 것에서부터 은행이 대출을 장려하지 못하게 막는 것에 이르기까지 광범위한 조치를 결정할 수 있다. 특히 공적자금을 받은 모든 민간 기업(이들만이 전부는 아니겠지만)에 대한 공공의 감시가 강화될 것이다. 국유화에 나서는 나라도 있는 반면에 지분 취득이나 대출 지원을 선호하는 나라도 있을 것이다. 일반적으로 노동자의 안전이나 특정 상품에 대한 국내 조달 같은 많은 다른 문제들과 관련해 규제가 한층 더 강화될 것이다. 기업들은 사회적·환경적 파괴에 대해 해명하고, 그것의 해결에 나서줄 것으로 기대된다. 아울러 정부는 민간 기업이 글로벌 위험 완화에 더 많이 관여하도록 민관 협력 관계를 강하게 장려할 것이다. 어쨌든 국가의 역할은 확대되고, 그럼으로써 기업의 사업 수행 방식에 결정적 영향을 미치게 된다. 정도는 다르더라도 모든 산업의 기업 임원들과 모든 국가들은 더 확대된 정부 개입에 적응해야 할 것이다. 보건과 기후변화 해법 등 세계적 공공재에 대한 연구 개발이 활발히 추진될 것이다. 특히 정부가 국가 경제의 회복력을 강화해야 하고, 그것에 더 많이 투자하기를 원할 것이기 때문에 특권층에 대한 과세도 강화될 것이다. 미국 경제학자이자 2001년 노벨 경제학상을 수상한 조지프 스티글리츠Joseph Stiglitz 컬럼비아대학교 교수가 다음과 같이 주장한 바 대로다.

가장 먼저 해야 할 일은 공공 부문, 특히 복잡한 사회가 직면하고 있는 수많은 위험으로부터 우리를 보호하고 미래 번영을 좌우할 과학과 고등교육 발전을 후원하기 위해 고안된 공공 부문에 추가 자금을 지원하는 것이다. 연구원과 교사 및 그들을 지원하는 기관 운영에 도움을 주는 사람들처럼 생산적인 일자리가 빠르게 창출될 수 있는 분야들에 말이다. 우리는 이

번 위기에서 벗어나더라도 분명 다른 위기가 도래할 것임을 알
아야 한다. 우리는 그것이 이전 위기와 달라 보일 것이라는 점
만 알 뿐 어떤 형태일지는 예측할 수 없다.[69]

위기가 일어나고 있는 곳의 국가나 문화 특성에 따라 긍정적 혹은
부정적 형태를 띨 수 있는 정부의 이러한 개입은 사회계약을 재정립
할 때 가장 활기차게 나타난다.

사회계약
The Social Contract

코로나19로 전 세계 많은 사회에서는 거의 필연적으로 사회계약 조건을 재고하고 재정립하고자 할 것이다. 코로나19가 기저 질환을 더 악화시키듯이, 제대로 조치가 이뤄지지 않았던 깊은 구조적 취약성에서 비롯된 해묵은 문제들을 전면으로 드러나게 만들었음을 살펴봤었다. 이러한 문제들은 정도의 차이가 있지만 모두 사회계약을 수정하라는 소란스러운 요구를 야기하고 있다.

'사회계약'은 광범위하게 정의했을 때 개인과 제도 사이의 관계를 지배하는 (종종 암묵적인) 합의와 기대의 집합을 가리킨다. 간단히 말해서 사회계약은 사회를 하나로 묶는 '접착제'라서 사회계약이 없으면 사회 구조가 무너진다. 지난 수십 년 동안 사회계약은 개개인이 자신의 삶과 경제적 성과에 대해 더 큰 책임을 지도록 강요함으로써, 많은 사람들(특히 저소득층에서)이 사회계약은 완전히 붕괴되는 게 아니라면 조금 약화되고 있을 뿐이란 결론을 내리도록 만드는 방향으로 서서히 진화해왔다. 낮거나 전혀 없는 인플레이션에 대한 환상은 이러한 사회계약의 약화가 실생활에서 어떻게 영향을 미치는지를 보여주는 실제적이고 예시적인 사례다. 여러 해 동안 전 세계적으로 대다수 사람들에게 가장 중요한 세 가지인 주거, 의료, 교육을 제외하고 많은 상품과 서비스의 인플레이션율은 하락했다. 반면 이 세 가지 물가는 모두 급등함으로써 어느 때보다 많이 가처분소득, 즉 개인소득 중 소비·저축을 자유롭게 할 수 있는 소득을 빨아들이고 있으며, 심지어 일부 국가에서는 치료를 받기 위해 빚을 지는 경우까지 생기고 있다. 마찬가지로 코로나 이전 시대에는 많은 나라에서 일할 기회가 확대되었지만, 취업률이 올라가자 종종 소득은 정체되고 일자리는 양극화되는 경우가 많았다. 이러한 상황에서 결국 그럭저럭 괜찮은 생활을 영위하기에 수입이 충분하지 않은 대다수 사람들(부유한 국가의 중산층도 포함해서)의 경제와 사회복지가 약화되었다. 오늘날 사회계약에 대한 신뢰가 상실된 근본적인 이유들로 불평등, 불공정, 재분배 정책의 비효율성, 배척되거나 소외되었다는 느낌의 만연 등을 들 수 있다. 이로 인해 많은 시민들이 사회계약 파기를 주장하면서 제도와 지도자에 대한 전반적인 신뢰 상실을 점점 더 강하게 드러내기 시작했다.[70] 이처럼 광범위하게 퍼진 분노가 평화적이거나 폭력적인 시위 형태로 분출된 나라도 있었고, 포퓰리즘과 극단주의적 성향의 당이 선거에서 승리하게 해준 나라도 있었다. 거의 모든 경우 어떤 형태로건 지배층은 적극적으로 대응하지 못했다. 그들은 반란에 대비하지 못했고, 문제를 해결하기 위한 아이디어와 정책 개입이 부족했다. 복잡하긴 해도 정책적 해결책은 존재하며, 그 핵심은 국민에게 권력을 이양하고 더 공정한 사회계약에 대한 요구를 수용함으로써 지금 세계에 적합한 복지국가를 만드는 것이다. 지난 몇 년 동안 몇몇 국제기구와 싱크탱크들은 이러한 새로운 현실에 적응하면서 실현 방법에 대한 제안들의 윤곽을 잡았다.[7] 코로나19는 이러한 변화를 가속화하는 전환점을 만들어줄 것이다. 이제 문제는 고착화되었고 코로나 이전 상태로 돌아가는 건 불가능해졌다.

그렇다면 새로운 사회계약은 어떤 형태를 띨까? 각각의 잠재적인 계약은 적용되는 국가의 역사와 문화에 따라 달라질 수 있기 때문에 미리 준비해놓은 모델 같은 건 없다. 불가피하지만 당연하게도 중국에서 좋은 사회계약은 미국의 좋은 사회계약과 다르며, 미국의 좋은 사회계약은 스웨덴이나 나이지리아의 좋은 사회계약과 유사하지 않을 것이다. 그러나 여러 형태의 계약들은 모두 몇 가지 공통적인 특징과 원칙을 공유할 수 있는데, 이 공통적 특징과 원칙은 코로나19 위기로 인한 사회적·경제적 여파에 따라 더 두드러졌음이 명백하다. 두가지 필요성이 특히 눈에 띈다.

1. 보편적이지는 않더라도 더 광범위한 사회 지원, 사회보험, 의료 및 기본 품질 서비스 제공의 필요성.
2. 노동자와 현재 가장 취약한 계층(예를 들어, 정규직 노동자가 독립 계약자와 프리랜서로 대체되는 일명 '긱 경제gig economy' 방식에 따라 일하며 긱 경제를 살리는 계층)에 대한 보호를 강화하려는 움직임의 필요성.

흔히 재난에 대한 나라별 대응 방식을 보면 그 나라의 강점과 약점뿐만 아니라 사회계약의 '질'과 '견고성'에 대해 많은 것을 알 수 있다고 한다. 우리가 가장 심각한 위기의 순간에서 점차 벗어나면서 무엇이 옳고 그른지에 대해 철저하게 평가하기 시작할 때 궁극적으로 사회계약 조건의 재정립으로 이어질 '자기 분석'에도 착수해야 한다. 코로나19 사태 때 저급하게 대응한 것으로 인식되는 국가에서는 많은 시민들이 "왜 우리나라에선 팬데믹 와중에 마스크와 인공호흡기가 부족한 경우가 많았을까?", "왜 정부는 제대로 준비하지 않았을까?", "근시안적 정책에 집착했기 때문일까?", "GDP가 상당한 국가임에도 불구하고 필요로 하는 모든 사람들에게 좋은 의료 서비스를 제공하는 데 왜 그렇게 비효율적인가?", "의사가 되기 위해 10년 이상 수련을 하고 연말 성과를 사람의 생명으로 평가받는 사람이 어떻게 트레이더나 헤지펀드 매니저보다 적은 보상을 받을 수 있는가?" 등의 비판적인 질문을 던지기 시작할 것이다.

코로나19 사태는 환자와 의료진의 생명 유지를 위한 비용 측면에서 대부분의 국가 보건 시스템이 부적절한 상태임을 드러냈다. 세금 인상에 대한 정치적 우려로 세금이 투입되는 보건 서비스가 재원 부족(영국의 국민건강보험National Health Service이 가장 극단적인 사례다)으로 오랫동안 어려움을 겪어온 여러 부유한 나라에서는 지출 확대와 그에 따른 세금 인상을 요구하는 목소리가 커질 것이며, '효율적 경영'으로는 투자 부족 문제를 해결하는 게 불가능하다는 인식이 확산될 것이다.

코로나19 사태는 또한 각 나라의 복지제도 사이 상당한 격차가 있음이 드러나는 계기가 되었다. 언뜻 보기에 가장 포용적인 방식으로 대응한 나라들은 스칸디나비아 국가들처럼 정교한 복지제도를 가진 나라들이었다. 예를 들면, 2020년 3월에 이미 노르웨이와 덴마크는 이전 3년간의 세금 신고액을 기준으로 자영업자 평균 소득의 80%와 75%를 각각 보장해줬다. 반면 가장 시장 지향적인 경제는 이들처럼 하려고 애썼지만, 노동시장에서 가장 취약한 부문, 특히 전통적인 고용주와 고용인 관계가 아니라 고용주의 필요에 따라 단기로 계약을 맺고 일회성 일을 맡는 긱 워커gig worker, 독립 계약자 및 임시직 노동자를 보호하는 데 우유부단했다.

새로운 사회계약에 결정적인 영향을 미칠 수 있는 중요한 주제는 병가다. 경제학자들은 유급 병가를 낼 수 없는 것이 코로나19 확산을 억제하기 더 어렵게 만든다는 데 공감하는 편인데 이유는 간단하다. 유급 병가를 내지 못한다면 코로나19에 감염됐는데도 자의건 타의건 간에 직장에 나가 다른 사람들을 감염시킬 수 있기 때문이다. 저소득층과 서비스업 종사자(보통 저소득층이 서비스업에 많이 종사한다)가 특히 더 그럴 확률이 높다. 2009~2010년 신종플루H1N1 대유행 당시 미국공중보건협회American Public Health Association는 신종플루에 걸린 고용자들이 어쩔 수 없이 출근하는 바람에 약 700만 명이 감염됐고, 1,500명이 추가로 숨졌다고 추정했다. 부유한 국가들 가운데 미국만이 유급 병가를 고용주 재량에 따라 결정하도록 하고 있다. 2019년에는 전체 미국 노동자의 4분의 1에 이르는 4,000만 명이 유급 병가를 내지 못했다. 이들은 주로 저임금 직종에 종사하고 있었다. 미국에서 코로나19가 확산되기 시작한 2020년 3월, 도널드 트럼프 대통령은 고용주들에게 2주 병가와 가족 휴가를 일부 유급으로 내게 하는 새로운 법안에 서명했다. 단, 이는 육아 문제가 있는 노동자에게만 한시적으로 적용됐다. 이것이 미국 사회계약의 재정립에 어떤 영향을 미칠지 지켜볼 일이다. 반면에 거의 모든 유럽 국가들은 노동자들이 다양한 기간 동안 유급 병가를 낼 수 있도록 고용주에게 요구하고 있다. 단, 이때 고용주가 노동자를 해고하면 안 된다. 코로나19 사태 초기에 공표된 새로운 법들에 따라 국가는 긱 경제하에서 일하는 사람들과 프리랜서들을 포함해 재택근무를 해야 하는 사람들의 급여 일부 내지는 전부를 보존해주었다. 일본에서는 모든 노동자가 매년 최대 20일까지 유급휴가를 쓸 수 있고, 중국에서는 노동자와 고용주 간에 계약적으로 합의하거나 정해놓은 병가 기간 범위 안에서 노동자가 일당을 최소 60%에서 최대 100%까지 받을 권리를 누린다. 앞으로 우리는 사회계약의 재정립 시에 이런 문제들이 점점 더 자주 개입될 거라고 예상할 수 있다.

서양 민주주의에서 사회계약의 중요한 또 다른 측면은 '적극적 자유freedom'와 '구속받지 않을 자유liberty'와 관련된다. 현재와 미래의 팬데믹에 맞선 싸움이 영구적 감시 사회를 태동시킬 것이라는 우려가 커지고 있다. 이 문제는 '기술적 리셋'에 관한 장에서 좀 더 자세히 다루어놓았기에 여기서는 국가 비상사태는 공적이고 보편적이며 존재론적 위협이 닥쳤을 때만 정당화될 수 있다는 말만 하고 넘어가겠다. 게다가 정치 이론가들은 종종 특별한 권력은 국민의 인가를 필요로 하고, 시간과 정도에 제한을 둬야 한다고 강조한다. 사람들이 이 주장의 앞부분(공적·보편적·존재론적 위협)에는 동의할 수 있다고 해도 뒷부분은 어떨까. 그것이 사회계약이 어떤 모습이어야 하는지에 대한 향후 논의에 중요한 요소가 될 것으로 기대한다.

우리 사회계약 조건의 총체적 재정의는 현재의 실질적인 도전을 미래의 희망과 연결시키는 획기적인 과제다. 헨리 키신저는 우리에게 "역사적으로 지도자들은 미래를 건설하면서 위기를 관리하는 도전에 맞서왔다. 실패했다간 세상에 불이 붙을 수 있다"고 말했다.[72] 우리는 미래의 사회계약이 그릴 등고선을 고민하면서도 그 계약에 따라 살아야 할 젊은 세대의 의견은 무시해버린다. 그들이 그 계약을 따를 것인지가 결정적으로 중요한 이상 그들이 원하는 것을 더 잘 이해하기 위해서 그들의 말에 경청하는 걸 잊어서는 안 된다. 젊은 세대가 나이든 세대보다 더 급진적으로 우리의 사회계약을 수정할 가능성이 크다는 점에서 그런 경청이 더욱 중요하다. 코로나19는 그들의 삶을 뒤집어놓았고, 심각한 불황 속에서 수백만 명이 경제활동에 나설 예정인 가운데 전 세계 모든 세대는 경제적, 그리고 종종 사회적 불안에 시달릴 것이다. 그들은 그로 인해 영원히 지울 수 없는 상처를 받을 수 있다. 또 많은 학생들이 학자금 대출로 인해 빚을 진 상태로 사회생활을 시작하게 되는 것도 장기적으로 여러 가지 파장을 일으킬 수 있다. 적어도 서구권에서는 이미 1980년대 초반부터 2000년대 초반 사이에 출생한 밀레니얼 세대가 소득, 자산, 재산 면에서 부모 세대보다 형편이 더 나쁘다. 그들은 부모보다 집을 소유하거나 아이를 가질 가능성이 적다. 이제 또 다른 세대인 Z세대 역시 그 실패한 시스템 속으로 들어서고 있다. 이 사회구조가 갖고 있는 악화되고 해묵은 문제들은 코로나19로 인해 더 적나라하게 드러날 것이다. 〈뉴욕 타임스〉가 인용한 한 대학생의 말대로 "앞에 놓인 끊어진 길을 본 젊은이들은 급진적인 변화에 대해 깊은 열망을 느낀다."[73]

Z세대는 어떻게 대응할 것인가. 기후변화든 사회적 불평등이든 간에 다음 재앙이 닥치는 것을 막기 위한 시도에서 급진적인 해결책과 종종 과격한 행동을 제안할 것이다. 그들은 현재 시스템이 수리 불가능할 정도로 망가졌다는 생각에 빠져 좌절하고 괴로워하기 때문에 현 경로에 대한 근본적인 대안을 요구할 가능성이 크다.

전 세계적으로 '청소년행동주의youth activism'가 유행하고 있고,[74] 이런 행동주의는 과거에는 불가능했을 정도의 '동원mobilization'을 조장하는 소셜 미디어에 힘입어 대혁신을 일으키고 있다.[75] 동원은 비제도적 정치 참여에서부터 시위와 항의에 이르기까지 다양한 형태를 취하고 있으며, 기후변화, 경제 개혁, 성 평등 그리고 성 소수자LGBTQ 권리 같은 다양한 이슈를 제기하고 있다. 젊은 세대는 사회 변화의 선봉에 확고히 서 있다. 그들이 변화의 기폭제가 되고 위대한 리셋을 이끄는 결정적 가속도의 원천이 될 것이라는 데는 사실상 의심할 여지가 없다.

CHAPTER 4

지정학적 리셋

GEOPOLITICAL RESET

지정학적 리셋의 의의
Geopolitical Reset

지정학과 팬데믹의 연결성은 양방향으로 흐른다. 한편에선 다자주의의 혼란스러운 종말, 글로벌 거버넌스의 공백, 다양한 형태의 민족주의의 부상[76] 등으로 인해 팬데믹 발생 시 대처하기가 더욱 어려워지고 있다. 코로나바이러스가 전 세계적으로 퍼지면서 누구나 무차별적으로 감염시키고 있는 가운데 사회를 쪼개는 지정학적 단층선은 많은 지도자들로 하여금 개별 국가적 대응에 집중하게 만듦으로써 집단적 효과와 팬데믹 근절 역량을 모두 떨어뜨리는 상황을 초래한다. 다른 한편에선 팬데믹은 위기가 터지기 전부터 이미 뚜렷이 드러나던 지정학적 경향들을 확실히 더 악화시키고 가속화한다. 그들은 무엇이었고, 현재의 지정학적 상황은 어떠한가?

　스위스 로잔 국제경영개발대학원의 경제학자 고故 장-피에르 레만
Jean-Pierre Lehmann은 "새로운 세계적 질서는 부재하고, 오로지 불확실성으
로의 혼란스러운 전환만 존재할 뿐"이란 말로 오늘날의 상황을 통찰
력 있게 요약했다. 보다 최근에는 아시아사회정책연구소Asia Society Policy
Institute 소장인 케빈 러드Kevin Rudd 전 호주 총리가 닥쳐올 포스트코로나
시대의 무정부주의에 대해 특히 걱정하며 레만과 비슷한 심경을 밝혔
다. "다양한 형태의 민족주의가 질서와 협력을 대체하고 있다. 따라서
팬데믹에 대한 혼란스러운 성격의 국가적·세계적 대응은 훨씬 더 광
범위한 규모로 도래할 가능성에 대한 경고 역할을 한다."[77] 상호교차
하는 여러 가지 원인으로 오랫동안 지정학적 불안이 이어져 왔지만,
그것을 초래하는 결정적인 요소는 서양에서 동양으로 중심축이 점진
적으로 이동하는 리밸런싱rebalancing이다. 리밸런싱은 스트레스를 유발
하고, 도중에 전 세계적 무질서를 유발하는 변화다. 이처럼 중국 같
은 신흥 강대국이 미국과 같은 지배 세력과 충동할 때 필연적으로 나
타날 수밖에 없는 구조적 스트레스를 '투키디데스의 함정Thucydides' trap'
이라고도 한다. 이런 식의 대립은 앞으로 몇 년 동안 전 세계적으로
혼란과 무질서와 불확실성을 초래할 것이다. 사람들이 미국을 좋아하
건 싫어하건 간에, 미국의 국제무대에서의 점진적 이탈(역사학자인 니
얼 퍼거슨Niall Ferguson이 말한 '지정학적 영향력 축소geopolitical taper'에 해당하
는)은 국제적인 변동성을 증가시킬 수밖에 없다. 갈수록 항로 보안이

나 국제 테러와의 전쟁 등에서 미국의 '패권hegemon'이 제공해준 글로벌 공공재에 의존하던 나라들은 이제 스스로 뒷마당을 보살펴야 할 것이다. 21세기는 어느 누가 가진 힘도 절대적 우위를 차지하지 않는 절대적 패권이 없는 시대가 될 확률이 매우 높다. 결과적으로, 권력과 영향력은 무질서하면서도 경우에 따라서는 억지로 재분배될 것이다.

 점점 더 다원성을 띠면서 영향력 쟁취를 위한 경쟁이 치열해지고 있는 이 혼란한 신세계에서 갈등이나 긴장은 – 과격한 이슬람만 부분적·제한적으로 제외하고 – 더 이상 '이념에 의해서 조장되기보다는 민족주의와 자원 확보 경쟁에 의해서 촉발될 것이다. 어느 한 세력도 질서를 강제할 수 없다면 우리가 사는 세계는 '전 세계적 질서 결핍'에 시달리게 된다. 개별 국가와 국제기구들이 범세계적 차원에서 협력을 강화해나갈 수 있는 해결책을 찾는 데 성공하지 못한다면 긴축, 분열, 분노, 파벌주의가 점점 더 우세해질 것이다. 결국 세계는 더 이해하기 힘들고 더 무질서해져서 원래 상태로 되돌아갈 수 없는 '엔트로피의 시대age of entrophy'로 진입할 위험이 크다. 코로나19 위기는 이러한 슬픈 상황을 드러내고 악화시켰다. 코로나19로 야기된 충격의 정도와 결과는 어떤 극단적인 시나리오도 비교가 안 될 만큼 심각하다. 일부 쇠퇴 국가falling state나 산유국의 파멸, EU 해체 가능성, 전쟁으로 이어질 미국과 중국 간 관계의 붕괴 등과 그 외의 많은 일들이 가능성은 적더라도 어쨌든 개연성은 있는 시나리오가 되었다.

이제부터 우리는 세계화의 퇴보, 글로벌 거버넌스의 부재, 미국과 중국의 경쟁 구도 악화, 나약하고 쇠퇴하는 국가의 운명 등 포스트코로나 시대에 더욱 만연하고 서로 합쳐져 새로운 영향을 미칠 네 가지 주요 이슈를 살펴보기로 하겠다.

세계화와 민족주의
Globalization and Nationalism

만능어인 '세계화globalization'는 국가들 간에 상품, 서비스, 사람, 자본 그리고 이제는 심지어 데이터의 국제 교류를 가리키는 광범위하고 모호한 개념이다. 세계화는 수억 명을 가난에서 구해내는 데 성공했지만, 지금까지 꽤 오랜 시간 동안 회의론이 제기되면서 심지어 퇴보하기 시작했다. 앞서 강조했듯이, 오늘날의 세계는 과거 어느 때보다 상호연결되어 있지만, 10년 이상 세계화 강화를 주장하고 지지했던 경제적·정치적 추진력은 약해지고 있다. 2000년대 초에 시작된 세계 무역 협상은 합의 도출에 실패했고, 같은 기간 동안 세계화에 대한 정치적·사회적 반발은 강해졌다. 특히 고소득 국가의 제조업 분야 실업 등 세계화의 비대칭 여파로 부담해야 할 사회적 비용이 상승하는 상황에서 2008년 시작된 금융위기 이후 금융 세계화의 위험은 어느 때보다도 뚜렷해졌다. 따라서 여러 위험이 합쳐져서 전 세계, 특히 서양에서 포퓰리즘과 우파 정당이 부상했는데, 이들은 집권하면 종종 민족주의로 회귀하고 고립주의 정책을 추진했다. 모두가 세계화에 반하는 개념이다.

세계경제가 워낙 복잡하게 얽혀 있다 보니 세계화를 종식시키기는 불가능하다. 그러나 속도를 늦추고 그것을 거꾸로 되돌리는 것까지는 가능하다. 코로나19 사태가 그렇게 해줄 거라고 본다. 이민자 유입에 대한 두려움으로 인한 국경 통제 강화와 세계화에 대한 두려움으로 인한 보호주의 강화 같은 극단적 경향은 코로나19가 맹렬히 확산되고 세계 각국이 국경 봉쇄에 나서면서 더욱 강화됐다. 코로나19 확산을 막기 위한 목적으로 추진된 국경 통제 강화는 상당히 타당한 조치이긴 하지만, 민족국가의 부흥이 점진적으로 훨씬 더 큰 민족주의로 이어질 위험 역시 존재한다. 경제적 세계화, 정치적 민주주의, 민족국가 세 가지를 동시에 추구할 수는 없다는 의미로 하버드대학교의 경제학자 대니 로드릭Dani Rodrik이 말한 '세계화의 트릴레마globalization trilemma'가 현실이 되는 것이다. 세계화가 민감한 정치·사회 이슈가 되고 있던 2010년대 초 로드릭은 민족주의가 대두하면 세계화가 왜 피해를 볼 수밖에 없는지를 설명했다. 트릴레마는 본래 세 가지 정책 목표 간에 상충 관계가 존재하여 이들을 동시에 개선할 수 없는 상황을 말하는데, 로드릭은 특정 시간에 오직 두 가지만이 효과적으로 공존할 수 있다는 논리에 근거하여 경제적 세계화, 정치적 민주주의, 민족국가라는 세 가지 개념은 서로 화해할 수 없음을 시사했다.[78] 민주주의와 국권國權은 세계화가 억제되어야만 양립할 수 있다. 반면에 민족국가와 세계화가 번창한다면 민주주의는 지탱할 수 없다. 그리고 민주주의와 세계화가 모두 확대되면 민족국가가 설 자리가 사라진다. 따라서 우리는 세 가지 중에서 두 가지밖에 선택할 수 없는데, 이것이 트릴레마의 본질이다. EU는 종종 트릴레마가 제시하는 개념적 틀을 보여주는 적절한 사례로 거론되어 왔다. 세계화와 같은 개념인 경제 통합과 민주주의가 합쳐지면 중요한 의사결정은 초국가적 차원에서 이루어져야 하는데, 이때 어쨌든 민족국가의 주권은 약화된다. 현 환경에서 '정치적 트릴레마'란 논리에 따르자면 어느 정도 국권이니 민주주의를 포기하지 않으려면 반드시 세계화를 억제해야 한다. 따라서 민족주의의 부흥은 세계 대부분의 지역에서 세계화의 퇴보를 불가피하게 만드는데, 그렇게 만들려는 충동은 특히 서양에서 눈에 띈다. 영국의 EU 탈퇴를 결정하는 브렉시트Brexit 투표와 보호무역주의를 전면에 내세운 트럼프 대통령의 당선은 세계화에 대한 서구의 거부감을 보여주는 두 가지 중요한 신호다. 후속 연구들은 로드릭의 트릴레마를 검증해줬을 뿐만 아니라, 경제가 튼튼하고 불평등 정도가 높을 때 세계화에 대한 유권자들의 거부가 합리적 대응임을 보여주고 있다.[79]

가장 눈에 띄는 형태의 점진적 탈세계화는 그 정중앙에서 일어날 것이다. 세계화의 상징이 된 전 세계 공급망이 바로 그것이다. 어떻게,

그리고 왜 그럴 수 있을까? 공급망 단축이나 재현지화relocalization는, 공급망 붕괴에 대비한 위험 완화 조치들로 보는 기업(복원성 대 효율성 사이의 트레이드오프)과 우파와 좌파 모두로부터 받는 정치적 압력에 의해 장려될 것이다. 2008년 이후 나타난 현지화 강화 움직임은 많은 나라들, 특히 서양 국가들에서 정치적 의제로 확고히 자리 잡았지만, 포스트코로나 시대에는 더욱 가속화될 것이다. 우파 쪽에선 코로나19 발발 전부터 이미 세력을 키우고 있던 보호주의자와 국가 안보 강경파들에 의해 세계화에 대한 반대 움직임이 추진되고 있다. 이제 그들은 때로는 반세계화 안을 수용함으로써 이익을 보게 될 다른 정치 세력들과 힘을 합칠 것이다. 좌파 쪽에선 항공 여행을 비난하고 세계화에 반대하며 세계화의 역행을 요구해왔던 운동가와 녹색 정당들은 탄소 배출, 대기 오염, 수질 오염이 훨씬 줄어드는 등 코로나19가 우리 환경에 끼친 긍정적인 효과를 보고 더 대담해질 것이다. 극우파와 녹색 운동가들의 압력이 없어도 일부 무역 의존적인 상황이 더 이상 정치적으로 용인되지 않는다는 것을 깨닫는 정부가 늘어날 것이다. 예를 들어, 미국에서 납품되는 항생제의 97%가 중국산이라는 것을 미국 행정부가 어떻게 받아들일 수 있겠는가?[80]

세계화를 뒤집는 과정이 하룻밤 사이에 일어날 수는 없다. 공급망 축소는 무척 힘들고 비용이 많이 드는 일이기 때문이다. 예를 들어, 중국과의 철저하고 전면적인 탈동조화decoupling를 위해서는 그런 움직임을 보이려는 기업들이 새로 마련한 공장에 수천억 달러를 투자해야 하고, 정부 역시 이전된 공급망에 필요한 공항, 연계 교통망, 주택 등의 새로운 기반 시설에 기업에 버금가는 투자를 해야 한다. 탈동조화에 대한 정치적 욕구가 실제 그렇게 할 수 있는 능력보다 더 강한 경우도 일부 있을 수 있겠지만, 그럼에도 불구하고 추세적 방향은 분명하다. 일본 정부는 4월 코로나19 확산에 따른 긴급사태 선언과 함께 발표한 긴급 경기부양책 108조 엔 중 2,430억 엔을 편성해 일본 기업들의 중국 사업 철수를 지원하면서 중국과의 탈동조화 방향을 분명히 보여줬다. 미국 행정부도 여러 차례 비슷한 조치를 취할 가능성을 시사했다.

계속해서 이어지고 있는 세계화와 탈세계화 움직임 속에서 가장 일어날 가능성이 큰 결과는 절충안 격인 지역화regionalization다. EU가 자유무역 지대로 거둔 성공이나 동남아시아국가연합ASEAN 10개국과 한·중·일 3개국, 호주, 뉴질랜드, 인도 등 총 16개국이 관세 장벽 철폐를 목표로 체결한 일종의 자유무역협정FTA인 역내 포괄적 경제동반자협정Regional Comprehensive Economic Partnership은 지역화가 어떻게 세계화의 새로운 축소판이 될 수 있는지를 보여주는 중요한 사례들이다. 북미 3개국조차 지금은 중국이나 유럽보다 서로 간에 더 많은 거래를 하고 있다. 세계적인 국제 관계 및 세계 전략 전문가인 파라그 카나Parag Khanna의 지적대로 "코로나19가 우리의 장거리 상호의존성의 취약성을 드러내주기 전에 이미 지역주의는 분명히 세계주의를 앞지르고 있었다."[81] 미국과 중국의 직접 무역 일부만을 제외하고 상품 무역 기준으로 지난 수년 동안 세계화는 이미 '지역 간interregional'보다는 '지역 내 intraregional' 교류의 성격을 띠고 있었다. 1990년대 초 북미 지역은 동아시아 수출의 35%를 흡수했지만, 오늘날 이 비율은 20%로 낮아졌다. 동아시아 내 국가들 간의 수출 비중이 매년 증가하고 있기 때문이다. 이는 아시아 국가들이 부가가치가 생성되는 과정인 '가치 사슬value chain'을 업그레이드하면서 자체적으로 생산하는 것을 더 많이 소비하게 되면서 생겨난 자연스러운 현상이다. 2019년 미국과 중국이 무역전쟁을 벌이면서 미국과 캐나다와 멕시코 간 무역은 증가한 반면 미국과 중국 간의 무역은 감소했다. 동시에 중국의 아세안과의 교역액이 사상 처음으로 3,000억 달러를 돌파했다. 요컨대 지역화 확대라는 형태의 탈세계화는 이미 일어나고 있었다.

코로나19 사태로 북미, 유럽, 아시아가 과거 세계화의 대표적 사례였던 멀고 복잡한 전 세계 공급망보다는 지역 내 자급자족에 점점 더 관심을 쏟게 되면서 글로벌 분열은 가속화될 것이다. 그렇다면 세계화는 어떤 모습으로 변하게 될까? 앞으로 세계화의 초기 시기를 마무리지었던 일련의 사건들과 유사한 사건들이 벌어질 수 있지만, 지역마다 전개 양상은 다를 것이다. 제1차 세계대전이 발발한 1914년과 끝난 1918년 전까지도 반세계화 움직임이 강했다가 1920년대에는 약해졌으나, 대공황의 여파로 1930년대에 재점화되면서 많은 기업이 무너지고 당시 최대 경제국들에 많은 고통을 준 관세와 비관세 장벽이 확대됐다. 의료와 농업 부문을 넘어 대규모 비전략적 상품 범주까지 리쇼어링에 대한 충동이 강해지면서 당시와 같은 상황이 재연될 수 있다. 극우파와 극좌파 모두 이번 위기를 통해 자본재와 사람의 자유로운 흐름을 차단하도록 장벽을 올리는 보호주의 정책을 추진할 것이다. 2020년 초 몇 달 동안 실시된 여러 조사에 따르면, 다국적 기업들은 무역뿐만 아니라 다국적 인수합병 및 정부 기관이 필요로 하는 물자나 기자재를 민간업자로부터 구입하는 정부조달 등에서 미국이 보호무역주의로 회귀하는 것을 두려워하고 있는 것으로 나타났다.[82] 미국에서 일어나는 일이 다른 곳에도 파장을 일으킴에 따라, 보호무역주의를 자제해달라는 전문가와 국제기구의 호소에도 불구하고 다른 선진국 경제들은 무역과 투자 장벽을 더 높일 것이다.

이러한 우울한 시나리오가 불가피한 것은 아니지만 향후 몇 년 동안 우리는 글로벌 기관, 무역, 자본의 흐름이라는 세 가지 중요한 차원에 걸쳐 펼쳐질 개방성과 민족주의 사이에서 커질 갈등을 예상해야 한다. 최근 들어 국제기구와 조직들의 경우 세계무역기구WTO나 세계보건기구처럼 권한이 약화됐거나 제대로 역량을 발휘하지 못하고 있다. 후자는 특히 본래부터 기구들이 부적절했다기보다는 "자금이 부족한 상태에서 지나치게 통제를 받느라"[83] 생긴 문제다.

앞 장에서 살펴봤듯이 기업들이 공급망을 축소하고, 더 이상 중요한 부품 등을 구하기 위해 한 나라나 해외 기업에 의존하지 않으려 하고 있는 만큼 글로벌 무역 위축은 거의 확실시된다. 특히 의약품이나 의료 소재처럼 민감한 산업, 통신이나 에너지처럼 국가 안보상 중요한 분야의 경우 탈통합de-integration 과정이 진행될 수도 있다. 미국에는 이미 이런 과정이 요구되고 있으며, 탈통합 움직임이 다른 나라나 분야로 확산되지 않을 리 없다. 지정학도 이른바 '무역의 무기화'를 통해 일부 경제적 고통을 가함으로써 글로벌 기업들 사이에서 더 이상 국제법을 통해 무역 갈등을 질서정연하고 예측 가능한 방법으로 해결하기 어려울 수 있다는 공포를 불러일으키고 있다.

정부 당국과 대중의 반대로 국제 자본 흐름도 분명 제한될 것이다. 호주, 인도, EU 등 이미 많은 나라와 지역에서 나타났듯이 보호무역주의적인 고려는 포스트코로나 시대에 한층 더 강해질 것이다. 정부가 외국 기업이 '전략적' 기업을 인수하는 것을 막기 위해 지분을 사들이거나 그러한 인수에 다양한 제약을 가하는 방안에서부터 외국인 직접투자FDI에 대해 정부 승인을 받게 하는 방안까지 다양하다. 2020년 4월, 미국 행정부가 공적 연기금의 중국 투자를 막기로 했다는 사실은 시사하는 바가 매우 크다.

앞으로 몇 년 동안 민족주의의 부상과 국제적 분열 확대로 인한 일부 탈세계화 움직임은 불가피해 보인다. 미리 현재 상태의 회복을 꾀해봤자 의미가 없지만('초세계화hyper-globalization'는 이미 정치·사회적 자본을 모두 잃었고, 그것을 옹호하는 행위를 더는 정치적으로 쉽게 방어할 수가 없다) 주요한 경제적 피해와 사회적 고통을 촉발할 수 있는 자유낙하의 부작용을 줄이는 게 중요하다. 세계화로부터의 성급한 후퇴는 무역과 통화 전쟁을 유발하며 모든 나라의 경제를 해치고, 사회적 혼란을 야기하며, 인종적ethno 내지 족벌clan 민족주의를 촉발할 것이다. 사회적으로나 환경적으로나 지속 가능하게 해주는 훨씬 더 포용적이고 공평한 형태의 세계화의 정립은 세계화의 후퇴를 통제하기 위해 실행 가능한 유일한 방법이다. 이를 위해서는 이 책 결론 부분에서 설명하게 될 정책적 해결책과 효과적인 형태의 글로벌 거버넌스가 필요하다. 환경 협정, 공중 보건, 조세 피난처 등 전통적으로 국제 협력의 혜택을 누려온 분야에서의 진전이 실제로 가능하다.

이런 진전은 보호주의 성향을 가장 자연스럽고 효과적으로 완화해주는 글로벌 거버넌스를 개선함으로써만 가능하다. 그러나 가까운 미래에 글로벌 거버넌스의 틀이 어떻게 진화할지 아직은 모른다. 현재 글로벌 거버넌스가 올바른 방향으로 나아가고 있지는 않다는 불길한 조짐이 나타나고 있다. 따라서 낭비할 시간이 없다. 세계적 기관들의 기능과 정당성을 개선하지 못한다면 세계는 조만간 통제할 수 없고 매우 위험한 곳으로 바뀔 것이다. 글로벌 거버넌스 전략 수립 '틀'이 없다면 지속적인 회복을 기대할 수 없다.

글로벌 거버넌스
Global Governance

　글로벌 거버넌스는 '일반적으로 복수의 국가나 지역에 영향을 미치는 전 세계적 문제에 대응하기 위한 초국가적 행위자들 사이의 협력 과정'으로 정의된다. 이것은 민족국가들이 더 예측 가능하고 안정적으로 초국가적 도전에 맞서려고 애쓸 때 의지하는 제도, 정책, 규범, 절차, 이니셔티브를 총망라한다. 글로벌 거버넌스에 대한 이러한 정의는 어떤 세계적인 문제나 우려에 대한 세계적인 노력도 각국 정부의 협력과 실천적인 행동, 입법 능력 없이는 아무 힘도 없음을 분명히 밝혀준다. 민족국가는 글로벌 거버넌스를 가능하게 해주기 때문에 (전자가 후자를 이끈다), 유엔은 "효과적인 글로벌 거버넌스는 효과적인 국제 협력을 통해서만 이뤄질 수 있다"고 말했다.[84] 글로벌 거버넌스와 국제 협력이란 두 가지 개념은 서로 얽혀 있어서 재정이 줄고 해체되면서 분열된 세계 속에서 글로벌 거버넌스가 번창하기란 사실상 불가능하다. 민족주의와 고립주의가 전 세계 정치 형태에 스며들수록 글로벌 거버넌스는 타당성을 상실하고 비효율적으로 변할 가능성이 커진다. 안타깝게도 우리는 지금 결정적 시기에 서 있다. 단도직입적으로 말해서 우리는 아무도 진정으로 책임지지 않는 세상에 살고 있다.

코로나19는 우리가 직면하고 있는 가장 큰 문제가 사실상 세계적인 문제임을 상기시켜 주었다. 그것이 팬데믹, 기후변화, 테러리즘, 국제 무역 중 어떤 문제이건 간에 모두 우리가 해결할 수 있는 세계적인 문제들이며, 그 위험은 오직 힘을 합쳐야만 완화할 수 있다. 그러나 세계는 유라시아그룹Eurasia Group 회장이자 정치학자인 이안 브레머Ian Bremmer의 말대로 G0, 즉 무극無極 세계, 혹은 인도 경제학자인 아빈드 수브라마니안Arvind Subramanian[85]의 표현대로 더 심각한 'G-마이너스 2'의 세계가 되었다. G-마이너스 2는 수브라마니안이 독일, 미국, 영국, 이탈리아, 일본, 캐나다, 프랑스 등의 G7이나, G7에 EU 의장국과 신흥시장 12개국 등을 더한 주요 20개국을 회원으로 하는 국제기구인 G20과 반대로 미국과 중국 두 거대국의 리더십 부재를 설명하기 위해 쓴 표현이다. 우리를 둘러싼 큰 문제들이 심지어 가장 강력한 민족국가들조차도 통제할 수 없을 정도로 일어나는 일이 점점 더 흔해지고 있다. 우리가 직면해야 할 위험과 문제는 점점 더 세계화, 상호의존, 상호연결로 향하고 있는 반면, 정작 그렇게 돼야 할 글로벌 거버넌스 역량은 민족주의의 부활에 의해 위험에 처한 채 무너지고 있다. 그러한 단절은 가장 중요한 세계적 이슈들이 극히 분열된 채로 부적절하게 처리되고 있으며, 이런 이슈들을 적절하게 처리하지 못함으로써 실제로는 심각해지고 있음을 의미한다. 따라서 그 위험이 일정하게 유지되기는커녕 더욱 커지면서 결국 구조적 취약성systemic fragility이 커진다. 이는 33쪽에 나온 그림 1을 통해서 확인 가능하다. 글로벌 거버넌스의 몰락, 기후 행동 실패, 자기 강화적 성격이 있는 국가 정부의 실패, 사회 불안, 그리고 팬데믹에 성공적으로 대처할 수 있는 능력 사이에는 강력한 상호연관성이 존재한다. 요약하자면, 글로벌 거버넌스는 이 모든 문제들과 연관되어 있다. 따라서 적절한 글로벌 거버넌스가 없다면 세계적 도전 과제를 해결하고 대처하려는 시도가 무용지물이 될까 걱정된다. 단기적으로 반드시 끝내야 할 국내 과제와 장기적으로 해결해야 할 국제적인 과제 사이에 강력한 충돌이 일어날 때 특히 그렇게 될 위험이 있다. 오늘날 '세계를 살리기 위한 위원회committee to save the world(20여 년 전 아시아 외환위기가 절정일 당시 처음 쓰였던 표현)'가 없다는 점을 고려하면 이는 중대한 걱정거리다. 이 주장에서 한 걸음 더 나아가, 프랜시스 후쿠야마Francis Fukuyama 스탠퍼드대학교 교수가 저서 《정치 질서와 정치적 부패Political Order and Political Decay》[86]에서 설명한 '일반적 제도의 부패'가 글로벌 거버넌스가 없는 세계의 문제를 증폭시킨다고 주장할 수도 있다. 이것은 민족국가들이 그들을 괴롭히는 주요 난제들을 잘 해결하지 못하는 악순환을 초래하고, 이 악순환은 국가에 대한 대중의 불신을 부채질하며, 결국 국가는 권위와 자원에 굶주리게 되면서 더 나쁜 성과를 내고, 글로벌 거버넌스 문제를 다루지 못하거나 다루기를 꺼리게 되는 결과로 이어진다.

코로나19 사태는 바로 그렇게 실패한 글로벌 거버넌스에 대한 이야기를 들려준다. 처음부터 미·중 관계 경색으로 악화된 글로벌 거버넌스의 공백은 이번 위기에 대응하기 위한 국제사회의 노력을 저해했다. 위기가 시작되었을 때 국제 협력은 부재하거나 제한적이었고, 위기가 절정에 달하면서 협력이 가장 절실했던 2020년 2/4분기 때도 여전히 협력은 이뤄지지 않았다. 이번 위기는 세계적 차원에서 조율된 일련의 조치 대신 잇따른 국경 폐쇄, 사전 조율도 없이 시작된 외국 여행과 무역 제한, 의료 기기 보급 중단과 그에 따른 자원 확보 경쟁으로 이어졌다. 특히 맨 마지막 문제는 어떤 수단을 써서라도 의료 기기를 구하려는 몇몇 민족국가들의 다양한 시도를 통해 드러났다. 심지어 EU 회원국들도 처음에는 독자 해결을 선택했다. 하지만 이후 회원국 간의 실질적인 의료 시스템 지원 등 협력하는 방향으로 EU 예산을 조정하고, 치료제와 백신 개발을 위한 연구 기금을 통합하려는 노력을 통해 독자적 행동 방침을 수정했다. 그리고 여기에 코로나19 이전 시대에는 상상조차 어려웠을, EU의 통합을 강하게 밀어붙일 수 있는 야심찬 조치들을 취했는데, 가장 대표적인 게 EU 집행위원회인 EC가 마련하기로 한 7,500억 유로 규모의 경제 회복 지원금이다. 제 기능을 하는 글로벌 거버넌스 틀에선 국가들이 팬데믹에 맞서 전 세계적 차원의 협력전을 펼치기 위해 뭉쳤을 것이다. 대신 '자국 우선주의'

식 대응이 만연하면서, 1차 팬데믹 확산을 저지하려는 시도는 심각한 손상을 받았다. 또 이로 인해 보호 장비와 치료법의 원활한 활용에 제약이 생겨 국가 의료 시스템이 탄력적으로 대응하지 못했다. 게다가 이러한 단편적 접근은 세계 경제 엔진의 '재가동'을 목표로 하는 출구 정책exit politics을 조율하려는 시도를 위험에 빠뜨리기도 했다. 코로나19 사태 때는 9.11 사태나 2008년의 금융위기처럼 최근 일어난 다른 세계적 위기와는 달리 글로벌 거버넌스 시스템이 작동하지 않으면서, 글로벌 거버넌스가 부재하거나 기능장애를 겪고 있음이 입증됐다. 미국은 WHO에 대한 자금 지원을 철회했지만, 이런 결정을 내리게 된 근본 이유가 무엇이건 간에 여전히 WHO는 팬데믹에 맞선 전세계적 대응을 조율할 수 있는 유일한 기구다. 그러니까 비록 완벽하진 않더라도 없는 것보다 있는 게 훨씬 낫다. 빌 게이츠도 트윗을 통해 "WHO는 코로나19의 확산 속도를 늦추는 일을 하며, 만약 그 작업이 중단된다면 다른 어떤 조직도 WHO를 대체할 수 없다. 세상은 그 어느 때보다도 지금 WHO가 필요하다"는 강렬하고 짧은 주장을 펼쳤다.

실패가 WHO의 잘못은 아니다. WHO는 글로벌 거버넌스 실패의 원인이 아니라 증상일 뿐이다. 기부국들을 상대할 때 보여주는 공손한 자세는 WHO가 협력 국가들에 전적으로 의존하고 있다는 걸 보여준다. 유엔은 정보 공유를 강요하거나 팬데믹 대비를 강제할 힘이 없다. 예를 들어, 인권이나 기후변화에 관한 다른 유사한 유엔 기구들과 마찬가지로 WHO는 한정적 재원 감소 문제에 시달리고 있다. 2018년 WHO는 전 세계 어느 나라 보건 예산보다도 적은 42억 달러의 연간 예산을 확보했을 뿐이다. 아울러 WHO는 영원히 회원국들에게 좌지우지되고, 가장 필요한 국가에 재원을 할당하는 것은 말할 것도 없고 팬데믹 발발을 직접 감시하거나, 팬데믹 대처 계획을 조율하거나, 국가적 차원에서 효과적이고 확실한 대비책 마련을 보장할 수 있는 도구를 사실상 갖고 있지 않다. 이러한 기능장애는 글로벌 거버넌스 시스템이 붕괴되고 있다는 신호다. 유엔과 WHO 같은 기존의 글로벌 거버넌스를 도모할 기구들이 오늘날의 전 세계적 위험을 해결하도록 바뀔 수 있는지는 아직 불확실하다. 당분간 글로벌 거버넌스의 공백에 직면한 민족국가들만이 집단적 의사결정을 할 수 있을 정도로 응집력이 강하지만, 이 모델이 전 세계 공동의 의사결정이 필요한 세계적 위험에는 통하지 않는다는 사실이 중요하다.

다자적 제도multilateral institution를 고치지 않는다면 세계는 매우 위험한 곳으로 변할 것이다. 코로나19 위기의 여파로 글로벌 경제가 지속적인 국제적 협력 없이 '재가동'한다는 게 상상조차 할 수 없게 된 이상전 세계적 조율이 더욱 절실할 것이다. 그런 조율 없이는 우리는 '더 가난하고, 더 야비하고, 더 작은 세상'으로 향하게 될 것이다.[87]

커지는 중국과 미국의 경쟁

The Growing Rivalry between China and the US

코로나19는 중국과 미국 사이에 '새로운 형태의 냉전[88]'을 초래한 전환점으로 기억될 것이다. 여기서 '새로운 형태'라는 표현이 상당히 중요하다. 과거 소련과는 달리 중국은 세계에 자국의 이념을 강요하려 하지는 않는다. 코로나19 발발 이전부터 이미 무엇보다 무역, 재산권, 남중국해 군사기지, 전략적 산업 분야 기술 및 투자에서 두 강대국 사이에 긴장감이 고조됐었지만, 40여 년 동안 이어진 전략적 개입과 관여 끝에 미국과 중국은 이제 양국을 갈라놓은 이데올로기와 정치적 격차를 좁힐 수 없는 것 같다. 코로나19는 두 지정학적 거인을 통합하기는커녕, 그들의 경쟁심을 조장하고 경쟁을 심화시키는 정반대의 결과를 초래했다.

대다수 분석가들은 코로나19 위기 동안 두 거인 사이의 정치적·이념적 균열이 더 커졌다는 데 동의할 것이다. 중국의 저명한 학자 왕지스王辑思 베이징대학교 국제전략연구원 원장에 따르면, 코로나19 팬데믹의 여파로 미·중 관계는 양국의 공식적인 관계가 수립된 1979년 이후 최악으로 치달았다. 그는 양국 경제와 기술의 탈동조화는 '이미 되돌릴 수 없는 지경'에 이르렀다는 견해를 밝혔다.[89] 왕후이야오王辉耀 중국세계화싱크탱크 센터장은 그런 상태가 "전 세계 시스템이 양분되는 사태로 이어질 수 있다"고 경고했다.[90] 심지어 공인들까지도 공개적으로 우려를 표명했다. 리셴룽Lee Hsien Loong 싱가포르 총리는 2020년 6월 기고문에서 "아시아의 미래와 신흥 국제 질서의 모양에 대해 심각한 의구심이 든다"며 미·중 대결의 위험성을 경고한 바 있다. 그는 이어 "싱가포르를 비롯한 동북아 국가들은 여러 강대국 간 이해관계가 교차하는 곳에 살고 있고, 중간에 끼이거나 부당한 선택에 내몰리는 것을 피해야 하기 때문에 특히 걱정이 크다"라고 덧붙였다.[91]

물론 둘 중 어느 나라가 옳다거나, 다른 나라의 연약하고 취약하다고 여겨지는 점을 자신에게 유리하게 이용해 '상대를 밟고' 올라설지에 대한 의견은 저마다 크게 엇갈린다. 그러나 그런 시각들을 반드시 개념화해볼 필요가 있다. '올바른' 견해나 '잘못된' 견해란 건 없지만, 그런 견해들을 내세우는 사람들의 출신, 문화, 개인사와 종종 높은 관련성을 갖는, 다양하면서도 엇갈리는 해석들이 존재한다. 앞서 언급한 '양자 세계' 은유에 대해 부연 설명을 하자면, 그런 세계는 객관적 현실이 존재하지 않는다는 양자물리학으로부터 추론할 수 있었다. 우리는 관찰과 평가가 '객관적' 의견을 정의한다고 생각하지만, 지정학의 거시 세계macro-world처럼 원자와 미립자로 이루어진 미시 세계 micro-world는 다른 두 관찰자가 자신의 의견을 가질 권리가 있는 양자역학의 이상한 법칙(물리학에서는 이런 걸 미립자가 동시에 여러 장소나 상태로 존재할 수 있다는 뜻을 가진 '중첩superposion'이라고 한다)에 의해 지배된다.[92] 국제 문제에서 서로 다른 두 명의 관찰자가 각자의 의견을 가질 권리가 있다면, 그 의견들은 주관적이긴 하나 상당히 실제적이고 유효해진다. 한 관찰자가 다른 특이한 렌즈를 통해서만 '현실'을 이해할 수 있다면 우리는 객관성에 대한 개념을 재고해볼 수밖에 없다. 현실에 대한 표현은 관찰자의 입장에 따라 달라지는 게 분명하다. 그런 의미에서 '중국'의 견해와 '미국'의 견해는 연속선상에 있는 여러 다른 견해와 공존할 수 있고, 그들 모두는 진짜다! 상당 부분, 그리고 이해할 수 있는 이유로 세계와 그 안에서의 위치에 대한 중국의 견해는 1840년 일어난 제1차 아편전쟁 때 겪은 굴욕과 이후 1900년 열강 8국 연합군이 베이징을 비롯한 중국 도시들을 약탈한 뒤 보상을 요구했을 때 겪었던 굴욕에 의해 영향을 받았다.[93] 이와 반대로 미국이 세계와 그 안에서 자신의 위치에 대해 갖는 견해는 건국 이후 미국의 공적 생활에 영향을 미쳐온 가치와 원칙에 바탕을 두고 있다.[94] 이 가치와 원칙은 250년 동안 많은 이민자들에게 미국의 출중한 세계적 위상과 다른 곳에는 없는 독특한 매력을 모두 결정해왔다. 미국의 견해 역시 지난 수십 년간 전 세계를 상대로 누려온 압도적 우위와 절대 패권이 약화된 후 생긴 의심과 불안에 뿌리를 두고 있다. 미국과 중국은 둘 다 스스로 자부심을 갖는 풍부한 역사(중국의 역사는 5,000년 전으로 거슬러 올라간다)를 갖고 있다 보니 키쇼어 마부바니가 지적한 대로 자국의 장점을 과대평가하고 타국의 강점을 과소평가하게 되었다.

미국이나 중국 또는 두 나라 모두를 전문적으로 연구한 모든 분석가와 예측가는 지금까지 정리한 내용의 정당성을 입증하느라 거의 비슷한 데이터와 정보(지금은 전 세계 상품에 대한 데이터와 정보)에 접근하고, 거의 비슷한 것을 보고 듣고 읽어도 가끔 정반대의 결론에 도달한다. 미국을 최종 승자로 보는 사람도 있고, 중국이 이미 이겼다고 주장하는 사람도 있다. 승자가 없을 거라고 말하는 사람도 있다. 그들 각각의 주장을 간단히 검토해보겠다.

●   승자로서의 중국

미국의 약점을 폭로하면서 코로나19 위기가 중국에 득이 됐다는 주장은 다음 세 가지로 정리할 수 있다.

1. 이번 위기가 '보이지 않는 미시적인 적' 앞에서 세계에서 가장 뛰어난 군사력을 가진 미국의 강점을 무용지물로 만들었다는 것이다.

2. '보이지 않는 미시적인 적'이란 표현을 처음 쓴 미국 학자의 말
   에 따르면, '무능한 대응' 때문에 미국은 이번 위기로 연성 권력soft
   power(간접적이고 무형의 영향력을 행사하는 힘-옮긴이 주)에 상처를 받
   았다.[95] (단, 여기서 중요한 사항이 있다. 코로나19에 대한 대중적 대응이
   '유능했는지' 아니면 '무능했는지' 하는 문제는 무수한 의견들을 낳았고,
   많은 의견 차이를 유발했다. 그러나 판단을 내리기는 여전히 어렵다. 예
   를 들어, 미국의 경우 정책 대응은 주로 주와 심지어 도시가 져야 할 책임
   이었다. 사실상 미국에선 일반적인 의미의 국가적 차원의 정책 대응 같은
   건 없었다. 여기서 논의의 핵심은 대중의 태도에 영향을 준 주관적인 견
   해다.)
3. 코로나19로 인해 심각한 불평등, 보편적인 의료 보장의 부족, '흑인
   의 목숨도 중요하다' 운동이 제기한 인종차별 문제 등 일부에서 충
   격적이라고 여길 수 있는 미국 사회의 여러 측면이 드러났다.

미국과 중국이 서로 등을 지게 만든 경쟁의식에 대한 의미 있는 분
석을 내놓고 있는 키쇼어 마부바니[96]는 이런 주장들을 바탕으로 "코
로나19는 재난에 대처하고 타인을 지원하는 면에서 양국의 역할을
역전시켰다"라고 주장했다. 그는 2004년 12월 26일 인도네시아에서
대규모 쓰나미가 일어났을 때처럼 과거 미국은 항상 원조가 필요한
곳에 가장 먼저 도착했지만 이제 이 역할은 중국의 몫이 됐다고 주장
한다. 중국은 2020년 3월 EU가 제공할 수 없었던 31톤의 의료 장비
(인공호흡기, 마스크, 보호복)를 이탈리아에 보냈다. 마부바니의 생각으

로는 '나머지 세계'를 이루는 191개국에 거주하는 60억 인구가 이미 미·중 간 지정학적 경쟁에 대비하기 시작했다. 마부바니는 그들의 선택으로 경쟁의 승자가 결정될 것이며, 그 선택은 "미국과 중국 양국이 제공해야 하는 것에 대한 비용·편익분석cost-benefit analysis(투자안이나 정책 등의 의사결정을 할 때 비용과 편익을 따져 여러 대안들 중 최적의 대안을 선정하는 기법-옮긴이 주)을 통한 냉정한 이성적 미적분에 기초할 것"이라고 말했다.[97] 이들 국가는 미국과 중국 중 누가 결국 자국민의 생활 여건을 개선해줄지를 판단해서 선택할 것이기 때문에 심리는 큰 역할을 하지 못할 수도 있다. 하지만 대다수는 지정학적 제로섬 게임에 휘말리기를 원치 않고 모든 선택지를 열어두고 싶어 할 것이다. 즉, 미국과 중국 중 한 곳을 선택하도록 강요받기를 원하지 않을 것이다. 하지만 미국의 제재 대상에 오른 중국 최대 네트워크·통신 장비 공급업체 화웨이Huawei의 사례처럼 프랑스, 독일, 영국 등 미국의 전통적인 동맹국들조차 미국으로부터 선택의 압박을 받고 있다. 이처럼 냉엄한 선택에 직면했을 때 각국이 내리는 결정이 점점 더 심해지는 미·중 간 경쟁 속에서 누가 승자로 떠오를지를 판가름하게 될 것이다.

승자로서의 미국

미국을 궁극적인 승자로 보는 진영의 주장은 중국이 가진 구조적 약점과 미국이 가진 내재적 강점에 모두 초점을 맞추고 있다.

'승자로서의 미국'을 옹호하는 사람들은 포스트코로나 시대에 갑작스럽게 미국 패권의 종식을 요구하는 건 시기상조라고 생각한다. 그들은 "미국이 상대적으로 쇠퇴하고 있을지 몰라도 여전히 절대적으로 가공할 만한 패권국이며, 여전히 상당한 연성 권력을 보유하고 있다. 전 세계의 목적지로서 미국이 가진 매력이 다소 시들고 있을지 모르지만, 해외에서 미국 대학들이 이룬 성공, 미국 문화 산업의 매력을 통해 드러나듯 여전히 강력한 영향력을 유지하고 있다"고 주장한다. 이에 덧붙여 말하자면, 무역 결제에 쓰이고 안전 자산으로 인식되는 글로벌 통화로서 달러가 가진 지배적 지위는 현재로선 크게 도전받지 않고 있다. 이는 미국에 상당한 지정학적 힘을 부여해줌으로써 미국 당국이 달러 체계에서 여러 기업뿐 아니라 이란이나 베네수엘라 같은 국가를 배제할 수 있게 해줬다. 우리가 앞 장에서 살펴봤듯이 미래에 이런 구도가 바뀔 수도 있지만, 향후 몇 년 동안은 달러의 글로벌 패권을 대체할 통화는 없다. 좀 더 근본적으로, 미국의 '정복 불능함irreducibility'을 지지하는 사람들은 루치르 샤르마Ruchir Sharma 모건스탠리 총괄사장과 함께 "미국의 경제 패권은 미국 쇠퇴론자들이 틀렸다는 사실을 반복적으로 증명해줬다"고 주장할 것이다.[98] 그들은 또 "모든 대안이 소진됐을 때 미국은 항상 옳은 일을 했다"면서 미국은 실수를 통해 배울 수 있는 선천적인 능력을 가졌다고 한 윈스턴 처칠Winston Churchill 전 영국 총리의 말에 동의할 것이다.

'민주주의냐 독재냐'처럼 다분히 정치성을 띤 주장을 떠나서 미국이 앞으로도 오랫동안 '승자'로 남을 것이라고 믿는 사람들은 중국이 세계 초강대국 지위를 향한 여정 중 역풍을 맞고 있다고 역설한다. 중국이 인구 고령화와 2015년 정점을 찍고 줄어들기 시작한 생산 가능 인구로 인구통계학적 불이익을 겪고 있고, 브루나이, 인도, 인도네시아, 일본, 말레이시아, 필리핀, 베트남과의 기존 영토 분쟁으로 인해 아시아에서 영향력이 제약되고 있고, 에너지 의존도가 높다는 점 등이 역풍의 이유로 자주 거론되고 있다.

• ## 승자는 없다

"코로나19가 미국과 중국 모두의 권력뿐만 아니라 세계 질서에 불길한 징조"라고 주장하는 사람들은 어떻게 생각할까?[99] 이들은 다른 나라들과 마찬가지로, 미국과 중국 모두 권한과 영향력 확장을 제한하는 막대한 경제적 피해를 볼 게 확실하다고 주장한다. 무역 부문이 전체 GDP에서 차지하는 비중이 3분의 1을 넘는 중국은 미국처럼 큰 무역 상대국이 대폭 수입을 줄인다면 지속적인 경제 회복을 이어가기가 어려워질 수 있다. 미국의 경우, 과도한 부채가 조만간 회복 후의 지출을 제약하는 등 현재의 경제위기가 시스템적 금융위기로 전환되는 위험이 상존한다.

회의론자들은 두 나라가 처한 경제적 타격과 국내 정치적 어려움을 근거로 이번 위기에서 벗어난 뒤 크게 위신이 떨어질 수 있다고 주장한다. "폐허로부터 새로운 팍스 시니카Pax Sinica (중국의 주도하에 세계의 평화 질서가 유지되는 시대를 이르는 말−옮긴이 주)나 새로운 팍스 아메리카나Pax Americana가 생기지는 않을 것이다. 오히려 양 강대국은 국내외적으로 모두 약해질 것이다."

'승자가 없을 것'이란 주장을 내세우는 근거는 몇몇 학자들, 특히 니얼 퍼거슨Niall Ferguson이 제기한 흥미진진한 아이디어에 기반한다. 기본적으로 코로나19 위기가 소국들의 성공을 부각시키고 미국과 중국 같은 초강대국의 실패를 노출시켰다는 것이다. 퍼거슨은 "진정한 교훈은 미국이 끝났고 중국은 21세기의 패권국이 되리라는 것이 아니다. 나는 현실적으로 미국, 중국, EU 등 모든 강대국들이 제기능을 못한다는 사실이 드러났다고 생각한다"고 말했다.[100] 이런 생각을 지지하는 사람들의 주장과 마찬가지로 규모가 크면 '규모의 불경제 diseconomies of scale(모든 생산요소를 똑같은 비율로 변동시킬 때 총생산량이 생산요소의 증가율보다 더 낮은 비율로 증가하는 현상−옮긴이 주)가' 생긴다. 국가나 연방이 효과적으로 통치할 수 없는 임계점에 도달할 정도로 규모가 커졌다는 뜻이다. 이는 결국 한국, 싱가포르, 아이슬란드, 이스라엘 같은 소규모 경제 국가가 코로나19 팬데믹을 억제하고 그에 대처하는 능력 면에서 미국보다 더 뛰어난 것처럼 보이는 이유다.

예측은 바보들이나 하는 추측 게임이다. 미국과 중국 사이의 경쟁의식이 필연적으로 강해질 것이란 말 빼고 상황이 어떻게 전개될지는 누구도 자신 있게 말할 수 없다는 게 단순한 진실이다. 코로나19는 기존 강국과 신흥 강국 간 경쟁의식을 악화시켰다. 미국은 코로나19 위기로 비틀거렸고 미국의 영향력은 쇠퇴했다. 한편 중국은 해외 영향력 확대를 통해 이번 위기에서 수혜를 누리려고 할 수도 있다. 우리는 앞으로 미국과 중국의 전략적 경쟁이 어떻게 전개될지 모른다. 경쟁은 두 극단 사이에서 움직일 것이다. 즉, 한쪽 끝에선 영리적 목적 때문에 경쟁이 억제되고 감당할 수 있는 정도로만 악화되고, 반대쪽에선 영구적이고 전면적인 적대감이 유지될 것이다.

취약 국가와 쇠퇴 국가
Fragile and Failing States

국가의 취약성, 쇠퇴, 실패 사이의 경계는 유동적이고 미미하다. 복잡하고 적응력이 강한 오늘날의 세계에서 비선형성 원칙에 따르면 취약 국가가 갑자기 실패 국가로 돌변할 수 있으며, 반대로 실패 국가는 국제기구의 중재나 심지어 외국 자본의 유입 덕에 마찬가지로 갑자기 상황이 개선될 수도 있다. 그런데 코로나19가 전 세계를 힘들게 만들고 있는 상황에선 앞으로 몇 년 내에 이런 역학이 세계에서 가장 가난하고 취약한 국가들이 오로지 한 길, 즉 나쁜 상태가 더 나빠지는 쪽으로만 가도록 만들 위험이 매우 크다. 간단히 말해서, 취약한 특성을 보이는 많은 국가가 실패 국가가 될 위험이 커질 수 있다는 뜻이다.

가장 중요한 글로벌 도전과제에 속하는 국가의 취약성은 특히 아프리카 지역에 만연해 있는 문제다. 그 원인은 다양하고 여러 원인이 서로 복잡하게 얽혀 있다. 경제적 불균형, 사회 문제, 정치적 부패와 비효율성에서부터 외부나 내부의 갈등과 자연재해에 이르기까지 원인이 다양하다. 오늘날 약 18억에서 20억 명이 취약 국가에 사는 것으로 추정되는데, 취약 국가들의 경우 코로나19 대응에 특히 더 어려움이 있기 때문에 포스트코로나 시대에 취약 국가 수는 확실히 더 늘어날 것이다.[101] 취약성의 본질, 즉 국가 역량 부족으로 인해 기본적인 공공 서비스와 안전조차 보장하지 못하는 무능함은 바이러스 대처 능력을 떨어뜨린다. 극심한 빈곤과 폭력 때문에 교육, 안보, 통치와 같은 기본적인 공공 기능을 더 이상 수행할 수 없는 취약 국가와 실패 국가에서 이런 상황은 더욱 악화된다. 권력 공백 속에서 무기력한 국민들은 경쟁 관계인 파벌과 범죄의 희생양이 되고, 유엔이나 이웃 국가가 재난을 막기 위해 종종 개입하게 된다. 단, 이런 개입이 모두 선의에 의한 것은 아니다. 이런 국가들에게 코로나19 팬데믹은 지금보다 훨씬 더 심각한 실패에 이르도록 하는 외생적인 충격이다.

이러한 이유들로 인해 코로나19는 부유하고 발전된 국가들보다 취약하고 실패한 국가들에 훨씬 더 심각하고 더 오래 지속되는 피해를 끼칠 것이다. 코로나19는 세계에서 가장 취약한 지역사회 일부를 황폐화시킬 것이고, 많은 경우 경제적 재앙은 정치적 불안정과 폭력을 유발할 것이다. 이는 세계 최빈국들이 다음 두 가지 곤경에 시달릴 것이기 때문이다. 첫째, 코로나19로 인한 무역과 공급망의 붕괴로 송금이 끊기거나 굶주리는 사람이 늘어나는 등 즉각적인 황폐화가 야기된다. 둘째, 더 나아가서 장기간 심각한 일자리와 소득 감소를 견뎌야 한다. 코로나19가 세계 최빈국들에 대혼란을 초래할 가능성이 큰 이유다. 최빈국들의 경우 경제적 쇠퇴가 사회에 훨씬 더 즉각적인 영향을 미칠 수 있다. 특히 사하라 사막 이남 아프리카를 가로지르는 넓은 지역과 아시아와 중남미의 일부 지역에서는 수백만 명이 가족을 먹여 살리기 위해 아주 적은 일당에 의존한 채 살고 있다. 코로나바이러스로 인한 봉쇄나 건강 위기는 곧바로 광범위한 절박감과 무질서로 이어지면서 전 세계적인 연쇄반응을 일으킬 엄청난 불안에 불을 지필 수 있다. 그로 인해 분쟁 중인 모든 나라들은 특히 더 큰 피해를 받게 되겠지만, 코로나19로 그들에 대한 인도주의적 지원과 원조에 지장이 생길 것이다. 또 평화 작전이 방해받고 갈등을 종식시키기 위한 외교적 노력도 지연될 것이다.

지정학적 충격은 2차, 3차, 그 이상의 결과를 낳는 파급과 연쇄효과를 통해 사람들을 깜짝 놀라게 만들고 있는데, 현재 충격의 위험성이 가장 뚜렷하게 나타나는 곳은 어디일까?

우선 노르웨이와 몇몇 다른 나라들을 제외한 모든 상품 생산 국가가 위험에 처해 있다. 2020년 현재 코로나19 사태로 인한 문제뿐만 아니라 이와 합쳐진 실업, 인플레이션, 불충분한 의료 시스템, 빈곤 등의 다른 문제들을 악화시키는 에너지와 상품 가격 붕괴로 특히 큰 타격을 받고 있다. 러시아연방과 사우디아라비아처럼 부유하고, 상대적으로 선진화된 에너지 의존적 경제를 가진 국가들에게 유가 붕괴는 '오로지' 상당한 경제적 타격만을 의미한다. 이로 인해 부족한 예산과 외환보유고가 더 부족해지고 심각한 중장기 위험이 생긴다. 그러나 남수단처럼 석유가 수출의 거의 전부(99%)를 차지하는 저소득 국가들이 받는 타격은 그야말로 치명적일 수 있다. 많은 다른 취약한 원자재 국가들의 사정도 마찬가지다. 코로나바이러스가 부실한 의료 시스템을 신속히 붕괴시켜 버릴 수 있는 에콰도르나 베네수엘라 같은 산유국의 경제가 초토화되는 게 이상한 시나리오가 아니다. 한편 이란에서는 미국의 제재 때문에 코로나19의 높은 감염률과 관련된 문제들이 더 악화되고 있다.

지금 중동과 마그레브(북아프리카의 모로코, 알제리, 튀니지에 걸친 지방-옮긴이 주)에 특히 더 위험한 나라들이 많은데, 이 나라들에선 코로나19 사태 이전부터 걷잡을 수 없을 정도로 높은 실업률 때문에 젊은이들 사이에 심각한 불안감이 고조되면서 경제적 고통이 점점 더 가시화되고 있었다. 일부 지역의 유가 폭락과 고용과 외화벌이에 필수적인 관광 중단이라는, 코로나19 사태가 가한 이중 충격은 2011년 '아랍의 봄'을 연상시키는 대규모 반정부 시위를 촉발할 수 있다. 2020년 4월 말 봉쇄 와중에 레바논에서 실업 우려와 치솟는 빈곤률에 항의하는 폭동이 일어난 건 실로 불길한 징조라 할 수 있다.

코로나19 팬데믹으로 인해 식량 안보가 심각한 문제가 된 탓에 많은 나라에서 인도주의와 식량 위기로 대참사가 일어날 수 있다. 유엔 식량농업기구FAO 관계자들은 2020년에 심각한 식량 안보로 고통받는 사람이 2억 6,500만 명으로 두 배가량 늘어날 것으로 전망하고 있다. 코로나19 팬데믹으로 인해 이동과 무역이 제한되고, 실업자가 늘고, 식량 확보가 제한되거나 불가능해지면 심각한 사회 불안에 이어 대규모 이주와 난민이 발생할 수 있다. 코로나19 사태로 무역 장벽이 높아지고 세계 식량 공급망이 무너지면 취약하고 실패한 국가들의 경우 기존의 식량 부족 문제가 더욱 악화된다. 데이비드 비즐리David Beasley 유엔 세계식량계획WFP 사무총장이 2020년 4월 21일 유엔 안전보장 이사회에서 "식량 문제가 가장 두드러진 예멘, 콩고, 아프가니스탄, 베네수엘라, 에티오피아, 남수단, 시리아, 수단, 나이지리아, 아이티 등을 포함 약 30개 국가에서는 이미 '성경에 묘사된 것에 버금가는 복합 기근multiple famines'이 일어나게 됐다"고 경고할 정도로 식량 부족 문제가 심각해지고 있다.

고소득 국가에서 일어나고 있는 봉쇄와 경기 침체는 세계 최빈국의 빈곤 노동 계층과 그들에 의존해서 사는 모두에게 중대한 소득 상실을 초래할 것이다. 네팔, 통가, 소말리아 등 일부 국가에서 GDP의 30%가 넘을 정도로 큰 비중을 차지하는 해외 송금이 감소한 것이야말로 대표적인 소득 상실 사례에 해당한다. 이는 극적인 사회적 파장과 함께 엄청난 경제적 충격을 줄 것이다. 세계은행에 따르면,

전 세계 수많은 나라에서 취한 봉쇄와 그에 따른 경제 '동면'으로 저소득과 중소득 국가로 유입되는 송금액이 2019년 5,540억 달러에서 2020년에는 4,450억 달러로 20% 감소할 것으로 전망된다.[102] 송금이 외부 자금 조달의 중요한 출처인 이집트, 인도, 파키스탄, 나이지리아, 필리핀처럼 경제 규모가 더 큰 나라들은 이로 인해 많은 어려움을 겪고, 그들의 경제적·사회적·정치적 상황은 더욱 취약해지고, 경제가 불안해질 가능성이 실질적으로 급증할 것이다. 한편 코로나19로 가장 큰 피해를 본 산업 중 하나인 관광산업은 많은 빈곤 국가들에게는 경제적 생명줄이나 마찬가지다. 관광 수입이 전체 수출의 절반 가까운 47%를 차지하는 에티오피아 같은 나라에선 그만큼의 소득과 고용 상실이 엄청난 경제적·사회적 고통을 가할 것이다. 몰디브와 캄보디아 및 그 외 다른 나라들의 사정도 마찬가지다.

분쟁 지역에선 많은 무장 단체들이 코로나19 사태를 빌미로 자신들의 요구를 관철시킬 방법을 궁리하고 있다. 이슬람 무장 단체인 탈레반Taliban이 포로들을 감옥에서 석방해달라고 요구하고 있는 아프가니스탄이나 또 다른 이슬람 무장단체인 알샤바브Al-Shabaab가 코로나19 사태를 이용해 정권 탈취를 시도하는 소말리아가 대표적 사례다. 안토니우 구테흐스Antonio Guterres 유엔 사무총장이 2020년 3월 23일 코로나19 확산에 따라 전 세계에 즉각적인 적대 행위 중단을 촉구했지만 무시됐다. 2020년 조직폭력 신고 건수가 최소 50건 이상인 43개국 중 10개국만이 긍정적으로 반응했을 뿐이다. 그들도 대부분 단순

지지 성명만 내고 행동에 대한 의지를 드러내지는 않았다. 갈등이 지속되고 있는 다른 31개국은 구테흐스 총장의 요청에 맞추기 위한 조치를 취하지 못했고, 오히려 많은 국가에서 조직폭력 수준이 높아졌다.[103] 코로나19에 대한 우려와 그에 따른 보건 비상사태가 오랜 갈등을 억누르고 평화 협상을 촉진할 것이란 초기의 희망은 날아가 버렸다. 이것은 팬데믹이 골치 아프거나 위험한 추세를 저지하지 못하고 오히려 가속화한다는 걸 보여주는 또 다른 사례다.

부유한 나라들은 취약 국가와 실패 국가들에서 벌어지는 비극에 내재된 위험을 무시해버린다. 하지만 위험은 어떤 식으로든 더 큰 불안 혹은 심지어 혼란을 일으키며 확산할 것이다. 가장 취약하고 가난한 국가들이 겪는 경제적 고통, 불만, 굶주림이 부유한 국가들에 일으킬 가장 분명한 도미노 효과 중 하나는 2016년 유럽에서 일어났던 것과 같은, 부유한 국가들로의 대규모 이주 물결일 것이다.

CHAPTER 5

환경적 리셋

ENVIRONMENTAL RESET

환경적 리셋의 의의

Environment Reset

언뜻 보기에 팬데믹과 환경은 먼 친척에 불과해 보일 수도 있으나 그들은 우리가 생각하는 정도 이상으로 훨씬 더 가깝고 서로 얽혀 있다. 전염병 출현으로 가속화된 생물 다양성 감소부터 코로나19가 기후변화에 미칠 영향까지 팬데믹과 환경은 예측 불가능한 특이한 방식으로 계속해서 영향을 주고 받으면서 인류와 자연 사이의 위험 하리만큼 미묘한 균형과 복잡한 상호작용을 보여주고 있다.

더욱이 세계적인 위험 측면에서 봤을 때 코로나19는 두 가지 핵심적 환경 위험인 기후변화 및 생태계 붕괴와 매우 유사하다. 이 세 가지는 정도는 서로 다르더라도 본질적으로 인류에게 실존적 위협을 가하고 있으며, 코로나19가 본격적인 기후변화와 생태계 붕괴로 초래될 수 있는 사태를 경제적 관점에서 엿보거나 예감할 수 있게 해주었다고 본다. 수요와 공급의 동반 충격뿐 아니라 무역과 공급망 붕괴, 그로 인한 지정학과 사회 문제와 기술 등의 다른 거시적 범주의 위험(그리고 경우에 따라서는 기회)을 증폭시키는 파급 및 연쇄 효과를 겪을 수 있다. 기후변화, 생태계 붕괴, 팬데믹이 전 세계적 차원의 위험과 그토록 유사해 보인다면, 실제로 이 셋을 비교해볼 필요가 있다. 기후변화와 생태계 붕괴, 팬데믹은 많은 공통점을 가지면서도 상당한 차이점도 보여준다.

주요 공통점은 다음 다섯 가지다. 첫째, 이 세 가지는 우리가 사는 상호연결된 세계에서 매우 빠르게 전파되는 시스템적 위험(반복되어 오는 위기임에도 불구하고 뚜렷한 해결책을 제시하지 못하는 화이트 스완의 성격을 띤)으로 알려져 있고, 그렇게 빠르게 전파됨으로써 서로 다른 범주의 다른 위험들을 증폭시킨다. 둘째, 비선형적이라 특정 임계점이나 티핑 포인트를 넘어서면 심각한 영향을 줄 수 있다. 팬데믹의 경우 특정 장소에서 일어나는 '슈퍼 전파'와 그로 인한 의료 시스템 붕괴가 한 가지 예가 될 수 있다. 셋째, 그 영향에 대한 확률과 분포는 불가능한 정도는 아니더라도 측정하기가 아주 힘들다. 끊임없이 변하고 있어 늘 수정된 가정하에서 재고되어야 하므로 정책적 관점에서 관리하기가 매우 까다롭다. 넷째, 본래 전 세계에 영향을 미치기 때문에 전 세계적 차원의 조율을 통해서만 적절한 해결이 가능하다. 다섯째,

가장 취약한 국가들과 인구 부문에 불균형적으로 더 영향을 미친다.

그렇다면 그들 사이의 차이점은 무엇인가? 기후변화와 생태계 붕괴는 축적되면서 생기는 위험인 데 반해 팬데믹은 전염성이 있는 위험인 것처럼 개념적·방법론적 차원의 차이다. 그러나 가장 중요한 두 가지 차이 중 하나는 시간 지평time-horizon의 차이(이 차이는 정책과 완화 조치와 중대한 관계가 있다)고, 나머지 하나는 인과관계 문제다(이것은 완화 전략을 대중이 수용하기 더욱 어렵게 만든다).

1. 팬데믹은 위급함과 위험이 모두의 눈에 보이는 준準즉각적 위험이다. 팬데믹 발발은 개인이나 종種으로서 우리의 생존을 위협하기 때문에 우리는 이 위험에 직면했을 때 즉각적이고 단호히 대응한다. 반면에 기후변화와 생태계 붕괴로 인한 자연 손실은 점진적으로 쌓이면서 일어나서 대부분 중장기적으로 가시적인 영향이 나타난다. 그리고 기후와 관련되고 '예외적인' 자연 손실 사건이 점점 더 늘어나고 있지만 여전히 상당수 사람들은 기후 위기의 신속한 해결 필요성에 대해 확신하지 못한다. 팬데믹의 시간 지평과 기후변화 및 자연 손실의 시간 지평 사이의 결정적인 차이는, 팬데믹이 가하는 위험은 신속한 결과로 이어질 즉각적인 조치를 필요로 하는 반면에 기후변화와 자연 손실도 즉각적인 조치가 필요하긴 해도 그 결과, 즉 경제학자들이 흔히 말하는 '미래 보상future reward'은 일정한 시차를 두고 생긴다는 점이다. 전 영국 중앙은행 총재이자

현 유엔 기후행동·금융 특사인 마크 카니Mark Carney는 이러한 시간의 비동시성asynchronicity 문제가 '지평의 비극'을 초래한다는 사실을 알아냈다. 즉, 즉각적이고 관찰 가능한 위험과는 달리 기후변화 위험은 시간과 지리적 측면에서 멀리 떨어져 있는 것처럼 보일 수 있는데, 이런 경우 심각한 관심을 쏟아야 하는 위험인데도 불구하고 사람들은 그것을 위험으로 간주하지 않는다는 것이다. 예를 들어, 지구 온난화와 해수면 상승이 해변 휴양지 같은 물적 자산이나 호텔 그룹 같은 회사에 가하는 실질적 위험이 투자자들에게는 그만큼 실질적으로 여겨지지 않기 때문에 시장 가격에 반영되지 않는다.

2. 인과관계 문제는 각각의 정책을 실행하기 어렵게 만드는 이유·만큼이나 이해하기 쉽다. 팬데믹의 경우 사스코로나바이러스-2SARS-CoV-2가 코로나19의 원인이라는 점에서 바이러스와 질병 사이의 인과관계가 명백하다. 소수의 음모론자를 제외하고는 누구도 이 관계에 이의를 제기하지 않을 것이다. 환경 위험의 경우에는 특정 사건에 대한 직접적 인과관계를 찾기가 훨씬 더 어렵다. 과학자들은 종종 가뭄이나 강력한 허리케인 같은 특정 기상 사건과 기후변화 사이의 직접적인 인과관계를 지적하지 못한다. 마찬가지로 특정한 인간의 활동이 멸종 위기에 처한 특정 종에 어떻게 영향을 미치는지에 대해서 과학자들 사이에 항상 의견이 일치하는 것도 아니다. 이로 인해 기후변화와 자연 손실 위험을 완화하기가 상당히 어려워진다. 팬데믹의 경우 대다수 시민들이 강압적인 정책 시행의 필요성

에 동의하는 경향을 보이지만, 증거가 논쟁거리가 될 수 있는 환경 위험의 경우 시민들은 그런 식의 정책을 거부할 것이다. 보다 근본적인 이유도 존재한다. 팬데믹과 싸우기 위해서 우리의 기본적인 사회·경제적 모델과 소비 습관의 대폭적인 변화가 필요하지는 않지만, 환경 위험과 싸우려면 그렇게 해야 할 가능성이 크다.

코로나바이러스와 환경

Coronavirus and the Environment

•   자연과 동물 매개 감염 질병

'동물 매개 감염 질병'이란 동물에서 사람으로 전염되는 질병을 말한다. 대부분의 전문가와 환경보호 활동가들은, 특히 탄소 배출량 증가와도 연관이 있는 삼림 벌채로 인해 인간과 동물의 밀접한 접촉이 늘고 감염 위험이 높아진 탓에 최근 몇 년 동안 이런 종류의 질병이 급격히 늘어났다는 데 동의한다. 다년간 연구원들은 열대림 같은 자연환경과 그곳에 많이 모여 사는 야생동물들이 인간에게 위협이 된다고 생각해왔다. 그곳에서 열대 전염병인 뎅기열과 에볼라와 에이즈 바이러스HIV처럼 인간에게 새로운 질병을 일으키는 병원균과 바이러

스가 발견될 수 있기 때문이다. 오늘날 우리는 정반대의 인과관계가 성립한다는 점에서 이런 생각이 잘못되었다는 것을 알고 있다. 《인수 공통 모든 전염병의 열쇠Spillover: Animal Infections and the Next Human Pandemic》의 저자인 생태 및 자연사 저술가 데이비드 콰먼David Quammen은 이렇게 주장했다. "우리는 알려지지 않은 많은 바이러스를 가진 많은 종류의 동식물이 사는 열대림과 다른 야생의 풍경을 침략한다. 우리는 나무를 베고, 동물을 죽이거나 우리에 가두어 시장에 보낸다. 우리는 생태계를 교란하고, 바이러스를 그들의 자연 숙주로부터 풀어놓는다. 그럴 때 바이러스에게는 새로운 숙주가 필요한데, 종종 우리가 새로운 숙주가 된다."[104] 이젠 코로나19 같은 새로운 바이러스가 퍼진 이유가 사실은 인간에 의해 야기된 생물 다양성의 파괴 때문임을 주장하는 과학자들이 점점 더 늘어나고 있다. 그들은 인간과 다른 생물종과 전체 생태계의 안녕 사이에 존재하는 미묘하고 복잡한 연관성을 연구하는 '지구 건강planetary health'이라는 새로운 학문을 중심으로 뭉쳤고, 연구를 통해 생물 다양성 파괴가 팬데믹 수를 증가시킬 것임을 분명히 밝혀냈다.

야생동물과 환경 관련 100개 단체는 최근 미국 의회에 보낸 서한에서 지난 50년 동안 동물 매개 감염 질병이 네 배나 증가했다고 추정했다.[105] 1970년 이후의 토지 이용 변화가 자연에 상대적으로 가장 큰 부정적 영향을 미쳤고, 그 과정에서 인공 배기가스의 4분의 1을 유발했다. 농업은 지상에 있는 토지의 3분의 1 이상을 이용하고 있는, 자연을 가장 심하게 파괴하는 경제활동이다. 최근 발표된 한 학술 연구는 농업 관련 운전기사들이 동물 매개 감염 질병의 50% 이상과 연관되어 있다는 결론을 내렸다.[106] 농업은 광업·벌목·관광과 같은 많은 다른 활동들과 함께 자연 생태계에 침입해서 인간과 동물 사이의 장벽을 허물고, 동물에서 인간으로 감염병이 퍼져 나갈 수 있는 여건을 조성한다. 동물의 자연 서식지 상실과 야생동물 거래는 특히 더 그렇다. 코로나바이러스 관련 개체로 거론되는 박쥐와 천산갑 등 특정 질병과 연관이 있는 것으로 알려진 동물들이 야생에서 밀려 나와 도시로 유입되고, 이는 야생 질병 숙주가 인구 밀도가 높은 구역으로 이동하게 만든다. 코로나19 발원지로 추정되는 중국 우한의 시장에서도 같은 일이 일어났을 수 있다. 중국 낭국은 이후로 야생동물 거래와 소비를 영구적으로 금지했다. 오늘날 대부분의 과학자들은 인구가 더 늘어나고, 우리가 환경을 더 어지럽히고, 동물이나 식물의 질병 확산을 막는 적절한 바이오보안biosecurity 없이 농업이 집약적이 될수록 새로운 전염병 발생 위험이 커진다는 데 동의할 것이다. 동물 매개 감염 질병의 진행을 억제하기 위해 현재 우리가 이용할 수 있는 핵심 해결책은 자연환경을 존중하고 보존하며 생물 다양성을 적극적으로 보호하는 것이다. 이를 효과적으로 하기 위해서는 우리 모두가 자연과의 관계를 재고하고, 왜 우리가 자연으로부터 그렇게 소외되게 됐는지 따져보는 것이 필요하다. 결론 부분에서 '자연 친화적' 회복이 취할 수 있는 형태에 대한 구체적인 권고안을 제시해놓았다.

대기오염과 팬데믹 위험

　지구온난화에도 영향을 주는 배기가스로 인해 주로 발생하는 대기오염이 당뇨와 암에서부터 심혈관과 호흡기 질환에 이르기까지 다양한 건강 상태와 관련된 '침묵의 살인자'라는 건 오랫동안 알려져 온 사실이다. WHO에 따르면, 세계 인구의 90%가 안전 지침을 충족하지 않는 공기를 호흡함으로써 매년 700만 명이 조기 사망하고 있다. 이에 따라 WHO는 대기오염을 '공중보건 비상사태'로 간주했다.

　우리는 이제 대기오염이 현재 유행하고 있는 사스코로나바이러스-2뿐만 아니라 어떤 특정한 코로나바이러스라도 우리 건강에 미치는 영향을 악화시킨다는 것을 알고 있다. 2003년 초, 사스가 한창 유행하던 때 발표된 한 연구는 대기오염 정도가 심할수록 코로나바이러스에 의한 감염으로 사망할 확률이 높다는 점을 분명히 밝혀주면서[107], 대기오염이 치사율의 변화를 설명해줄 수 있다고 주장했다. 이후로 오염된 공기를 평생 들이마시면 어떻게 해서 사람들이 코로나바이러스에 더 취약해질 수 있는지를 보여주는 연구가 늘어나고 있다. 최근 미국에서 발표된 한 의학 논문은 공기 오염도가 높은 지역에선 코로나19로 인한 사망 위험이 더 높다는 결론을 내렸는데, 이는 오염도가 높은 미국 카운티들에 입원 환자와 사망자 수가 더 많을 수 있음을 보여준다.[108] 의료계와 공적 사회에서는 대기오염 노출과 코로나19 발생 가능성 사이에 시너지 효과가 있어 바이러스가 창궐했을 때 더 나쁜 결과를 낳는다는 데 대한 공감대가 형성되어 있다. 현재 이런 연구가 빠르게 확대되고 있긴 하지만 아직은 인과관계가 존재한다는 것을 증명하지는 못했다. 다만 대기오염과 코로나바이러스 확산, 그리고 그 심각성 사이에 강한 상관관계가 존재한다는 건 분명히 보여주고 있다. 일반적으로 대기오염, 특히 미세먼지는 폐의 첫 방어선인 기도에 손상을 입히는 것으로 알려져 있다. 즉, 오염이 심한 도시에 거주하는 사람들은 나이 불문하고 코로나19에 걸려 사망할 위험이 더 커진다. 이것이 유럽에서 가장 오염이 심한 지역 중 하나인 이탈리아 북부 롬바르디아의 코로나19 감염자가 이탈리아 다른 지역의 감염자보다 사망 확률이 두 배나 높은 이유일지도 모른다.

봉쇄와 탄소 배출

국제에너지기구IEA는 〈글로벌 에너지 리뷰 2020Global Energy Review 2020〉에서 2020년 전 세계 탄소 배출량이 8% 감소할 것으로 추정했다.[109] 이 수치는 역사상 최대 연간 감소율에 해당하지만, 일회성일 수 있는 만큼 계속해서 탄소 배출을 줄이는 게 중요하다. 유엔이 2019년 9월 "전 세계가 글로벌 온난화를 1.5℃ 이하로 제한하려면 탄소 배출은 2030년까지 10년 동안 매년 7.6%씩 감소해야 한다"고 지적했다는 걸 고려하면 아직도 갈 길이 멀다.[110]

사실 봉쇄의 심각성으로 볼 때 8%란 수치는 다소 실망스럽다. 소비를 줄이고, 자동차나 비행기를 타지 않는 등 개인의 작은 행동들로 줄어드는 탄소 배출량이, 일부 업종을 제외하고 봉쇄 상태에서도 운영을 지속하는 '대규모 탄소 배출처'인 전기, 농업, 산업이 내뿜는 탄소 배출량에 비해 큰 의미 없는 수준임을 시사한다. 또한 우리가 흔히 탄소 배출 주범이라고 여기는 곳이 사실은 탄소 배출의 최대 범죄자가 아니라는 점도 알 수 있다. 최근 발표된 한 지속 가능성 보고서에 의하면 전자기기에 전력을 공급하고 기기의 데이터를 전송하는 데 필요한 전기 생산 과정에서 발생하는 총 탄소 배출량이 전 세계 항공 산업의 탄소 배출량과 맞먹는다.[111] 그렇다면 결론은 무엇인가? 심지어 세계 인구의 3분의 1이 한 달 이상 집에 갇혀 있는, 전례 없고 엄격한 봉쇄 조치조차도 글로벌 경제가 계속해서 많은 양의 탄소를 배출하고 있는 한 결코 성공적인 탈脫탄소화 전략이 될 수 없다는 게 결론이다. 그렇다면 어떤 전략이 필요할까? 이런 엄청난 규모의 도전은, 에너지 생산 방법에 대한 급진적이고 대대적인 시스템적 변화와 소비 행동의 구조적 변화를 동시에 추진했을 때에만 극복 가능하다. 포스트코로나 시대에 예전처럼 차를 몰고, 같은 목적지로 비행하고, 같은 것을 먹고, 같은 방법으로 집에 난방을 하면서 예전 방식대로 살려고 한다면 기후 정책에 관한 한 코로나19 위기로부터 아무것도 배우지 못할 것이다. 반면에 팬데믹 기간 동안 어쩔 수 없이 익혀야 했던 일부 습관이 행동의 구조적 변화로 이어진다면 기후에 미치는 결과는 달라질 수 있다. 출퇴근 횟수를 줄이고, 원격근무를 늘리고, 자동차 대신 자전거를 타거나 걷고, 집 근처로 휴가를 간다면 이런 모든 행동들이 합쳐져서 탄소 배출량의 지속적인 감축으로 이어질 수 있을 것이다. 그렇다면 이제 코로나19 팬데믹이 결국 기후변화 정책에 긍정적인 영향과 부정적인 영향 중 어떤 영향을 미칠지 질문을 던져볼까 한다.

코로나19가 기후변화와
기타 환경 정책에 미치는 영향

Impact of the Pandemic on Climate Change
and Other Environmental Policies

코로나19 팬데믹은 앞으로 상당 기간 동안 환경 관련 의제를 뒤로 밀어낼 만큼 심각한 위협을 가하면서 정책 구도를 지배하게 될 것이다. 한 가지 주목할 만한 일화를 말하자면, 2020년 11월 유엔기후변화협약UNFCCC 당사국총회COP26가 열릴 예정이었던 영국 스코틀랜드 글래스고의 컨벤션센터가 4월 코로나19 환자들을 치료하기 위한 병원으로 바뀌었다. 이미 여러 기후 협상이 연기되고 정책 구상도 지연되면서 앞으로 오랫동안 정부 지도자들은 코로나19 위기로 인해 야기된 당면 문제들에만 관심을 기울일 것이라는 주장에 힘이 실리게 됐다. 일부 국가 지도자, 고위 경영진, 그리고 저명한 여론 형성자들은 좀 다른 주장을 했는데, 요지는 코로나19 위기로 시간을 낭비할 수 없으므로 지금이야말로 지속 가능한 환경 정책을 추진해야 한다는 것이다.

현실적으로 봤을 때 포스트코로나 시대에 기후변화와 싸울 때 정반대 방향의 두 가지 현상이 나타날 수 있다. 첫 번째는 코로나19의 경제적 충격이 너무나 고통스럽고 다루기 버겁고 감당하기 복잡해서 전 세계 대부분의 정부가 경제 회복에 초점을 맞추느라 지구온난화에 대한 걱정을 '일시적으로나마' 뒤로 미뤄놓을 수 있다. 이런 경우엔 화석연료 및 탄소 배출 산업을 보조하고 지원하고 활성화할 것이다. 또한 빠른 경제 회복의 길에 놓인 장애물로 보이는 엄격한 환경 기준을 철폐하고, 기업과 소비자들에게 가능한 한 많은 '재화'를 생산하고 소비하도록 촉구할 것이다. 두 번째는 기업과 정부가 대다수 일반 대중들 사이에서 생긴, 삶이 예전과 달라질 수 있다는 새로운 사회적 양심으로부터 용기를 얻고, 운동가들의 전폭적 지원을 받는 다른 논리에 자극을 받는 경우다. 그것은 지금 이 순간을 우리 사회의 더 큰 이익을 위해 보다 지속 가능한 경제로 재설계할 수 있는 특별한 '기회의 창'으로 활용해야 한다는 논리다.

이 두 가지 현상의 결과를 좀 더 자세히 살펴보자. 당연히 결과는 나라와 지역마다 다를 것이다. 어떤 두 나라도 같은 정책을 채택하거나 같은 속도로 움직이지는 않을 것이기 때문이다. 하지만 궁극적으로는 모두가 덜 탄소집약적인 방향으로 움직이는 추세를 받아들여야 한다.

단, 왜 이것이 기정사실이 아닌지, 왜 코로나19 사태가 진정되기 시작하면 환경에 대한 관심이 퇴보할 수 있는지는 세 가지 이유로 설명할 수 있다.

1. 정부는 실업 충격을 완화하기 위해 '어떤 대가를 치르더라도' 성장을 추구하는 것이 집단적 이익에 최선이라고 판단할 수 있다.
2. 기업은 수익을 늘려야 한다는 압박을 심하게 받다가 일반적인 지속 가능성은 물론이고 특히 기후에 대한 고려를 후순위로 밀어놓을 것이다.
3. 높은 가능성만큼 실제로도 저유가가 지속된다면 소비자와 기업 모두 탄소집약적인 에너지에 대한 의존도를 높이려고 할 수 있다.

이 세 가지 이유는 충분히 타당하긴 하지만, 성공적으로 방향을 전환하게 만들어줄 또 다른 이유도 있다. 특히 다음 네 가지 이유로 인해 인류는 더 깨끗하고 지속 가능한 세상을 만드는 데 성공할 수 있다.

1. 계몽된 리더십

진작부터 기후변화와의 싸움에서 선두에 서 왔던 일부 지도자와 의사결정자들은 코로나19로 인한 충격을 기회로 장기간 유지되는 광범위한 환경 변화를 시도하고 싶을 수 있다. 그들은 사실상 이번 위기 동안 시간을 헛되이 흘려보내지 않음으로써 팬데믹을 '잘 활용'할 것이다. 영국의 찰스 황태자HRH The Prince of Wales부터 앤드루 쿠오모Andrew Cuomo 뉴욕 주지사에 이르기까지 다양한 지도자들은 '더 나은 재건 build it back better'을 권고하고 있다. 국제에너지기구IEA가 댄 요르겐슨Dan Jørgensen 덴마크 기후에너지유틸리티부 장관과 함께 했던, 청정 에너지 로의 전환이 경제 회복에 도움을 줄 수 있음을 시사한 '동시 선언'도 마찬가지다. 선언에는 다음 내용이 포함되어 있었다. "전 세계 지도자 들은 현재 대규모 경기 부양책을 준비 중이다. 이런 부양책 중에는 경제 활성화에 단기적인 힘을 보태는 안도 있고, 앞으로 수십 년 동안 인프라를 형성해줄 안도 있을 것이다. 우리는 정부가 청정에너지를 이 계획의 핵심으로 삼음으로써 일자리를 창출하고 경제를 성장시킬 수 있을 뿐만 아니라 에너지 시스템을 보다 회복력이 있으면서 오염 은 덜한 방향으로 반드시 현대화시킬 수 있다고 믿는다."112) 계몽된 지 도자들이 이끄는 정부는 이처럼 친환경적 약속을 내걸면서 경기 부 양책을 만들 것이다. 예를 들어, 저탄소 사업 모델을 가진 기업들에게 좀 더 관대한 금융 조건을 제시할 것이다.

2. 위험 인식

코로나19 팬데믹은 우리가 집단적으로 직면하고 있는 위험을 훨씬 더 극명하게 깨닫고, 우리가 사는 세계가 긴밀하게 연결되어 있다는 사실을 상기시켜 줌으로써 '위험을 인식하게 해주는risk-awakening' 역할 을 훌륭히 수행했다. 코로나19는 우리가 위험하게도 과학과 전문지식을 무시하고 있고, 우리의 집단행동이 심각한 결과로 이어질 수 있다는 사실을 분명히 보여줬다. 실존적 위험의 진정한 의미와 그것이 초래할 결과를 더 잘 이해할 수 있게 해준 이러한 몇 가지 교훈들이 이제 기후 위험에 대한 인식으로 이어지길 바란다. 이런 점에서 "우리는 이 모든 코로나19 위기를 통해 우리가 바뀔 수 있다는 사실을 깨달았다. (중략) 우리는 다른 팬데믹이 발발할 것임을 인식하고 더 잘 대비해놓고 있어야 한다. (그러나) 기후변화는 쉽게 사라지지 않는 더 심각하고도 큰 위협이며, 또한 매우 시급하다는 사실도 인식해야 한다"는 니컬러스 스턴Nicholas Stern 그랜섬 기후변화 및 환경연구소Grantham Research Institute on Climate Change and the Environment 소장의 말을 경청할 필요가 있다.[113] 코로나19가 폐에 미치는 영향에 대해 걱정해온 우리는 깨끗한 공기에 집착하게 될 것이다. 봉쇄 기간 중 많은 사람들이 대기오염 감소 효과를 직접 보고 느꼈다. 그 결과 지구온난화와 기후변화가 몰고 올 최악의 결과를 해결할 수 있는 시간이 몇 년밖에 없다는 집단적 깨달음에 이를 수 있다. 그렇게 된다면 사회적(집단적·개인적) 변화가 뒤따를 것이다.

3. 행동 변화

전술한 대로 사회적 태도와 요구가 일반적으로 생각하는 수준보다 훨씬 더 대규모로 '지속 가능성'을 향해 진화할 수 있다. 봉쇄 기간에 우리의 소비 패턴은 극적으로 변했다. 우리는 어쩔 수 없이 꼭 필요한 것에만 집중하면서 '친환경적인 생활'을 할 수밖에 없게 되었다.

이런 생활이 이어지면 꼭 필요하지 않은 것이 모두 무시되고 친환경적 선순환 구조가 만들어질 수도 있다. 마찬가지로 가능한 경우 재택근무가 환경과 개인 모두에게 좋다는 결론을 내릴 수 있다. 출퇴근은 우리의 웰빙을 파괴한다. 출퇴근 시간이 길어질수록 우리의 신체적·정신적 건강이 더 나빠지기 때문이다. 우리가 일하고, 소비하고, 투자하는 방법에서 일어나는 이러한 구조적인 변화는, 실질적 변화로 이어질 수 만큼 널리 퍼지기까지는 시간이 걸릴 수 있다. 하지만 중요한 건 추세의 방향과 강도다. 중국의 시인이자 철학자 노자老子가 말한 대로 '천 리 길도 한 걸음부터'다. 우리는 길고도 고통스러운 회복을 시작하고 있다. 많은 이들에게 지속 가능성에 대한 고민이 사치처럼 보일지도 모르지만, 상황이 개선되기 시작할 때쯤이면 누구나 대기오염과 코로나19 사이에 인과관계가 존재한다는 걸 기억할 것이다. 그러면 지속 가능성은 더 이상 부차적인 주제가 아닐 것이고, 대기오염과 매우 밀접하게 관련된 기후변화는 우리가 가장 관심을 쏟아야 할 문제로 대두될 것이다. 사회과학자들이 말하는 '행동의 전염behavioral contagion', 즉 어떤 태도나 사상이나 행동이 인구 전체로 번져나가는 마법 같은 일이 벌어질지 모른다.

4. 행동주의

일부 분석가들은 코로나19로 행동주의activism의 기세가 꺾일 가능성을 조심스럽게 제기했지만, 그와 정반대의 결과가 사실로 입증되리라고 생각한다. 미국과 유럽 학자들에 따르면, 코로나바이러스는 변화에 대한 동기부여를 강화시켰고 사회적 행동주의 차원에서 새로운 도구와 전략을 탄생시켰다. 불과 몇 주 만에 이 학자들은 다양한 형태의 사회적 행동주의에 대한 자료를 수집한 뒤 물리적·가상적·복합적 행동을 포함한 거의 100가지의 확실한 비폭력적 행동 방법을 찾아냈다. 이후 그들이 내린 결론은 "비상사태는 종종 새로운 아이디어와 기회를 주조하는 대장간임이 입증됐다. 기술과 인식이 발달함에 따른 장기적인 효과가 무엇일지 예측할 수는 없지만, '민중의 힘people power'이 줄어들지 않은 것은 분명하다. 대신 원격 조직화, 교두보 구축, 선명한 메시지 개발, 향후 전략 수립에 적응해 나가려는 움직임이 세계 각국에서 일어나고 있다."[114] 그들의 평가가 정확하다면, 봉쇄 기간과 다양한 물리적·사회적 거리두기 방법 시행 중 필요해 따라 억제된 사회적 행동주의는 봉쇄 기간이 끝나면 활기를 되찾을 수 있다. 봉쇄 기간 중 대기오염이 줄어든 걸 목격하고 용기를 얻은 기후 운동가들은 기업과 투자자들을 더 강하게 압박할 것이다. '파트 2'에서 살펴보겠지만, 투자자들의 행동주의도 무시할 수 없는 힘이 될 것이다. 이는 사회 행동가들에게 강력한 추진력을 불어넣어주고 명분을 강화해줄 것이다. 일례로 다음과 같은 상황을 상상해보자. 녹색 운동가 집단이 석탄 화력발전소 앞에서 오염 규제 강화를 요구하는 시위를 할 수 있고, 투자자 집단은 이사회에서 발전소에 대한 자금줄을 끊어버림으로써 똑같은 행동을 할 수 있다.

위 네 가지 이유 모두 결국 친환경 추세가 우세할 것이라는 희망을 선사한다. 증거가 등장하는 영역이 저마다 다르더라도 미래는 우리가 일반적으로 생각하는 수준 이상으로 더 푸르러질 수 있다는 결론으로 수렴된다. 이런 확신을 뒷받침해주듯, 다음 네 가지 관찰 결과는 방금 제시한 네 가지 이유와 교차한다.

1. 2020년 6월, '초거대supermajor기업'으로 불리는 세계적 석유·가스 회사인 BP는 코로나19로 청정에너지로의 세계적인 전환이 가속화될 것이라는 결론에 도달한 후 최대 175억 달러 규모의 자산 상각을 단행했다. 다른 에너지 회사들도 비슷한 조치를 취하려고 하고 있다.[115] 마이크로소프트와 같은 주요 글로벌 기업들도 같은 정신에서 2030년까지 '탄소 배출 마이너스carbon negative' 목표를 달성하겠나고 약속했다.

2. EC가 추진하는 유럽 그린딜European Green Deal은 코로나19 위기를 헛되이 낭비하게 하지 않겠다는 당국의 의지를 가장 가시적으로 드러낸 계획이다.[116] 이 계획은 2050년까지 EU를 순배출량 기준 최초의 탄소 중립 대륙으로 만들고, 자원 의존도가 높은 경제성장 구조에서 탈피하겠다는 걸 목표로 탄소 배출량을 낮추고 순환경제circular economy(자원 절약과 재활용을 통해 지속 가능성을 추구하는 친환경 경제 모델-옮긴이 주)에 투자하기 위해 1조 유로의 지원을 약속했다.

3. 전 세계적으로 실시된 다양한 조사 결과는 전 세계 대다수 시민들이 코로나19 위기로부터 회복 시 기후변화 문제를 우선적으로 처리하길 원하고 있다는 걸 보여준다.[117] G20 국가 시민 중 무려 65%

가 친환경 회복을 지지한다.[118]

4. 서울과 같은 일부 도시들은 코로나19 충격을 완화하는 방법으로 포장한 '그린 뉴딜Green New Deal(화석에너지 중심의 에너지 정책을 신재생 에너지로 전환하는 등 저탄소 경제구조로 전환하면서 고용과 투자를 늘리는 정책-옮긴이 주) 정책 등을 시행하면서 기후와 환경 정책에 더욱 매진하고 있다.[119]

이러한 추세의 방향은 명확하지만, 정책 입안자들과 기업 경영자들은 궁극적으로 코로나19 부양책을 활용하여 자연 친화적 경제를 활성화하려는 시스템적인 변화를 추진할 것이다. 이것이 단지 공적 투자로만 끝나지는 않을 것이다. 민간 자본을 자연 친화적 경제 가치를 창출하는 새로운 원천으로 끌어들이기 위한 열쇠는 한층 광범위한 경제 리셋 차원에서 주요 정책 기조와 공공 재정 인센티브를 전환하는 것이다. 공간 계획과 토지 이용 규제, 공공 재정과 보조금 개혁, 연구개발R&D 외에 그것의 확대·전개를 추진하는 혁신 정책, 혼합 금융 blended finance(공적 재원과 민간 재원이 혼합돼 개발도상국에 유입되는 방안-옮긴이 주)과 핵심 경제 자산으로서 토지 같은 자연 자본의 가치에 대한 평가 개선에 더 강력하게 나서야 할 명분은 탄탄하다. 많은 정부들이 행동을 개시하기 시작했지만, 시스템을 자연 친화적인 새로운 규범에 맞추고 전 세계 대다수 사람들이 이것이 꼭 필요할 뿐만 아니라 엄청난 기회임을 깨닫게 하기 위해서는 훨씬 더 많은 뭔가가 필요하다. 지속 가능한 경제 시스템으로의 전환을 자문해온 싱크탱크 기업 시스테미크Systemiq가 세계경제포럼WEF과 공동으로 작성한 정책 논문[120]은 자연 친화적 경제를 건설하면 2030년까지 새로운 경제적 기회와 경제적 비용 회피 측면에서 연간 10조 달러 이상의 부가가치를 창출하는 효과를 낼 것으로 추산한다. 단기적으로, 약 2,500억 달러의 부양 기금을 쓰면 상당히 비용 효율적 방식으로 최대 3,700만 개의 자연 친화적 일자리를 창출할 수 있다. 따라서 이는 환경 리셋에 대한 비용이 아니라 경제활동과 고용 기회를 창출하는 투자로 간주해야 한다.

코로나19 위협이 지속되지 않기를 바란다. 우리는 언젠가는 이 위기를 끝낼 것이다. 반면에 기후변화로 인한 위협과 기상 이변은 가까운 미래뿐만 아니라 그 이후까지도 계속해서 일어날 것이다. 기후 위험은 코로나19 위기보다는 더 느리게 전개되고 있지만 더 심각한 결과를 초래할 것이다. 그 심각성은 코로나19 위기에 대한 정책적 대응에 따라 크게 좌우될 것이다. 경제활동을 되살리려고 취해진 모든 조치들은 생활 방식에 곧바로 영향을 미칠 뿐 아니라 탄소 배출, 나아가 지구 전체에 걸쳐 여러 세대에 걸쳐 평가될 환경적 영향에도 미칠 것이다. 이 책에서 주장했듯이, 이러한 여러 선택을 해야 하는 건 다름 아닌 우리다.

CHAPTER 6

기술적 리셋

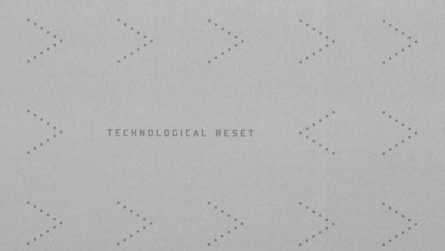

TECHNOLOGICAL RESET

기술적 리셋의 의의

Technological Reset

　필자는 2016년 출간된 《클라우스 슈밥의 제4차 산업혁명The Fourth Industrial Revolution》에서 "기술과 디지털화가 모든 것을 혁명적으로 변화시킴으로써 '이번에는 다르다This time is different'라는 과용되고 오용되던 격언을 적절한 표현으로 만들어놓았다. 주요 기술 혁신이 전 세계적으로 중대한 변화를 촉발하기 일보 직전이다"라고 주장했다.[121] 이후 4년이라는 짧은 시간 동안 기술 발전이 인상적으로 빠르게 진행됐다. 드론과 음성인식부터 가상비서와 번역 소프트웨어에 이르기까지 AI 기술은 이미 우리 주변에 널리 퍼져 있다. 모바일 기기는 개인적·직업적 생활의 영구적이고 필수적인 부분이 되어, 우리의 요구를 예측하고, 우리가 하는 말을 경청하고, 심지어 요청을 받지 않아도 우리의 위치를 찾아주는 등 다양한 면에서 인간를 도와주고 있다. 자동화와 로봇은 불과 몇 년 전까지만 해도 상상할 수 없었던 엄청난 속도와 높은 수익률을 낼 수 있게 기업의 경영 방식을 재편해주고 있다. 미래의 핵심 기술로 떠오르고 있는 합성생물학synthetic biology(생물학과 공학을 결합해 자연 세계에 존재하지 않는 생물 구성 요소와 시스템을 설계·제작하는 학문 – 옮긴이 주) 등 유전학 분야의 혁신도 흥미진진하다. 이 혁신은 획기적인 의료 발전을 위한 길을 터주고 있다. 생명공학은 여전히 질병 발생을 막고 예방하는 측면에서는 다양한 어려움을 겪고 있지만 최근 일어난 혁신으로 코로나바이러스 게놈genome(유전체)의 식별과 염기서열 분석 속도가 과거보다 훨씬 빨라졌고, 더욱 효과적이고 정교한 진단도 가능해졌다. 게다가 RNA와 DNA 플랫폼을 이용한 최신 생명공학 기술은 그 어느 때보다 빠른 백신 개발을 가능케 했다. 그것은 또한 새로운 생체공학 치료법의 개발에 도움을 줄 수도 있다.

정리하자면, 지금까지도 그렇지만 앞으로도 계속해서 제4차 산업혁명의 속도와 범위는 놀랄 만한 수준을 유지할 것이다. 이번 장은 코로나19 팬데믹이 혁신을 더욱 가속화하면서 이미 진행 중인 기술 변화(다른 기본적인 국내외 문제를 악화시키는 효과를 냈던 변화와는 달리)의 촉매 작용을 하고, 어떤 디지털 사업이나 어떤 기업의 디지털적 전략의 '추진 출력'도 강화해줄 것이라고 주장하고 있다. 코로나19는 또 기술이 제기하는 가장 중대한 사회적·개인적 도전 중 하나인 프라이버시의 중요성을 강조해줄 것이다. 우리는 어떻게 해서 접촉자 추적

contact tracing이 코로나19와 싸우는 데 필요한 무기 중에서 월등한 성능과 비교 불가능한 위상을 갖게 되었는지, 동시에 어떻게 대량 감시가 가능한 방법이 됐는지를 살펴볼 것이다.

디지털 전환의 가속화
Accelerating the Digital Transformation

코로나19 팬데믹과 함께 수많은 분석가들이 정확한 의미도 확실히 모른 채 다년간 언급해온 '디지털 전환digital transformation'이 촉매제를 찾았다. 봉쇄 조치가 낳은 한 가지 중요한 결과는 결정적이고 종종 영구적인 방식으로 이루어진 디지털 세계의 확장과 발전일 것이다. 이는 가장 평범하고 일화적인 측면(온라인 대화, 스트리밍, 디지털 콘텐츠의 증가)뿐 아니라 더 강도 높은 기업 경영 방식의 변화를 요구하는 측면에서도 모두 두드러진다. 2020년 4월, 기술 분야 리더들은 건강 위기로 인해 생긴 필요성으로 인해 얼마나 빠르고 급진적으로 광범위한 기술 채택이 촉진됐는지를 관찰했다. 불과 한 달이라는 짧은 시간 동안, 많은 기업들이 기술 수용 시기를 몇 년 더 앞당긴 것처럼 보였다.

디지털에 정통한 사람들에겐 좋은 일이었지만, 때로는 그로 인해 전망이 아주 나빠졌다고 생각하는 사람들도 있었다. 사티아 나델라Satya Nadella 마이크로소프트 CEO는 사회적·물리적 거리두기 요건이 '모든 걸 멀리서' 하게 만들어놓음으로써 이와 관련된 광범위한 기술 채택 시기가 2년 정도 앞당겨졌다고 언급했다. 순다르 피차이Sundar Pichai 구글 CEO는 디지털 활동의 놀라운 비약에 경탄하면서 그것이 온라인 작업, 교육, 쇼핑, 의료, 엔터테인먼트 등 다양한 분야에 '의미심장하고 지속적인' 효과를 미칠 거라고 예측했다.[122]

●   소비자

봉쇄 기간 중 과거에는 디지털 애플리케이션과 서비스에 과도하게 의존하기를 꺼렸던 많은 소비자들은 거의 하룻밤 사이에 습관을 바꿀 수밖에 없게 됐다. 영화관에 가지 않고 온라인으로 영화를 보고, 식당에 가지 않고 음식을 배달하고, 친구들과 직접 만나지 않고 원격으로 대화하고, 커피 자판기 앞에서 수다를 떨지 않고 화면상으로 동료들과 대화하고, 헬스장에 가지 않고 온라인을 통해 운동해야 했다. 그러자 곧장 학습, 상거래, 게임, 독서, 출석 등을 모두 '전자 방식으로' 할 수 있게 되었다. 분명 오래된 습관 중 일부는 다시 나타날 것이다. 개인적인 접촉이 주는 재미와 즐거움과 비교할 수 있는 건 없다. 우리는 결국 사회적인 동물이지 않은가! 하지만 우리는 봉쇄 기

간 중 받아들여야만 했던 많은 기술적 행동들에 점차 익숙해지고 자연스럽게 여길 것이다. 사회적·물리적 거리두기가 지속됨에 따라 의사소통을 하거나, 일하거나, 조언을 구하거나, 무언가를 주문하기 위해 디지털 플랫폼에 더 많이 의존하게 되면서, 이전에 몸에 뱄던 습관이 밀려날 수도 있다. 우리는 또 다양한 렌즈를 통해 온라인 대 오프라인의 장단점을 계속해서 주시할 것이다. 건강을 위해 운동을 하고 싶을 때 집 안에서 스크린을 마주하고 받는 사이클 수업이 실외 수업에서 다른 사람들과 함께 사이클을 탈 때 느끼는 즐거움과 비교할 수는 없더라도 더 안전하고 저렴한 운동 방법이라고 판단할 수 있다. 회의 참가를 위한 출장(온라인 화상회의 플랫폼인 줌Zoom이 더 안전하고, 더 저렴하고, 더 친환경적이고, 훨씬 더 편리하다), 주말 가족 모임에 참석하기 위한 장거리 운전(메신저 애플리케이션인 왓츠앱WhatsApp을 이용한 가족 모임이 별로 재미는 없더라도 역시 더 안전하고, 더 저렴하고, 더 친환경적이다)이나 심지어 학술 강좌 참석(성취감은 덜하더라도 더 저렴하고, 더 편리하다)과 같은 다른 많은 분야에서도 같은 생각을 할 수 있다.

●   규제 당국

직업적·개인적인 생활에서 일어나는 디지털화는 규제 당국에 의해 지지되고 가속화될 것이다. 지금껏 각국 정부는 종종 최선의 규제 틀이 어떠해야 할지에 대해 장고長考하느라 신기술 채택 속도를 늦췄지

만, 현재 원격진료와 드론 배송 사례가 보여주듯이 필요에 따라 채택 속도를 극적으로 높이는 게 가능해졌다. 기술 이용 영역의 확장을 수년간 가로막아왔던 규제가 봉쇄 기간 중 갑자기 완화됐다. 더 낫거나 다른 선택이 없었기 때문이다. 생각지도 못했던 일이 갑자기 가능해지면서, 우리는 원격진료가 얼마나 쉽고 편리한지 경험한 환자나 원격진료를 허가한 규제 당국 중 누구도 원격진료 중단을 원하지 않을 거라고 확신할 수 있게 됐다. 새로운 규제가 앞으로도 그대로 유지될 것이다. 같은 맥락에서, 미국 연방항공청Federal Aviation Authority뿐만 아니라 다른 나라의 규제 당국에서도 드론 배송 규제 완화를 패스트트랙으로 처리하는 방안이 추진되고 있다. 어떤 일이 있어도 '비대면 경제contactless economy'를 추진해야 하는 현재의 시급함과 추진 속도를 높이려는 규제 당국의 의지를 보면, 앞으로 추진을 가로막는 어떤 제약도 사라질 것으로 전망된다. 모바일 결제처럼 일상적으로 광범위하게 규제를 받는 분야도 마찬가지다. 진부한 예를 하나 들자면 2020년 4월 봉쇄가 한창일 때 유럽 은행 규제 당국은 쇼핑객들이 모바일 기기를 사용하여 결제할 수 있는 금액을 늘리는 동시에 이전에 페이팔PayPal이나 벤모Venmo와 같은 플랫폼을 사용해 결제하기 어렵게 만들었던 인증 요건을 줄이기로 했다. 우발적인 사이버 보안 문제가 터질 수는 있겠지만, 이러한 움직임은 일상생활에서 디지털 '유행' 속도를 높여주기만 할 것이다.

어떤 형태로든 코로나19가 잠잠해진 뒤에도 사회적·물리적 거리두기 조치가 당분간 유지될 가능성이 있는데, 그럴 경우 여러 산업에서 자동화 속도를 높이려는 기업들의 결정이 정당화될 것이다. 얼마 안 가 사회가 긴밀한 인적 접촉을 최소화하는 쪽으로 직장 구조조정의 필요성을 강조하면서 '기술 실업'을 둘러싸고 계속됐던 걱정도 수그러들 것이다. 실제로, 자동화 기술은 사람들이 다닥다닥 붙어 있을 수 없거나 상호 접촉을 줄이려는 세계에 특히 잘 어울린다. 따라서 오랫동안 이어져 왔고, 앞으로도 지속될지 모를 코로나19 등의 바이러스에 감염될지 모른다는 걱정은 특히 자동화에 가장 취약한 분야에서 강력하게 자동화의 행진 속도를 끌어올릴 것이다. 2016년 두 명의 옥스퍼드대학교 학자들은 2035년까지 요식업 일자리의 최대 86%, 소매업 최대 75%, 유흥업 최대 59%가 자동화될 수 있다는 결론을 내렸다.[123] 이 세 산업은 코로나19의 타격이 가장 컸고, 위생과 청결 문제로 자동화가 필요하기 때문에 디지털화 속도가 더욱 빨라질 것으로 예상되는 산업에 속한다. 자동화 확대를 뒷받침해주는 또 다른 현상이 있는데, 그것은 '사회적 거리두기'에 이어 시행될지 모를 '경제적 거리두기economic distancing'다. 국가들이 국수적으로 변하고 세계적 기업들이 초효율적이지만 매우 취약한 공급망을 축소함에 따라 비용을 낮추면서 더 많은 국내 생산을 가능하게 해주는 자동화와 로봇의 수요가 급증할 것이다.

자동화 과정은 오래전부터 시작되었지만 이번에도 역시 중요한 문제는 변화와 전환의 가속도와 관련이 있다. 코로나19는 직장에서의 자동화뿐 아니라 개인적·직업적 삶 속에서 추가적으로 로봇 도입 시기를 앞당길 것이다. 봉쇄가 시작되면서부터 인간의 노동력을 이용할 수 없을 때 로봇과 AI가 '자연적으로' 대안이 되었다. 아울러 직원들 간 감염 위험을 낮추기 위해 수시로 사용되었다. 물리적 거리두기가 의무화된 시대에 창고, 슈퍼마켓, 병원과 같은 다양한 장소에서 선반 스캐닝(AI가 엄청나게 활약하는 영역)부터 청소, 배송 업무에까지 로봇이 배치되었다. 특히 로봇 배송은 조만간 의료 공급망의 중요한 구성 요소가 되고, 뒤이어 식료품과 필수품의 '비대면' 배송을 담당할 것이다. 원격진료처럼 채택에 우여곡절을 겪고 있는 다른 많은 기술 분야에선 현재 기업, 소비자, 공공 기관이 로봇 배송 채택 속도를 대폭 끌어 올리기 위해 서두르고 있다. 항저우, 워싱턴 DC, 텔아비브처럼 다양한 도시들에서 시범 프로그램에서 벗어나 배송 로봇들이 실제로 도로 위와 하늘에서 배송하는 대규모 작전을 펼치기 위해 노력 중이다. 알리바바Alibaba와 징동닷컴jd.com 같은 중국의 전자상거래 대기업들은 코로나19 사태 전에 예상됐건 것보다 훨씬 이른, 앞으로 12~18개월 안에 중국에서 로봇을 이용한 자율 배달autonomous delivery이 확산될 것으로 자신하고 있다.

자동화의 가장 대표적인 얼굴이란 점에서 산업용 로봇에 관심이 집중되는 경우가 종종 있지만, 소프트웨어와 기계학습을 통한 작업장 자동화 역시 급격히 속도가 붙고 있다. 줄여서 이른바 RPA로 불리는 '로봇 프로세스 자동화Robotic Process Automation'는 기업이 사람 노동자의 작업을 대체하는 컴퓨터 소프트웨어를 설치함으로써 더욱 효율적으로 돌아가게 해준다. 이는 서로 다른 보고서와 도구와 콘텐츠를 자동화된 역할 기반의 개인화된 포털로 통합하고 단순화하는 마이크로소프트의 재무 부문에서부터 기존 데이터베이스와 비교하여 담당 직원들에게 일어날지 모를 문제를 경고해주기 위해 AI 엔진에 파이프라인 사진을 전송해주는 소프트웨어를 설치하는 정유 회사에 이르기까지 여러 가지 형태를 띤다. 모든 경우에 RPA는 데이터 수집과 검증에 드는 시간을 줄여줌으로써 비용도 절감해준다. 단, 이로 인해 '경제적 리셋' 부분에서 언급한 바와 같이 실업률이 올라갈 가능성이 있다. 코로나19 사태 이후 RPA는 급증한 데이터의 효율적 처리 능력을 입증해주면서 유명해졌다. 그렇게 인정받은 이상, 포스트코로나 시대에 RPA는 빠르게 보급되고 퍼져 나갈 것이다. RPA 솔루션은 일부 병원이 코로나19 검사 결과를 알리는 데 도움을 줌으로써 간호사들의 근무 시간을 하루 최대 3시간 정도까지 줄여줬다. 비슷한 맥락에서, 일반적으로 온라인에서 고객의 요청을 응대하는 데 쓰이는 AI 디지털 장치는 의료 디지털 플랫폼이 온라인으로 환자에게 코로나19 증세가 있는지를 검사하는 걸 돕는 데 이용됐다. 이러한 모든 이유로, 컨설팅 회사인 베인앤드컴퍼니Bain & Company는 비즈니스 프로세스 자동화를 시행하는 기업 수가 향후 2년 동안 두 배로 증가할 것으로 추정하는데, 코로나19가 이 시간을 더 단축시킬 수도 있다.[124]

접촉자 추적과 감시
Contact Tracing, Contact Tracking and Surveillance

코로나19에 보다 효과적으로 대처했던 국가들, 특히 아시아 국가들로부터 디지털 기술이 코로나19 대응에 도움이 된다는 중요한 교훈을 얻을 수 있다. 성공적인 접촉자 추적이 코로나를 막는 성공적인 전략의 핵심임이 입증되었다. 봉쇄가 코로나바이러스 '복제 비율 reproduction rate(한 사람이 새로운 감염자를 만들어낼 기댓값 – 옮긴이 주)'을 줄이는 데 효과적이지만, 그것만으로 팬데믹 위협을 완전히 없앨 수는 없다. 게다가 봉쇄는 피해를 감당하기 힘들 만큼 큰 경제적·사회적 대가를 치러야 한다. 효과적인 치료법이나 백신 없이는 코로나19와 싸우기 매우 힘들며, 그런 치료법이나 백신이 나올 때까지 바이러스 전염을 줄이거나 막는 가장 효과적인 방법은 광범위한 검사에 이은 확진자 격리, 접촉자 추적, 그리고 감염된 사람과 접촉한 사람의 검역 조치다. 지금부터 보게 되겠지만 이 과정에서 기술은 공중보건 공무원들이 코로나19 확진자를 신속히 찾아냄으로써 확산 전 발발을 억제할 수 있게 해주는, 엄청나게 손쉬운 방법이 될 수 있다.

따라서 접촉자 추적은 코로나19에 대한 공중보건 차원의 대응에 꼭 필요하다. 접촉자 추적을 영어로 보통 '콘택트 트레이싱contact tracing'이나 '콘택트 트래킹contact tracking'이라고 하는데, 두 용어를 혼용하기도 하지만 사실은 의미가 약간 다르다. 예를 들어, 트래킹 앱 같은 단어에 사용됐을 때처럼 트래킹은 GPS 좌표나 이동통신 이용 위치가 모인 지오데이터geodata를 통해 사람의 현재 위치를 파악함으로써 실시간으로 정보를 얻는 걸 말한다. 이와 달리 트레이싱은 블루투스를 쓰는 사람들 사이의 물리적 접촉을 찾아내듯이 일정 시간 경과 후 필요한 정보를 얻는다는 뜻이다. 둘 다 코로나19 확산을 완전히 멈출 수 있는 기적의 해결책은 아니지만, 지역사회나 가족 모임 같은 슈퍼 확산 환경에서 코로나19가 발발할 경우 즉각적으로 경보를 울리는 작용을 해 조기 개입을 통해서 확산을 제한하거나 억제할 수 있게 해준다.

가장 효과적인 추적 형태는 단연코 기술을 이용한 추적이다. 기술은 휴대폰 사용자가 접촉한 모든 사람들을 역추적할 수 있게 해줄 뿐만 아니라 사용자의 실시간 이동 경로를 추적해서 엄격한 봉쇄 조치를 시행하고 감염자 주변의 다른 모바일 사용자에게 감염자와의 접촉 위험을 경고해줄 수 있게 해준다.

디지털 추적이 공중보건 측면에서 가장 민감한 문제 중 하나가 되어 전 세계적으로 사생활에 대한 심각한 우려를 불러일으킨 것은 이제 그닥 놀랍지 않다. 코로나19 초기 단계에서 많은 국가들(대부분 동아시아 국가들이지만 이스라엘 같은 나라들도 포함된다)은 여러 다른 형태의 디지털 추적을 활용하기로 결정했다. 그들은 코로나19 감염자의 이동을 막고, 후속적인 격리나 부분적인 봉쇄 조치를 시행하기 위해 과거 전염 경로를 역추적하는 방식에서 벗어나 실시간 이동 추적 방식으로 전환했다. 한국, 중국, 홍콩은 처음부터 아예 사생활 침해적인 디지털 추적 조치를 강제로 시행했다. 이들 나라들은 동의 없이 모바일과 신용카드 데이터를 통해 개인 이동 경로를 추적하기로 결정했고 한국은 심지어 비디오 감시 방법도 동원했다. 또 홍콩 등 일부 국가들은 감염 위험이 큰 사람들에게 경고해주기 위해 해외여행을 다녀온 사람들과 격리 상태에 있는 사람들의 전자 팔찌 착용을 의무화했다. 다른 나라들은 위치를 추적하고, 규정 위반 시 공개적으로 찾아낼 수 있게 격리된 개인은 휴대폰을 소지하게 하는 '절충안'을 채택했다.

가장 칭찬받고 화제가 된 디지털 추적 솔루션은 싱가포르 보건부가 만든 코로나19 예방 및 감염자 동선 추적에 활용하는 모바일 앱인 '트레이스투게더TraceTogether'다. 이 앱은 사용자 데이터를 서버가 아닝 휴대폰에 보관하고, 익명으로 로그인을 할 수 있게 함으로써 효율성과 사생활 침해 우려 사이에 '이상적인' 균형을 잡은 것으로 평가된다. 접촉자 탐지는 최신 버전의 블루투스에서만 작동한다. 따라서 대부분의 휴대폰에 효과적인 탐지를 위해 필요한 블루투스 기능이 갖춰져 있지 않은, 디지털화가 덜 진행된 많은 선진국에서는 앱 사용이 명백히 제한된다. 블루투스는 약 2m 이내에서 앱 사용자가 다른 앱 사용자와 물리적으로 접촉했는지를 정확하게 식별하고, 코로나19 전염 위험이 생기면 앱은 해당 접촉자에게 경고해준다. 단, 이때 저장된 데이터를 의무적으로 보건부로 전송해야 하나 접촉자의 익명성은 유지된다. 따라서 트레이스투게더는 사생활을 침해하지 않고 지켜주고, 전 세계 어느 나라든 오픈소스로 코드를 이용할 수 있다. 하지만 사생활 보호론자들은 여전히 사생활 침해 위험이 있다며 트레이스투게더 사용을 반대한다. 한 나라의 전체 인구가 그것을 다운받고, 이후 코로나19 감염자가 급증한다면 트레이스투게더는 결국 대부분의 시민을 식별할 수 있게 된다는 것이다. 사이버 침입, 시스템 운영자에 대한 신뢰 문제, 데이터 유지 시점이 모두 사생활과 관련된 추가적인 문제를 제기한다.

다른 선택지도 존재한다. 이는 주로 공개되고 검증 가능한 소스 코드의 가용성 및 데이터 감독과 보존 기간에 대한 보증과 관련된다. 특히 많은 시민들이 코로나19로부터 건강을 지키기 위해 어쩔 수 없이 사생활을 포기하는 상황이 될까 두려워하는 EU에서 공통적인 기준과 규범이 채택될 수 있다. 그러나 마르그레테 베스타게르Margrethe Vestager EU 경쟁담당 집행위원이 말한 것처럼 될 수도 있다.

나는 그것이 잘못된 딜레마라고 생각한다. 사생활을 침해하지 않는 기술로도 정말로 많은 일을 할 수 있기 때문이다. 나는 사람들이 한 가지 방법으로만 할 수 있다고 말할 때 그들이 사적 목적을 위해 데이터를 쓰길 원하기 때문이라고 생각한다. 우리는 일련의 지침을 만들었고, EU 회원국들과 함께 그것을 연장통에 옮겨놓아 당신이 블루투스 기술을 써서 데이터를 분산 저장하는 앱을 자발적으로 이용할 수 있게 해놓았다. 당신은 기술을 이용해 바이러스를 추적할 수 있지만, 여전히 사람들에게 선택의 자유를 줄 수 있다. 그리고 그렇게 함으로써 사람들은 기술이 바이러스 추적 외 다른 어떤 목적도 개입시키지 않았다고 믿게 된다. "기술을 사용할 때 그것을 신뢰할 수 있어야 한다"라거나 "이것이 새로운 감시 시대의 시작이 아니다"라고 말할 때 진심을 보여주는 노력이 필요하다고 생각한다. 기술이 바이러스 추적용이고, 이것이 개방 사회를 만드는 데 도움이 될 수 있다는 것을.[125]

재차 말하지만, 우리는 지금 빠르게 움직이고 매우 변동성이 큰 상황에 있다는 걸 강조하고 싶다. 보건 당국과 바이러스에 감염된 사람의 이동 경로와 접촉자를 역추적하는 데 이용할 수 있는 앱을 개발하기 위해 협력하고 있다는, 4월 나온 애플과 구글의 발표는 데이터 프라이버시에 대해 가장 우려하고, 무엇보다 디지털 감시를 두려워하는 사회에게 빠져나갈 수 있는 길이 있음을 알려준 것이다. 휴대폰을 소지한 사람은 자발적으로 앱을 다운로드하고 데이터 공유에 동의해야 하는데, 양사는 사생활 보호 지침을 준수하지 않는 보건 기관에는 기술을 제공하지 않을 것임을 분명히 밝혔다. 그러나 자발적인 접촉자 추적 앱에도 문제가 있다. 이 앱이 사용자들의 사생활을 보호하더라도 참여 수준이 충분히 높아야만 보호 효과가 있다는 것이다. 이는 개인주의적인 권리와 계약 의무 이면에 심오하게 얽혀 있는 현대생활의 성격을 분명히 보여주는 집단행동과 관련된 문제다. 사람들이 시스템을 감시하는 정부 기관에 개인 데이터를 제공하기를 꺼린다면, 어떤 자발적인 접촉자 추적 앱도 효과적으로 작동하지 못한다. 누구라도 앱 다운로드를 거부함으로써 감염 가능성, 동선, 접촉자에 대한 정보를 주지 않으려고 한다면 모든 사람들이 부정적인 영향을 받게 된다. 결국 시민들은 신뢰할 수 있다고 믿을 때 비로소 그 앱을 이용하게 되는데, 이때는 정부와 공권력에 대한 신뢰가 변수다. 2020년 6월 말 현재, 등장한 지 얼마 안 된 추적 앱에 대한 반응은 엇갈렸다. 보급한 나라는 30곳도 안 된다.[126] 유럽에서는 독일과 이탈리아 등 일부 국가가 애플과 구글이 개발한 시스템을 기반으로 한 앱을 출시했고, 프랑스 등 다른 나라들은 자체 앱을 개발하기로 함으로써 정보 처리의 상호운용성interoperability 문제가 불거졌다. 일반적으로 기술적 문제와 사생활 보호에 대한 우려가 앱의 사용과 채택률에 영향을 미치는 것으로 보인다. 몇 가지 예를 들어보자면, 영국은 기술적인 결함들의 등장과 사생활 보호 운동가들의 비난으로 정책을 선회해 국내에서 개발한 접촉자 추적 앱을 애플과 구글이 제공하는 모델로 대체하기로 결정했다. 노르웨이는 사생활 침해 우려로 앱 사용을 중단한 반면, 프랑스에서는 출시 3주 만에 스탑코비드StopCovid 앱의 보급을 중단했다. 앱을 설치한 사람이 190만 명에 불과할 정도로 채택률이 낮자 그것을 깔았던 사람도 삭제해버리는 경우가 많았다.

오늘날 전 세계에 약 52억 대의 스마트폰이 존재하는데, 스마트폰은 누가 어디에서, 그리고 종종 누구에 의해 감염되는지를 알아내는 데 도움을 줄 수 있는 잠재력을 가지고 있다. 코로나19 위기 같은 전례 없는 기회는, 미국과 유럽에서 봉쇄 기간 중 실시된 다양한 조사들이 왜 공공 기관의 스마트폰 추적을 선호하는 시민들이 늘어나고 있음을 보여주는지에 대해 설명해줄 수 있을 것이다. 그러나 언제나 그렇듯이, 정책과 그것의 실행을 둘러싼 아주 세세한 부분에서 큰 문제가 생긴다. 디지털 추적이 의무적이어야 하는지 자발적이어야 하는지, 데이터가 익명으로 수집되어야 하는지 개인적 기반에서 수집되어야 하는지, 정보가 사적으로 수집되어야 하는지 공개적으로 드러나야 하는지 같은 질문들이 다양한 흑백논리의 질문들인 이상, 모두가 통합된 디지털 추적 모델에 동의하기 매우 어렵게 만든다. 이러한 모든 질문들과 그들이 야기할 수 있는 불안감은 전국적 재개방 초기 단계에서 나타난 직원들의 건강을 추적하는 기업이 늘어나면서 더욱 커졌다. 질문들은 코로나19 팬데믹이 지속되고, 다른 가능한 팬데믹에 대한 두려움이 고개를 들면서 계속해서 더 적절하게 변할 것이다.

코로나19 사태가 잦아들고 사람들이 일터로 복귀하기 시작하면서 기업은 감시를 더 강화해나가는 쪽으로 움직일 것이다. 좋든 나쁘든, 기업은 직원들이 하는 일을 지켜보고 때로는 기록할 것이다. 이러한 추세는 열화상 카메라로 체온을 재는 것부터 직원들이 사회적 거리두기를 어떻게 준수하는지를 앱을 통해 모니터링하는 것까지 다양한 형태를 취할 수 있다. 이것이 심각한 규제와 사생활 침해 문제를 야기할 수밖에 없는데, 많은 기업들은 새로운 감염(그리고 경우에 따라서는 책임을 져야 할) 위험에 대처하기 위해 디지털 감시 수위를 높이지 않고서는 경영을 재개할 수 없다고 주장함으로써 이러한 문제를 부인할 것이다. 감시 강화의 명분으로 건강과 안전을 들먹이는 것이다.

국회의원, 학계, 노동조합원들은 코로나19 위기 이후와 심지어 마침내 백신이 개발됐을 때에도 감시 도구가 계속 유지될 가능성에 대해 부단히 우려를 제기한다. 일단 감시 시스템이 설치되면 고용주는 그것을 없애고 싶은 마음이 들지 않을 것이기 때문이다. 특히 감시가 주는 간접적 혜택 중 하나가 직원들의 생산성을 점검할 수 있다는 것이라면 더더욱 그렇다.

2001년 9월 11일 테러 공격 이후 바로 그런 일이 벌어졌다. 전 세계적으로 광범위하게 카메라를 설치하고, 전자 신분증을 요구하고, 직원이나 방문객의 출입을 기록하는 등의 새로운 보안 조치가 표준화되었다. 당시에는 이런 조치들이 극단적으로 여겨졌으나 오늘날에는 어디서나 취해지고 있는 '정상적' 조치들로 간주된다. 코로나19를 막기 위해 시행된 기술 솔루션도 그렇게 될 거라 우려하는 분석가, 정책 입안자, 보안 전문가들이 점점 더 늘어나고 있다. 그들은 우리 앞에 디스토피아적 세계가 펼쳐질 것으로 예상한다.

디스토피아 위험

The Risk of Dystopia

정보통신 기술이 우리 삶의 거의 모든 측면과 모든 사회 참여 형식에 스며들면서 디지털 경험도 행동을 감시하고 예측하는 게 목적인 '상품'으로 바뀔 수 있다. 디스토피아 도래의 위험은 다음 관찰 결과에서 비롯된다. 지난 몇 년 동안, 디스토피아는 《시녀 이야기The Handmaid's Tale》 같은 소설에서부터 TV 시리즈물인 〈블랙 미러Black Mirror〉에 이르기까지 수많은 예술 작품의 소재가 되었다. 학계에서는 쇼샤나 주보프Shoshana Zuboff 하버드경영대학원 교수 등 학자들의 연구에서 디스토피아란 용어가 등장한다. 주보프는 저서 《감시 자본주의Surveillance Capitalism》에서 '감시 자본주의'가 지식과 지식이 있어야 생기는 힘의 반민주적 비대칭성을 만들어냄으로써 경제, 정치, 사회뿐 아니라 우리 자신의 삶을 변화시키며 고객들을 데이터 소스로 재창조하고 있는데 대해 경고한다.

앞으로 몇 달이나 몇 년 동안 공중보건이 주는 혜택과 사생활 손실 사이의 트레이드오프는 진지한 고민거리가 되면서 열띤 토론의 주제가 될 것이다. 코로나19가 가하는 위험을 두려워하는 사람들은 대부분 "코로나19로 생사가 걸려 있는 상황에 기술이 가진 힘을 통해서 우리를 구하려고 하지 않는 게 되려 어리석은 일이 아닌가?"란 질문을 던질 것이다. 그러한 상황에선 사람들이 사생활의 많은 부분을 기꺼이 포기하고 공권력이 개인의 권리를 정당하게 무력화시킬 수 있다는 점에 동의할 것이다. 그러다가 위기가 끝났을 때 자기 나라가 갑자기 더 이상 살고 싶지 않은 곳으로 변했다는 사실을 깨닫는 사람도 생길 것이다. 이런 사고 과정은 낯설지 않다. 지난 몇 년 동안 정부와 기업 모두 시민과 직원들을 감시하고 때로는 조종하기 위해 정교한 기술을 점점 더 자주 활용해왔다. 사생활 보호 옹호자들은 우리가 바짝 경계하지 않으면 코로나19가 감시 역사에 중요한 분수령이 될 것이라고 경고한다.[127] 기술이 개인적 자유를 억압하는 걸 무엇보다 두려워하는 사람들이 내세우는 주장은 단순명료하다. 다름 아니라 9.11 테러 공격 이후 시민들의 안전을 보호한다는 명목으로 더 광범위하고 영구적인 보안 활동이 시작됐듯이, 공중보건이란 명목으로 팬데믹 확산을 억제하기 위해 일부 사생활을 포기시킬 거란 주장이다. 그렇게 된다면 우리는 부지불식간에 불순한 목적을 위한 정치적 수단으로 용도가 바뀔 수 있는 새로운 감시 권력에 희생될 것이다.

지금까지 여러 페이지를 할애해 설명했듯이, 코로나19 팬데믹을 계기로 위치 탐지 스마트폰과 얼굴 인식 카메라, 감염원을 확인하고 질병의 확산을 준실시간으로 추적하는 기술 등을 활용해 능동적인 건강 감시 시대가 시작될 수 있을 것이다.

몇몇 국가가 기술의 힘을 통제하고 감시를 제한하기 위해 취하는 온갖 주의 조치에도 불구하고(이 정도로 걱정하지 않는 국가들도 있다), 일부 사상가들은 오늘날 우리가 성급히 내리는 몇 가지 선택들이 앞으로 몇 년 동안 우리 사회에 미칠 영향에 대해 걱정한다. 역사학자 유발 노아 하라리Yuval Noah Harari가 대표적이다. 그는 최근 한 기사를 통해 전체주의적 감시와 시민 권한 강화 사이에서 근본적인 선택을 해야 한다고 주장했다. 그의 주장은 자세히 살펴볼 만한 가치가 있다.

감시 기술은 무서운 속도로 발전하고 있으며, 10년 전 공상과학소설에 나왔을 법한 일이 오늘날엔 낡은 뉴스가 됐다. 머릿속에서 생각으로만 진행하는 '사고 실험'을 한다고 치고, 모든 시민이 하루 24시간 내내 체온과 심박수를 감시하는 생체 팔찌를 착용하도록 요구하는 가상 정부가 있다고 상상해보자. 그로 인해 얻은 데이터는 저장되어 정부 알고리즘에 의해 분석된다고 치자. 알고리즘은 심지어 당신보다 먼저 당신이 아픈지를 알 것이고, 또 당신의 행선지와 만난 사람도 알 것이다.

감염 사슬은 대폭 단축되고 심지어는 완전히 끊길 수도 있다. 그러한 시스템은 틀림없이 수일 내에 전염병을 즉각 종식시킬 수 있을 것이다. 멋지게 들리지 않는가? 물론 단점은 이것이 끔찍한 새로운 감시 체계에 정당성을 부여해줄 수 있다는 점이다. 예를 들어, 내가 CNN 링크가 아닌 폭스 뉴스 링크를 클릭했다는 것을 안다면, 당신은 내 정치적 견해 혹은 내 성격에 대해 뭔가를 알 수도 있다. 하지만 당신이 비디오를 보고 있는 나의 체온, 혈압, 심박수가 어떻게 변하는지 관찰할 수 있다면 무엇이 나를 웃고 울게 만들고 무엇이 나를 정말로 화나게 만드는지 알 수 있을 것이다. 분노, 기쁨, 권태와 사랑은 열과 기침 같은 생물학적 현상이라는 사실을 기억할 필요가 있다. 기침을 판별하는 것과 동일한 기술로 웃음도 판별할 수 있다. 기업과 정부가 우리의 생체 정보를 일괄적으로 수집하기 시작하면, 그들은 우리가 우리 자신에 대해 아는 것보다 훨씬 더 많이 우리에 대해 알게 될 것이고, 그러면 그들은 우리의 감정을 예측할 수 있고, 우리의 감정을 조종하고 그들이 원하는 모든 것을 우리에게 팔 수 있다. 제품이든 정치인이든 말이다. 생체 인식 모니터링은 영국 데이터 분석 회사인 케임브리지 애널리티카Cambridge Analytica의 데이터 해킹 전술을 석기 시대의 유물로 보이게 만들 것이다. 모든 시민이 하루 24시간 생체 팔찌를 차고 다녀야 하는 2030년도의 북한을 상상해보라. 당신이 위대한 수령의 연설을 들었는데 팔찌가 당신이 숨기지 못한 분노

신호를 잡아낸다면 당신은 끝장이다.[128]

우리는 경고를 받을 것이다. 예브게니 모로조프Evgeny Morozov 같은 일부 사회 평론가들은 한 걸음 더 나아가 코로나19 팬데믹이 기술 전체주의 국가 감시라는 어두운 미래를 열어줄 거라고 확신하고 있다. 그는 2012년 쓴 저서에서 소개한, 모든 사회 문제를 기술로 어렵지 않게 해결할 수 있다는 '기술적 솔루셔니즘technological solutionsim'이라는 개념을 전제로 "코로나19를 억제하기 위해 제안된 기술 '솔루션'이 필연적으로 감시 수준을 한 단계 끌어올릴 수밖에 없다"고 주장한다. 그는 직접 찾아낸 정부의 팬데믹 대응 방식에 대한 두 가지 '솔루셔니즘'으로부터 자신의 주장을 뒷받침할 증거를 보았다. 한쪽에선 앱을 통해 감염에 관한 올바른 정보에 적절하게 노출되는 사람들은 공공의 이익에 맞게 행동하게 된다고 믿는 '진보적 솔루셔니스트들'이 보였다. 다른 한쪽에선 방대한 디지털 감시 인프라를 활용해 우리의 일상 활동을 억제하고 어떤 위법 행위도 처벌하려고 하는 '징벌적 솔루셔니스트들'이 보였다. 모로조프가 우리의 정치 체제와 자유에 가장 심각하고 궁극적인 위험으로 인식하는 것은, 팬데믹을 감시하고 억제하는 기술의 '성공' 사례 때문에 솔루셔니스트들이 가진 기술 도구들이 불평등에서부터 기후변화에 이르는 다른 모든 실존적 문제를 해결하기 위한 기본 옵션으로 확고히 자리 잡을지 모른다는 점이다. 결국 이러한 위기의 근본 원인에 대해 까다로운 정치적 질문을 던지기보다 개인적 행동에 영향을 미치는 솔루셔니스트의 기술을 동원하기

가 훨씬 더 쉬운 법이다.[129)]

    평생 억압적인 권위에 저항했던 17세기 네덜란드의 철학자 스피노
자Spinoza는 "공포 없는 희망은 없으며, 희망 없는 공포도 없다"는 명언
을 남겼다. 필연적인 건 아무것도 없으므로 좋은 결과와 나쁜 결과를
모두 균형 있게 인식해야 한다는 이 가르침이야말로 이번 장을 마무
리하기에 적절한 말이다. 디스토피아 시나리오는 피할 수 없는 운명
이 아니다. 포스트코로나 시대에는 개인의 건강과 웰빙이 훨씬 더 중
요한 사회적 우선순위가 될 것이기 때문에 기술 감시 상태를 원래대
로 되돌릴 수는 없다. 그러나 집단적 가치와 개인의 자유를 희생하지
않고 기술을 개인적으로 통제하고 그것이 주는 혜택을 이용하는 것
은 통치자들과 우리 각자의 몫이다.

PART

02

MACRO RESET

MICRO RESET

INDIVIDUAL RESET

미시적 차원의 리셋
- 산업과 기업

미시적 차원, 즉 산업과 기업 차원에서 일어나는 '위대한 리셋'은 길고 복잡한 일련의 변화와 적응 과정을 수반할 것이다. 리셋에 직면했을 때, 일부 업계 리더와 고위 관계자들은 그것을 재시작의 기회로 간주하고, 이전의 '올드노멀old normal' 시대로 돌아가서 전통과 검증된 절차, 익숙하게 해왔던 방법 등 과거에 효과적이었던 것들을 회복시키고자 하는 욕구, 즉 '평범한 일상business as usual'으로 복귀하고 싶은 유혹을 받게 될지 모른다. 하지만 그건 불가능하다. '평범한 일상'은 코로나19로 인해 대부분 죽었거나 감염되었다고 봐야 한다. 일부 산업은 봉쇄와 사회적 거리두기 조치로 촉발된 경제 냉각으로 엄청난 타격을 받았다. 전례 없이 좁아진 수익성 회복의 길을 걷기도 전에 전 세계를 뒤덮고 있는 경제 불황 때문에 수익성 악화를 극복하는 데 어려움을 겪는 곳들도 많을 것이다. 포스트코로나 시대에 진입하는 대다수의 기업들에게는 새로운 일상인 '뉴노멀' 속에서 번창하기 위해 이전에 기능했던 것과 현재 필요한 것 사이에서 적절한 균형을 찾는 게 새로운 숙제가 될 것이다. 이러한 기업들에게 코로나19는 조직에 대해 재고해보고, 긍정적이고 지속 가능하며 영속적인 변화를 추구할 수 있는 유일한 기회다.

　무엇이 포스트코로나 시대 사업 환경의 '뉴노멀'을 정의할까? 기업들은 포스트코로나 시대에 성공을 위해 어떻게 과거의 성공과 현재 필요한 기본 요건 사이에서 최선의 균형을 찾을 수 있을까? 분명 각 산업이 코로나19로 받은 타격의 정도에 따라 구체적인 대응 방법은 다를 것이다. 포스트코로나 시대에는 강력한 순풍으로 인해 평균적으로 이익을 내는 몇 안 되는 분야(기술, 건강, 웰빙 분야가 가장 대표적이다)에서 활동하는 기업들을 빼고는 대응의 여정이 쉽지 않고 때로는 위협적일 것이다. 오락, 여행, 접대와 같은 일부 산업에선 가까운 미래에 코로나19 이전의 환경으로 돌아가는 건 상상하기 어려운 상황이다. 어떤 경우는 절대로 돌아가지 못할지도 모른다. 제조업이나 식품 등 다른 산업들은 포스트코로나 시대에 번창하는 방법을 찾기 위해서 충격에 적응하고, 디지털과 같은 일부 새로운 트렌드를 활용할 수 있는 방법을 찾는 게 더 중요하다. 크기도 차이를 만든다. 대기업에 비해 현금 보유액이 적고 수익률이 낮은 중소기업이 더 힘들어하는 경향이 있다. 앞으로 이들 중 대다수는 대기업 경쟁사들에 비해 불리한 비용-수익률cost-revenue ratio 문제를 해결해야 할 것이다. 그러나 융통성과 기민함이 적응 정도에 상당한 영향을 미칠 수 있는 오늘날의 세계에서 작다는 게 오히려 몇 가지 면에서 유리할 수 있다. 대기업보다 중소기업이 민첩하게 움직이기가 더 쉽기 때문에 그렇다.

　모든 상황을 감안해봤을 때 어떤 업계에서 어떤 특정한 상황에 처해 있느냐와 상관없이, 전 세계 거의 모든 기업의 의사결정자들은 비슷한 문제에 직면하고, 몇 가지 공통된 질문과 도전에 대응해야 한다. 가장 분명한 질문과 도전은 다음과 같다.

1. 원격근무가 가능한 사람들(미국 전체 노동자의 약 30%)에게 원격근무를 장려해야 할까?
2. 비행기 출장을 줄일 것인가? 온라인 회의로 대체할 수 있는 대면 회의가 얼마나 될까?
3. 더 빠르고 결단력 있게 움직이려면 사업과 의사결정 절차를 어떻게 바꿔야 할까?
4. 어떻게 하면 디지털화와 디지털 솔루션 채택 속도를 높일 수 있을까?

파트 1에서 논의한 거시적 차원의 리셋은 산업과 기업 차원에서 수많은 미시적 차원의 결과로 이어질 것이다. 코로나19로 인한 '승자와 패자'가 누구고, 그것이 특정 산업에 어떤 영향을 주는지를 살펴보기 전에 미시적 리셋 차원에서 일어난 몇 가지 주요 트렌드를 검토해보기로 하겠다.

CHAPTER 1

미시적 트렌드

MICRO TRENDS

디지털화의 가속
Acceleration of Digitization

지금은 포스트코로나 시대 초창기지만 강력하면서 새롭거나 가속
도가 붙은 트렌드가 이미 작동하고 있다. 이러한 트렌드 덕에 큰 혜택
을 누리는 곳도 있지만 반대로 이것이 큰 도전 과제가 되는 곳도 있
다. 그러나 모든 분야에 걸쳐 민첩하고 결단력 있게 적응함으로써 새
로운 트렌드를 최대한 활용하는 것은 각 기업의 몫이다. 최고의 민첩
성과 융통성을 증명하는 기업은 더 강하게 부상할 것이다.

코로나19 이전 시대에 '디지털 전환digital transformation'은 대부분의 이
사회와 집행위원회가 외워대는 주문과 같았다. 디지털 전환은 절대적
으로 구현해야 하는, 성공에 필수적인 전제 조건으로 여겨졌다! 코로

나19 발발 이후로 불과 몇 달 만에 주문은 반드시 이뤄내야 하는 것이 되었다. 심지어 일부 기업 입장에선 생사의 문제가 되기도 한다. 왜 그렇게 됐는지 설명도 이해도 가능하다. 봉쇄 기간 중 일과 교육에서 사회화에 이르기까지 대부분의 일을 하는 데 있어 인터넷에 전적으로 의존했다. 정상적인 상태를 유지할 수 있게 해준 것이 바로 온라인 서비스이다. 온라인이 무엇보다 보편적인 광대역 인터넷, 모바일 및 원격 결제, 그리고 전자정부 서비스 등 원격으로 일을 할 수 있게 해주는 기술과 프로세스에 엄청난 힘을 실어주면서 코로나19 팬데믹으로 가장 큰 수혜를 입었다. 이로 인한 직접적인 결과로 이미 온라인에서 영업하고 있던 기업들은 지속적으로 경쟁 우위를 누릴 수밖에 없다. 모바일과 컴퓨터를 통해 점점 더 많고 다양한 물건과 서비스가 우리에게 전달됨에 따라 전자상거래, 비대면 경영, 디지털 콘텐츠, 로봇, 드론 배송 같은 다양한 분야에 종사하는 기업이 번창할 것이다. 몇 가지 예를 들자면 그렇다. 알리바바, 아마존, 넷플릭스, 줌과 같은 기업이 봉쇄의 '승자'로 떠오른 건 필연적이다.

소비자 부문은 대체로 가장 먼저, 그리고 가장 빨리 움직였다. 봉쇄 기간 중 많은 식품 및 소매업체가 필요에 의해 겪게 된 비대면 경험에서부터 고객이 가장 마음에 드는 물건을 탐색하고 선택할 수 있게 해주는 제조업계의 가상 전시장에 이르기까지, '기업과 소비자 간 전자거래business to consumer'를 전문으로 하는 기업들 대부분은 고객에게 처음부터 끝까지 디지털 여행을 시켜줘야 할 필요성을 재빨리 이해했다.

봉쇄 조치가 일부 마무리되고 경제도 일부 되살아나면서 특히 조립 라인처럼 종종 까다로운 환경 속에서 예고 없이 물리적 거리두기 규칙을 시행해야 하는 제조업에서도 '기업과 기업 간 전자거래business to business' 적용 차원에서 비슷한 기회가 생겨났다. 그로 인한 직접적인 결과로 IoT가 인상적인 입지를 다지게 되었다. 최근 봉쇄 전까지만 해도 IoT 도입에 미온적이었던 일부 기업들은 원격으로 최대한 많은 일을 하겠다는 구체적인 목표를 정하고 IoT를 대거 수용하고 있다. 이제 장비 유지 보수, 재고 관리, 공급업체와의 관계 유지, 안전 전략 수립 등의 모든 다양한 활동을 상당 부분 컴퓨터를 통해 수행할 수 있게 됐다. IoT는 기업들에게 사회적 거리두기 규정을 실행하고 준수할 뿐만 아니라 비용을 절감하고 보다 민첩하게 운영할 수 있는 수단을 제공해준다.

코로나19 팬데믹 절정기에는 'online to offline'을 줄여 'O2O'로 불리는 온라인 기반 오프라인 서비스가 온라인과 오프라인 사업을 모두 유지하는 게 중요하다는 사실을 부각시키며, 온라인으로 향하는 문(혹은 심지어 수위 조절도 가능한 수문)을 열어주면서 큰 주목을 받았다. 사이버 공간이 가차 없이 개방되면서 "우리의 세계가 뒤집히고 있다"[130]고 말한 유명한 공상과학소설 작가 윌리엄 깁슨William Gibson이 알아낸 대로 온라인과 오프라인 사이의 구분이 흐려지는 현상이 포스트코로나 시대의 가장 강력한 트렌드 중 하나로 떠올랐다. 코로나19 위기로 교육, 컨설팅, 출판과 그 외 다른 많은 경제활동들이 디지털로 이뤄질 수밖에 없는 경우가 점점 더 많아지자 우리도 자의 반 타의 반으로 그 어느 때보다도 빠르게 '무중력' 디지털 세계로 이동해야 했다는 점에서 위기는 이러한 '뒤집기' 현상을 가속화시켰다. 우리는 잠시 동안은 '순간 이동_{teleportation}'이 '교통 이동_{transportation}'을 대체했다고 말할 수 있다. 대부분의 실무위원회 회의, 이사회, 팀 회의, 브레인스토밍 과정, 그리고 다른 형태의 개인적 또는 사회적 교류가 원격으로 이루어져야 했다. 2020년 11월 말 현재 줌의 시가총액이 미국의 어떤 항공사 시가총액보다 높은 액수인 1,200억 달러 이상으로 불어났다는 사실이 이런 새로운 현실을 보여준다. 동시에 아마존과 알리바바 같은 대형 온라인 회사들은 특히 식품 소매업과 물류업의 O2O 사업을 대폭 확장했다.

봉쇄 기간 중 광범위하게 확산되었던 원격진료나 원격근무와 같은 트렌드가 둔화될 가능성은 낮다. 둘 다 코로나19가 유행하기 전 상태로 되돌아가는 일은 없을 것이다. 특히 원격진료는 상당한 혜택을 누릴 것이다. 그럴 만한 분명한 이유가 있긴 하지만, 의료는 세계에서 가장 규제가 심한 산업 중 하나인데 그런 규제로 인해 필연적으로 혁신 속도가 늦어질 수밖에 없는 것도 사실이다. 그러나 수단과 방법을 가리지 않고 코로나19 사태에 대처해야 할 필요성(그리고 발병 기간 중 의료업계 종사자들이 원격으로 일할 수 있게 함으로써 그들을 보호해줘야 할 필요성) 때문에 원격진료 도입과 관련된 규제와 입법상의 장애 요인이 일부 제거됐다. 앞으로 원격진료는 확실히 더 늘어날 것이다. 이로 인해 건강 데이터를 추적하고 건강 분석을 수행할 수 있는 스마트 화장실처럼 웨어러블과 가정 내 진단법에 대한 관심이 높아지는 트렌드가 가속화될 것이다. 온라인 교육도 코로나19로 수혜를 입을 수 있다. 아시아에서는 온라인 교육으로의 전환이 속도를 내고 있다. 학생들의 디지털 등록이 급증하고, 온라인 교육 사업에 대한 평가가 훨씬 높아지고, 교육education과 정보통신기술technology을 결합한 에듀테크ed-tech 스타트업의 가용 자본이 늘어나고 있다. 이런 특별한 상황의 이면에 있는 전통적인 교육 방법을 제공하는 기관들에 대해서는 자신의 가치를 입증하고 수업료가 정당하다는 걸 보여달라는 압박이 커질 것이다.

팽창 속도는 숨 막힐 정도로 빠르다. "2019년 영국에서는 동영상 링크를 통한 1차 의료 상담 건수가 1%도 안 됐지만, 봉쇄 상태에선 상담이 100% 원격으로 이뤄지고 있다. 또 다른 예를 들자면, 2019년 미국의 한 유명 소매업체는 '온라인 주문 후 매장 인도curbside-delivery' 사업을 준비 중이었는데, 자리를 잡는 데 18개월은 걸릴 것으로 예상했었다. 그런데 봉쇄 기간 중 이 사업이 일주일도 안 되어 시행되면서 고객들에게 서비스를 제공할 수 있었고, 직원들도 생계를 유지할 수 있었다. 코로나19 사태로 인해 그 전에 10%였던 온라인 뱅킹 이용률은 90%로 급등했다. 은행들은 서비스 품질을 떨어뜨리지 않고 준법감시를 더 강화한 상태에서 온라인 뱅킹에만 국한되지 않는 고객 경험을 제공하고 있다."[131] 비슷한 예들은 차고도 넘친다.

코로나19 사태에 맞서 취해진 사회적 전파 늦추기 대응과 봉쇄 기간 중 취해진 물리적 거리두기 조치로 전자상거래가 어느 때보다도 강력한 산업 트렌드로 부상할 수 있다. 소비자들은 물건을 갖고 싶은데 밖에 나가 쇼핑할 수 없다면 불가피하게 온라인 쇼핑에 의존하게 된다. 이런 습관이 들기 시작하면 이전에 온라인 쇼핑을 해본 적 없는 사람들도 쉽게 온라인 쇼핑에 접근하게 되고, 이전부터 종종 온라인 쇼핑을 했던 고객들이라면 아마도 더 의존할 것이다. 봉쇄 기간 중 이런 현상이 분명하게 나타났다. 미국에선 아마존과 월마트가 늘어나는 온라인 수요에 맞춰 총 25만 명의 인력을 고용하고 대규모 배송 인프라를 구축했다. 전자상거래 분야가 이처럼 빠르게 성장한다는 건 온라인 유통업계의 거물들이 코로나19 이전 시대보다 훨씬 더 강해져서 위기를 벗어날 가능성이 크다는 의미다. 다만 어떤 이야기에나 항상 양면성이 있다. 온라인 쇼핑 습관이 보편화됨에 따라 번화가와 쇼핑몰을 중심으로 영업하는 전통 소매업은 더욱 위축될 수 있다. 이러한 현상에 대해선 다음 섹션에서 더 자세하게 다룰 예정이다.

회복력 강한 공급망
Resilient Supply Chains

글로벌 공급망의 성격과 태생적 한계 때문에 다년간 공급망 단축에 대한 논쟁이 계속되어 왔다. 글로벌 공급망은 관리하기 복잡한 경향이 있다. 또 환경 기준과 노동법 준수 측면에서 감시하기가 어렵기 때문에 브랜드 평판과 이미지에 타격을 받을 위험도 있다. 코로나19는 '회복력보다 효율성에 대한 선호'로 요약해 말할 수 있는, 개별 부품 비용과 중요 자재의 단일 공급원에 따라 공급망을 최적화해야 한다는 원칙에 일격을 가했다. 포스트 팬데믹 시대에는 비용과 함께 회복력과 효율성을 모두 중시하는 '엔드투엔드 가치 최적화end-to-end value optimization'가 우세할 것이다. '비상사태에 대한 대비just-in-case'가 결국에는 '적기just-in-time' 공급 생산 방식을 대체하게 되는 공식이 전형적인 예다.

거시적 차원의 리셋을 다룬 파트에서 분석한, 코로나19로 글로벌 공급망에 가해진 충격은 글로벌 기업과 중소기업 모두에 영향을 미칠 것이다. 하지만 '비상사태에 대한 대비'란 게 실제로 무슨 뜻일까? 20세기 말에 개발된 세계화 모델(값싼 노동력과 제품과 부품 등을 찾아 헤매던 글로벌 제조업체가 구상하고 만든)이 한계에 부딪혔다. 그것은 글로벌 생산을 더욱 복잡한 이런저런 것들로 세분화시킨 뒤 낭비 요인을 최대한 줄이고, 효율적이긴 하나 동시에 엄청나게 복잡해서 매우 취약하다(복잡함은 취약성을 유발하고, 종종 불안감을 낳는다)는 사실이 입증된 '적기' 공급망 기반 위에서 돌아가는 시스템을 낳았다. 그런 면에서 단순화가 해결책인데, 그러려면 더 많은 회복력을 키워야 한다. 다시 말해, 글로벌 교역의 약 4분의 3을 담당하는 '글로벌 가치 사슬'은 궁극적으로 쇠퇴하게 된다는 뜻이다. 쇠퇴 정도는 복잡한 적기 공급망에 의존하는 기업들이 WTO가 내건 관세 약속이 더 이상 급증하는 보호무역주의로부터 그들을 보호해줄 거라고 믿을 수 없는 새로운 현실 앞에서 더욱 심해질 것이다. 따라서 기업들은 공급망을 줄이거나 장기 혼란에 대비해 정교한 대체 생산이나 조달 계획을 수립해놓을 수밖에 없게 됐다. 적기 글로벌 공급망의 원칙에 따라서 수익성이 좌우되는 모든 기업은 운영 방식을 재고하고, '안정적 공급'과 회복력을 위해 효율성과 이윤을 극대화하겠다는 생각을 포기해야 할 수도 있다. 따라서 회복력은 특정 공급업체, 무역 정책의 가능한 변화, 특정 국가나 지역 등과 관련된 분열과 혼란을 피할 수 있는 방법을 고민하는 모든 기업에게 주요 고려 사항이 될 것이다. 현실적으로 봤을 때 기업은 이를 통해 재고 보유와 중복 구축 비용을 감수하더라도 공급 기반을 다변화해야 한다. 또한 기업의 내부 공급망에서도 다변화가 가능한지를 확인할 수밖에 없을 것이다. 기업은 그들의 최종 공급자와 심지어 공급자들의 공급자들까지 모두 거슬러 내려가듯 전체 공급망을 따라가며 회복력을 평가할 것이다. 생산비는 오르겠지만 이는 회복력을 쌓는 데 드는 대가다. 우선 자동차, 전자, 기계 산업의 생산 패턴이 최우선적으로 바뀔 것이기 때문에 가장 큰 영향을 받을 수 있다.

정부와 기업
Governments and Business

파트 1에서 자세히 설명한 여러 이유로 인해 코로나19는 공공과 민간 부문 사이의 게임의 규칙을 다시 썼다. 포스트코로나 시대에 기업은 과거보다 정부의 간섭을 훨씬 더 많이 받게 될 것이다. 기업의 생사와 사업 활동에 대한 정부의 개입 확대 여부는 국가와 산업마다 다를 것이므로 가지각색의 모습을 띨 것이다. 포스트코로나 시대 첫 몇 달 동안 강력하게 등장할 세 가지 주목할 만한 정부 개입 형태를 정리해놓았다. 그 세 가지는 조건부 구제금융, 공공 조달, 노동시장 규제다.

우선 부실 산업과 개별 기업들을 지원하기 위해 서구 경제에서 함께 동원한 모든 경기 부양책에는 특히 돈을 빌린 기업이 직원 해고와 자사주 매입, 임원 상여금 지급을 하지 못하도록 제한하는 계약이 포함될 것이다. 같은 맥락에서, 정부(운동가와 대중 심리에 의해 선동되고, 지지받고, 때로는 '압박'을 당하는)는 수상할 정도로 낮은 법인세율과 후한 임원 보상액을 감시 목표로 삼을 것이다. 정부는 기업이 자사주 매입 규모를 늘리고, 납부 세금을 최소한으로 줄이고, 막대한 배당금을 지불하도록 강요하는 고위 경영진과 투자자를 간과하지 않을 것이다. 최근 계속해서 거액의 회사 현금을 써가며 주주 배당금을 지급해놓고선 정부 지원을 요청해 비난받은 미국 항공사들은 정부가 어떻게 대중의 태도 변화를 주도할 수 있는지를 보여주는 대표적인 사례다. 아울러 향후 몇 달 내지 몇 년 내에 정책 입안자들이 민간 부문 채무 불이행 위험의 상당 부분을 떠맡을 때 '체제 변화regime change'가 일어날 수도 있다. 그럴 경우 정부는 그에 대한 보상으로 무언가를 원할 것이다. 독일 항공사 루프트한자Lufthansa를 지원한 독일 정부의 구제금융은 이런 변화된 상황을 잘 보여주고 있는데, 정부는 루프트한자에 유동성을 투입하면서 회사가 스톡옵션을 포함한 임원 보수를 제한하고 배당금을 지급하지 않겠다고 약속하라는 조건을 붙였다.

공공 정책과 기업의 계획을 어떻게 조율해나갈지가 정부의 개입 확대 문제와 관련해 특히 집중적인 주목을 받을 것이다. 코로나19 사태의 절정기에 나타난 인공호흡기 확보 쟁탈전은 왜 그럴 수 있는지를 잘 보여주는 사례다. 2010년 미국 정부는 4만 대의 인공호흡기 주문 계약을 체결했지만 정부에 인공호흡기가 납품되지 않았다. 이 때문에

2020년 3월 코로나19 사태로 인공호흡기가 눈에 띄게 부족해졌다. 이유가 무엇이었을까? 2012년, 다소 의심스럽고 불투명한 상황 속에서 실시된 입찰에서 낙찰받은 원래 회사는 그보다 훨씬 더 큰 제조업체에 인수되었다. 이 대형 제조업체 역시 인공호흡기를 생산하는 상장회사였다. 그런데 이 회사가 자사의 수익성을 손상시킬 수 있는 저렴한 인공호흡기 생산을 원래 입찰사가 하지 못하게 막으려 했다는 사실이 밝혀졌다. 이 회사는 꾸물거리다가 결국 낙찰 계약을 취소했고, 이후 다시 경쟁사에 인수되었다. 그래서 결국 4만 대의 인공호흡기 중단 한 대도 미국 정부에 전달되지 않았다.[132] 관계 당국이 앞으로 공중보건이나 국가보안처럼 국민에 실제로 중대한 영향을 미칠 수 있는 프로젝트를 아웃소싱하는 문제를 재고할 것이므로 포스트코로나 시대에 이런 사태가 재발할 가능성은 낮다. 요컨대 이윤의 극대화와 그와 종종 어울리는 단기적 이익만 생각하자는 사고방식은 미래의 위기 대비란 공적 목표와 부합하기가 어렵다.

전 세계적으로 저임금 노동자의 사회 보호와 급여 수준을 개선해야 한다는 압박이 커질 것이다. 가장 가능성이 높은 시나리오는, 포스트코로나 세계에선 최저임금 인상이 최저임금 기준에 대한 규제 강화와 이미 존재하는 규정의 보다 철저한 시행을 통해 해결해야 할 중요한 문제가 될 것이다. 기업들은 더 높은 세금과 함께 사회복지 서비스료처럼 다양한 형태로 정부에 재정 지원금을 내야 할 수도 있다. 긱 경제는 다른 어떤 분야보다 이런 정책의 영향이 더 커질 것이다.

코로나19 사태 이전부터 이미 정부의 철저한 조사·검토 대상이었던 긱 경제는 포스트코로나 시대에는 사회계약의 재정립과 관련된다는 이유로 조사·검토가 강화될 것이다. 경영을 긱 노동자에 의존하고 있는 기업들의 경우 심지어 재정 건전성financial viability을 해칠 수 있는 정도까지 정부 간섭이 강화될 것이다. 코로나19로 인해 긱 노동자에 대한 사회적·정치적 태도가 급진적으로 바뀌면서 정부는 이들을 고용한 회사들에게 사회보험과 건강보험 등의 혜택을 주는 적절한 계약을 맺도록 강요할 것이다. 기업에게 노동 문제는 매우 큰 문제이다. 기업이 긱 노동자를 일반 노동자처럼 고용해야 한다면 흑자를 내지 못할 것이고, 기업의 '존재 이유raison d'être'도 사라질지 모른다.

이해관계자 자본주의와 ESG
Stakeholder Capitalism and ESG

파트 1에서 살펴본 다섯 가지 거시적 범주 각각에서 일어난 근본적인 변화가 지난 10여 년 동안 기업의 경영 환경에 큰 변화를 초래했다. 변화는 이해관계자 자본주의와 ESG로 불리는 기업의 비재무적 요소인 환경Environment·사회Social·지배구조Governance와 관련한 고려가 지속 가능한 가치 창출에 점점 더 크게 이바지하게 만들었다(ESG는 이해관계자 자본주의의 척도로 간주될 수 있다).

코로나19는 기후변화 행동주의와 불평등 확대에서부터 성 다양성과 미투MeToo에 이르기까지 여러 많은 문제들로 인해 오늘날의 상호의존적인 세계 속에서 이해관계자 자본주의와 ESG 고려 사항의 중요성에 대한 관심이 높아지기 시작한 때에 창궐했다. 이제 기업의 근본적인 존재 목적이 더 이상 금융 이익만을 추구하는 게 될 수는 없다. 이제 주주뿐만 아니라 모든 이해관계자들에게 봉사하는 게 기업의 의무가 됐다. 이는 포스트코로나 시대에 ESG에 대한 긍정적인 전망을 암시해주는 초기 일화적 증거를 통해 입증된다. 세 가지 측면에서 설명이 가능하다.

1. 코로나19 위기는 ESG 전략과 관련된 대부분의 문제에 대해 책임감과 긴박감을 조성하거나 강화할 것이다. 가장 중요한 건 기후변화 문제다. 그러나 소비자 행동, 일과 이동성의 미래, 공급망 책임과 같은 다른 문제들은 투자 과정의 전면으로 이동해서 기업 실사 due diligence에 필수적인 요소가 될 것이다.

2. 코로나19 사태는 기업 임원들이 ESG를 고려하지 않는다면 기업의 실질적인 가치가 파괴되고 심지어 생존 가능성까지 위협받을 수 있다고 믿게 만들어줬다. 따라서 ESG는 기업의 핵심 전략과 지배구조에 더 완전하게 통합되고 내재화될 것이다. ESG는 또한 투자자의 기업 지배구조 평가 방식을 바꿔놓을 것이다. 문제가 생기거나 공개될 때 평판 손상 비용이 발생할 것을 우려하여 세금 기록, 배당금, 보수를 점점 더 면밀한 조사 대상에 올려놓을 것이다.

3. 직원과 지역사회의 친목 도모가 브랜드 평판 제고의 핵심이 될 것이다. 기업은 노동 관행 개선을 반기고, 직장에서의 웰빙뿐만 아니라 건강과 안전에도 관심을 기울임으로써 노동자들을 잘 대우한

다는 것을 점점 더 많이 증명해야 할 것이다. 기업이 반드시 정말로 '선해서' 그런 방법을 고수하는 건 아닐 수 있다. 그보다는 그렇게 하지 않았을 때 행동주의 투자자와 사회행동가 모두의 분노를 일으킴으로써 치러야 할 '대가'가 너무 커서 어쩔 수 없이 그런 방법을 고수하게 될 것이다.

ESG 전략이 이미 코로나19 사태의 혜택을 받았고, 앞으로도 더 많은 혜택을 받을 가능성이 크다는 확신은 다양한 조사와 보고서를 통해서 입증된다. 코로나 사태 초기에 나온 자료를 보면, 2020년 1분기 동안 지속 가능성 분야 투자 수익률이 기존 펀드 수익률을 앞질렀다는 것을 알 수 있다. 세계적인 펀드 평가사인 모닝스타Morningstar에 따르면, 200개가 넘는 주식형 지속 가능 펀드와 상장지수 펀드 ETF(Exchange Traded Funds)의 1분기 수익률을 비교해본 결과, 전자가 상대적으로 1~2%p 더 좋은 성과를 보였다. 글로벌 자산 운용사인 블랙록 BlackRock은 보고서를 통해 ESG 등급이 높은 기업들이 코로나19 기간 동안 동종 업체들보다 더 좋은 성과를 냈다는 증거를 추가로 제시했다.[133] 몇몇 분석가들은 이러한 성과가 ESG 펀드와 전략이 화석연료 사용을 줄여서 얻어낸 결과로 볼 수 있다고 주장했지만, 블랙록은 ESG 준수 기업들, 다시 말해서 이해관계자 자본주의 원칙을 고수하는 기업들은 위험 관리에 대한 전반적인 이해 때문에 회복력이 더 좋은 경향이 있다고 주장했다. 세계가 광범위한 거시적 위험과 이슈에 민감해질수록 이해관계자 자본주의와 ESG 전략을 수용해야 할 필요성이 커지는 것으로 보인다.

　이해관계자 자본주의가 회복의 제단 위에서 희생될 것이라고 믿는 사람들과 이제 '더 나은 재건' 노력을 기울여야 할 때라고 주장하는 사람들 사이의 논쟁은 여전히 계속되고 있다. 코로나19가 ESG 관련 고려 사항을 몇 년간 후순위로 '밀어낼' 거라고 믿는 아일랜드의 저비용 항공사 라이언에어Ryanair의 CEO인 마이클 오리어리Michael O'Leary 같은 사람이 있는 반면에 자신의 회사를 이해관계자 회사stakeholder company로 변모시키는 데 전념하는 숙박 공유 플랫폼 에어비앤비Airbnb의 브라이언 체스키Brian Chesky 같은 CEO도 있다.[134] 그러나 이해관계자 자본주의와 ESG 전략의 장점과 포스트코로나 시대에 그들의 향후 역할에 대해 누가 어떤 의견을 내세우는지와 상관없이 행동주의는 그런 흐름을 강화함으로써 변화를 주도할 것이다. 많은 사회 행동가들과 행동주의 투자자들은 기업이 코로나19 위기 동안 어떻게 행동했는지를 면밀히 조사할 것이다. 시장이나 소비자, 또는 둘 다 사회적 이슈를 등한시한 기업을 처벌할 가능성이 크다. 미국 경제계에서 영향력 있는 판사인 레오 스트라인Leo Strine은 2020년 4월 공동 집필한 논문에서 기업 지배구조의 변화에 대해 이렇게 힘주어 말했다. "우리는 재무 건전성, 지속 가능한 부의 창출, 노동자들에 대한 공정한 대우에 초점을 맞추지 못한 기업 지배구조로 또다시 대가를 치르고 있다. 주식시장이 우리 경제에 대해 갖는 힘이 너무 오랫동안 다른 이해관계자들, 특히 노동자들을 희생시키면서 커졌다. 전체 부는 커졌지만, 여기에 크게 기여한 미국 노동자 대부분에게 불공평하고 왜곡된 방법을 썼기 때문에 가능했다. 만족할 줄 모르는 주식시장 수요를 충족시키는 방향으로의 전환은 기업 부채와 경제적 위험 수준을 끌어올리는 결과로도 이어졌다.″[135]

행동가들에게는 위기 때 기업이 보여준(혹은 보여주지 못한) '품위 decency'가 무엇보다 중요하다. 앞으로 몇 년 동안 제한적인 상업적 의미에서뿐만 아니라 더 광범위한 사회적 렌즈를 통해 본 행동에 따라 기업 평가가 이뤄질 것이다. 예를 들어, 지난 10년간 미국 항공사들은 현금 흐름의 96%를 자사주 매입에 사용해왔고, 2020년 3월 영국의 대표적 저가 항공사인 이지젯EasyJet은 주주들에게 1억 7,400만 파운드(창업자에게 지급한 6,000만 파운드를 포함해서)의 배당금을 지급했다는 사실을 아무도 잊지 않을 것이다.[136]

현재 기업이 영향을 받을 수 있는 행동주의는 외부인에 의해 주도되는 사회 행동주의와 투자자 행동주의 사이의 전통적인 경계를 뛰어넘는다. 구성원(직원) 행동주의employee activism와 함께 회사 내부에서도 행동주의가 확산되고 있다. 2020년 5월, 코로나19의 핵심 지역이 미국에서 중남미로 옮겨가고 있을 때 환경 단체인 그린피스Greenpeace가 발표한 보고서로 용기를 얻은 구글 직원들은 더 이상 석유와 가스 산업의 업스트림upstream(석유화학 분야에서 원유 탐사와 생산 단계) 단계에서 추출 용도의 맞춤형 AI와 기계학습 알고리즘을 구축하지 말아달라고 회사를 설득하는 데 성공했다.[137] 최근 등장한 몇 가지 사례는 환경 문제에서부터 사회와 포용 문제에 이르는 직원 행동주의가 늘어나고 있음을 보여준다. 그들은 서로 다른 유형의 행동가들이 어떻게 더 지속 가능한 미래를 달성하기 위해 목표를 한층 더 발전시키고 함께 일하는 법을 배우고 있는지를 효과적으로 보여주는 사례에 해당한다.

이와 동시에, 가장 오래된 형태의 행동주의인 '쟁의 행위'도 급격히 증가했다. 특히 미국에서는 많은 화이트칼라 노동자들이 재택근무를 하면서 코로나19를 견뎌내고 있는 동안, 출근해서 다닥다닥 붙어서 일할 수밖에 없는 많은 저임금 필수노동자들은 작업 중단, 파업, 시위의 물결을 일으켰다.[138] 노동자의 안전, 임금, 복리후생 문제가 더 중요해지면서 이해관계자 자본주의에 대한 논쟁이 더 타당하게 여겨지고 활기를 띨 것이다.

CHAPTER 2

산업적 리셋

INDUSTRY RESET

사회적 상호작용과 탈고밀도화
Social Interaction and De-densification

여행과 관광, 접대, 오락, 소매, 항공우주, 자동차 산업 등에 미치는 영향

봉쇄로 인해 코로나19는 전 세계 모든 산업에 즉각적으로 영향을 미쳤다. 이 영향은 지금도 계속 이어지고 있고, 향후 몇 년 동안 계속 그럴 것이다. 글로벌 공급망이 재편되고, 소비자 수요가 변하고, 정부 개입이 늘어나고, 시장 여건이 개선되고, 기술 혁신이 이루어지면서 기업들은 지속적으로 적응하고 재창조할 수밖에 없게 될 것이다. 이 번 섹션의 목적은 특정 산업이 각자 어떻게 진화할 수 있는지를 정확히 설명하는 것이라기보다는 코로나19 사태와 관련된 주요 특성과 트렌드가 특정 산업에 어떻게 영향을 미칠지를 설명하는 것이다.

소비자들의 소비 대상과 소비 방식뿐 아니라 상호작용 방식이 코

로나19로 인해 상당한 영향을 받고 있다. 따라서 관련된 경제적 거래의 성격에 따라 업종별로 뒤이어 일어나는 리셋에 근본적인 차이가 있을 것이다. 포스트코로나 시대 초기에는 소비자들이 직접 만나 거래하는 산업은 원거리 혹은 가상 거래 산업보다 훨씬 더 힘들게 느껴질 것이다. 현대 경제에서 우리가 하는 많은 양의 소비가 사회적 상호작용을 통해 이루어진다. 여행과 휴가, 술집과 레스토랑, 스포츠 행사와 소매, 영화관과 극장, 콘서트 및 축제, 컨벤션과 회의, 박물관과 도서관, 교육은 전체 경제활동과 고용의 상당 부분(미국 전체 일자리의 약 80%가 서비스 분야 일자리인데, 이 일자리들 대부분은 본래 '사회적' 성격을 띤다)을 담당하는 사회적 소비 형태에 해당한다. 가상 세계에서는 이런 소비를 할 수 없고, 혹시 할 수 있더라도 스크린으로 라이브 오케스트라 공연을 보는 것처럼 불완전하고 종종 준최적화된 형태로만 가능할 뿐이다. 사회적 상호작용이 무엇보다 중요한 산업들이 봉쇄 조치로 인해 가장 심각한 타격을 받았다. 그들 중에는 여행과 관광, 레저, 스포츠, 이벤트, 오락 등 전체 경제활동과 고용에 매우 큰 비중을 차지하는 분야가 많다. 그들은 수개월 혹은 수년 동안 소비를 억제하는 바이러스에 대한 두려움과, 그러한 두려움에 맞서기 위해 시행하는 소비자들 사이의 거리두기 강화라는 이중고에 시달리며 축소 운영될 수밖에 없을 것이다. 물리적 거리두기에 대한 사회적 압력은 속속들이 개발되고 있는 백신이 대규모로 상용화될 때까지 지속될 것이다. 대부분의 전문가들은 빨라도 2021년 1분기나 혹은 2분기 전까지 백신이 대규모로 상용화될 가능성을 아주 낮게 보고 있다.

그 사이에 사람들은 휴가나 출장 목적의 여행을 대폭 줄이고, 식당과 영화관과 극장을 찾는 횟수도 줄이며, 직접 오프라인 매장에 가서 사기보다 온라인으로 사는 게 더 안전하다고 판단할 수도 있다. 이러한 근본적인 이유들로 인해 코로나19 피해가 가장 큰 산업들은 회복 속도도 가장 더딜 것이다. 특히 호텔, 식당, 항공사, 상점, 문화 행사장은 추가 공간 도입, 정기적인 청소, 직원 보호 및 고객과 직원 사이의 접촉 제한을 위한 기술 도입 등 급격한 변화의 시행을 요구하는 포스트코로나 시대의 '뉴노멀'에 적응하기 위해 많은 돈을 들여 상품 제공 방식을 변경할 수밖에 없게 될 것이다.

이러한 많은 산업, 특히 접대와 소매업 분야의 중소기업들은 심한 고통을 겪을 것이며 급격히 사업이 위축되면서 폐업 위험에서 살아남지 못하면 파산에 이르는 아주 위험한 줄타기를 해야 할 것이다. 마진도 줄어든 마당에 가동률을 줄여야 한다면 다수의 중소기업들은 살아남기 어렵다. 중소기업의 몰락은 국가와 지역사회 모두에 고통스런 영향을 미칠 것이다. 중소기업은 고용 성장의 주요 동력이며, 대부분의 선진국에서는 모든 민간 부문 일자리의 절반을 담당하고 있다. 그들 중 상당수가 몰락하고, 특정 지역 내 가게, 식당, 술집 수가 줄어든다면, 실업이 증가하고 수요가 마르며 지역사회 전체가 영향을 받게 된다. 또한 악순환과 경기 하락을 유발해 지역사회 내 더 많은 중소기업들에 영향을 미칠 것이다. 이로 인한 여파는 결국 지역사회 밖으로 확산되는데, 여파가 작으면 다행이겠으나 어쨌든 멀리 떨어진 다른 지역에도 영향을 준다. 거시적인 범주들을 연결하는 역학과 비교되는, 오늘날 경제, 산업, 기업의 고도로 상호의존적이고 상호연결적인 성격 때문에 각기 무수히 다양한 방식으로 다른 분야에 곧바로 연쇄효과를 일으킬 수 있다. 식당을 예로 들어보자. 요식업도 식당 사업이 다시 활기를 띨 수 있을지 확신할 수 없을 만큼 코로나19로 심각한 타격을 받았다. 한 식당 주인은 "도시에서 일하는 수백 명의 다른 요리사들과 전국에 퍼져 있는 수천 명의 요리사들처럼 나 역시 '만약 우리가 예전을 되찾을 수 있다면 우리 식당, 우리 경력, 우리의 삶은 어떤 모습이 될까'란 질문을 던져보고 있다"고 말했다.[139] 프랑스와 영국의 몇몇 업계 전문가들은 독립 식당의 최대 75%가 봉쇄와 그 이후 취해진 사회적 거리두기 조치에서 살아남지 못할 것으로 추정한다. 대형 체인점과 패스트푸드 매장은 살아남을 것이다. 이는 결국 대형 식당은 더 커지겠지만 영세 식당은 더 작아지거나 사라질 것임을 뜻한다. 예를 들어, 대형 레스토랑 체인은 재원이 더 풍부하고, 궁극적으로 소형 식당들 사이의 도산에 따른 경쟁 약화 덕에 영업을 유지할 가능성이 크다. 위기에서 살아남은 소형 식당은 완전히 거듭나야 할 것이다. 한편, 영원히 폐업하는 식당의 경우, 폐업이 식당과 직속 직원뿐만 아니라 그들과 거래하는 모든 사람들, 즉 식자재 납품업자, 농부, 트럭 운전사 등에게도 영향을 미치게 된다.

한편 일부 초대기업이 초소기업과 같은 곤경에 처하는 일도 벌어질 수 있다. 특히 항공사는 소비자 수요와 사회적 거리두기 규정 면에서 비슷한 상황에 맞닥뜨리게 될 것이다. 봉쇄가 3개월 동안 이어지자 전 세계 항공사들은 수익이 사실상 제로라는 대격변의 상황에 놓이면서 수만 명의 직원을 감원할 것으로 전망되고 있다. 우선 영국 항공british airways은 2020년 4월 말에 직원 4만 2,000명 중 최대 30%까지 감원을 추진하겠다고 발표했다. 경제가 조만간 재가동되기 시작하더라도 회복까지는 몇 년이 걸릴 것으로 예상되고 있다. 여행이나 출장이 다시 늘어나겠지만 소비 습관은 영구적으로 바뀔 수 있다. 많은 기업이 비용 절감을 위해 출장을 줄이고 물리적 회의를 가상 회의로 대체하기로 한다면, 항공사의 수익성과 회복에 미치는 영향은 상당히 오래 이어질 수 있다. 코로나19 사태 이전에는 기업 출장이 항공 수송 용량의 30%를 차지했지만, 매출은 절반을 창출해줬다. 기업들이 높은 가격대의 좌석을 막판에 예약해서 이용한 경우가 많았던 덕분이다. 앞으로 이런 상황은 바뀔 예정이며 일부 개별 항공사의 실적이 불투명해지고, 업계 전체가 글로벌 항공 시장의 장기적 구조를 재고해볼 수밖에 없게 됐다.

특정 산업이 받는 강력한 영향을 평가할 때, 그 인접 산업에서 일어나는 일을 고려해서 파급적 결과들을 전부 다 평가해볼 필요가 있다. 이 인접 산업은 그 상위 업체에 어떤 일이 발생하느냐에 따라 운명이 크게 좌우되기 때문이다. 좀 더 자세한 설명을 위해 공항(인프라 및 소매), 항공기(항공우주), 렌터카(자동차) 등 항공 분야에 전적으로 의존하는 세 개 산업을 간략히 살펴보기로 하겠다.

공항은 항공사와 같은 어려움에 직면한다. 비행기를 타는 사람이 적을수록 공항을 경유하는 사람도 줄어들기 때문이다. 이는 전 세계 모든 국제공항의 생태계를 이루는 다양한 상점과 음식점의 소비 수준에 차례로 영향을 미친다. 게다가 포스트코로나 세계에선 공항에서 대기 시간이 길어지거나, 수화물 휴대가 엄격히 제한 또는 금지되거나, 사회적 거리두기를 하는 등의 불편한 경험 때문에 재미와 여유를 위해 항공 여행을 하고 싶은 소비자의 욕구가 줄어들 수 있다. 다수의 무역 협회는 사회적 거리두기 정책으로 공항 수용량이 20~40%로 제한되고, 공항에서 겪는 일련의 과정이 공항을 다시 이용하기 싫을 만큼 피로감을 줄 수 있다고 경고한다.

봉쇄로 심각한 타격을 받은 항공사들이 새로운 항공기 주문을 취소하거나 연기하고 특정 기종 선택을 변경하기 시작하자 항공우주 산업도 심각한 피해를 받고 있다. 그로 인한 직접적인 결과로는 가까운 미래에 주요 민간 항공기 조립 공장이 감산에 착수하면서 가치 사슬과 공급망 전체에 일제히 영향을 주는 '연쇄 파급 효과'가 나타날 것이다. 장기적 결과로는 자신들에게 필요한 게 뭔지 재평가에 나선 항공사들의 수요 변화가 민간 항공기 생산에 대한 전면적인 재평가로 이어질 것이다. 단, 국방 항공우주 분야는 예외다. 이 분야는 재평가로부터 비교적 안전한 곳에 해당한다. 불확실한 지정학적 전망으로 인해 각국 정부는 주문과 조달을 계속 유지해야 하지만, 현금이 부족한 정부는 지불 조건 완화를 요구할 것이다.

공항과 마찬가지로 렌터카 회사들은 거의 전적으로 항공량에 의존한다. 봉쇄 기간 중 보유 자동차 70만 대 대부분을 운행하지 못한 렌터카 회사 허츠Hertz는 감당하기 벅찬 부채를 견디다 못해 5월 파산보호 신청을 했다. 그렇게 많은 기업들에게 코로나19는 서양 속담에 나오는 말처럼 '낙타 등을 꺾는 마지막 한 오라기의 짚' 같았다.

행동 변화 - 영구적 대 과도적
Behavioural Changes-Permanent vs Transient
소매, 부동산, 교육에 미치는 영향

봉쇄 기간 중 관찰된 일부 행동 변화들은 포스트코로나 시대가 돼도 완전히 뒤바뀌진 않을 것이다. 어떤 변화들은 영구적 변화가 될 수도 있다. 그래서 정확히 어떻게 될지는 매우 불확실하다. 일부 소비 패턴은 속도가 다르긴 하더라도 9.11 사태 이후 항공 여행 때처럼 '장기 추세선'으로 되돌아갈 수 있다. 온라인 서비스와 같은 다른 소비들은 분명 가속도가 붙을 수 있다. 자동차 구매처럼 뒤로 밀리는 소비도 있는 반면에 더 친환경적인 이동 수단을 사는 것과 같은, 새로우면서도 영구적인 소비 패턴이 등장할 수도 있다.

이런 변화와 관련된 많은 일들은 아직 알 수 없다. 봉쇄 도중 많은 소비자들은 스스로 할 수 있는 일(직접 빵을 굽거나 요리하고 머리를 자르는 등)을 배울 수밖에 없었고, 조심스럽게 소비해야 할 필요성을 느꼈다. 이렇게 자신이 손수 생산해서 소비하는 새로운 자동소비auto-consumption 습관과 형태는 포스트코로나 시대에 얼마나 굳어질까? 고등교육을 받기 위해 터무니없이 많은 수업료를 내야 하는 학생들에게도 똑같은 일이 일어날 수 있다. 교수의 강의를 스크린으로 보며 학기를 보낸 학생들은 비싼 교육비에 대해 문제를 제기하기 시작할지 모른다.

소비자 행동에서 나타난 이러한 진화의 극단적 복잡성과 불확실성을 파악하기 위해 온라인 쇼핑 대 오프라인 쇼핑의 사례로 되돌아가 보자. 언급한 바와 같이, 오프라인 매장들은 온라인 쇼핑 선호로 인해 큰 손해를 볼 가능성이 있다. 소비자들은 병이나 생활용품처럼 무겁고 부피가 큰 물건을 배달받기 위해 기꺼이 약간의 추가 비용을 부담할 것이다. 따라서 슈퍼마켓의 쇼핑 공간이 줄어들면서 슈퍼마켓은 쇼핑객들이 비교적 적은 양의 특정 식품을 사러 방문하는 편의점을 닮아갈 것이다. 그러나 전통적으로 사람들이 음식 예산 중 상당 비율을 식당에 가서 쓰던 곳(예를 들어, 뉴욕시 거주자들의 경우 60%를 쓴다)에선 사람들이 식당에서 쓰는 돈을 줄이고 집에서 하는 요리의 즐거움을 재발견하면서 식당에 지불하던 돈이 도시 슈퍼마켓에서 쓰이고 결국 슈퍼마켓이 득을 볼 수도 있다. 연예계에서도 같은 현상이 일어날 수 있다. 코로나19 팬데믹은 생면부지의 사람들과 밀폐된 공간에 앉아 있는 것에 대한 우리의 불안감을 증폭시킬 수 있기 때문에 많은 사람들이 집에서 최신 영화나 오페라를 보는 게 가장 현명한 선택이라고 판단할 수도 있다. 이러한 판단으로 술집과 레스토랑이 피해를 입겠지만 지역 슈퍼마켓들은 반사이익을 얻을 수 있다(식당에겐 온라인 배달 서비스가 생명줄이 될 수 있다). 봉쇄 기간 중 전 세계의 여러 도시에서 이런 일이 발생한 예는 수없이 많았다. 이것이야말로 혹시 몇몇 음식점에겐 포스트코로나 시대의 새로운 생존 계획의 핵심적 요소가 될 수 있지 않을까? 예상하기 훨씬 쉬운, 다른 1차적 효과들도 있다. 청결도 그중 하나다. 팬데믹은 분명히 위생에 대한 관심을 높여준다. 청결에 대한 새로운 강박관념은 특히 새로운 포장 방법 개발로 이어질 수 있다. 우리는 우리가 사는 물건에 손을 대지 말도록 권장받을 것이다. 과일 냄새를 맡거나 만져보며 즐거움을 누리는 행동은 이제 눈살을 찌푸리게 만드는 일 또는 과거에나 해도 됐던 일이 될지 모른다.

한 가지 태도 변화가 많은 다른 영향을 미치고, 각 영향은 하나의 특정 산업에 특별한 영향을 미치겠지만, 결국 파급 효과를 통해 많은 다른 산업에도 영향을 미친다. 다음 그림은 집에서 더 많은 시간을 보내기로 한, 단 하나의 변화가 초래한 파급 효과를 잘 보여준다.

재택근무 ─ 재택근무 공간 ─ 새단장 ─ 페인트
                              목공일
            전통적 사무 공간 ─ 장비
                              상업용 부동산 ─ 책상
                                            프린터

집에서 먹기 ─ 테이크아웃 ─ 배달 서비스 ─ 전자결제
             가정요리 ─ 외식
                        음식 배달

오락 ─ 스트리밍
       책
       게임
       라이브

여행 ─ 회사 출장 ─ 장거리 ─ 항공 여행
       개인 여행 ─ 출퇴근 ─ 대중교통
                  관광 ─ 현지 관광
                        장거리

디지털 코디네이션 ─ 협업 플랫폼 ─ 소프트웨어
                   광대역

■ 늘어날 수 있는 행동   ■ 줄어들 수 있는 행동

출처: Reeves, Martin, et al., "Sensing and Shaping the Post-COVID Era",
BCG 헨더슨 연구소, 2020년 4월 3일,
https://www.bcg.com/publications/2020/8-ways-companies-
canshape-reality-post-covid-19.aspx

코로나19 발발 이후부터 앞으로 원격근무가 일상화될 것인가, 그렇다면 어느 정도까지 일하고, 또 그로 인해 집에 머무는 시간이 늘어날 것인가 하는 문제를 둘러싸고 열띤 논쟁이 이어지고 있다. 일부 분석가들은 활기찬 경제활동, 사회생활, 창의성의 중심지로서의 도시, 그중에서도 특히 대도시가 가진 근본적인 매력은 유지될 거라고 주장한다. 또 다른 분석가들은 코로나바이러스가 행동에 근본적인 변화를 촉발시켰다고 주장한다. 그들은 코로나19가 변곡점이 되어 전 세계적으로 많은 도시인들이 오염이 심하고 집값도 비싼 도시를 떠나 더 푸르고 넓은 데다 덜 오염됐고 가격은 저렴한 곳으로 이주를 결심할 것으로 내다본다. 어느 쪽의 주장이 옳은 것으로 판명날지는 아직 알 수 없지만, 뉴욕, 홍콩, 런던, 싱가포르와 같은 초대형 중심지로부터 멀어지는 사람들의 비율이 상대적으로는 낮다 해도 다양한 산업에 엄청난 영향을 미칠 것은 확실하다. 이윤은 항상 한계 상황에서 올릴 수 있는 법이기 때문이다. 부동산업계, 특히 상업용 부동산에서보다 이런 현실을 더 명확히 확인할 수 있는 곳은 없다.

상업용 부동산 산업은 글로벌 경제성장의 필수적인 원동력이다. 이 산업의 전체 시장 가치는 전 세계 모든 주식과 채권의 가치를 합친 것보다 크다. 그런데 코로나19 사태 이전부터 이미 상업용 부동산 시장은 공급 과잉으로 몸살을 앓고 있었다. 원격근무라는 비상조치가 자리를 잡고 널리 시행되었을 때 남는 사무 공간을 재빨리 임대함으로써 이러한 공급 과잉 문제를 해결할 수 있는 회사를 찾는 것은 쉽지 않은 일일 것이다. 그렇게 할 수 있는 준비가 된 투자 펀드도 드문데, 이는 상업용 부동산 가격이 앞으로도 지금보다 훨씬 더 떨어질 수 있음을 시사한다. 코로나19 팬데믹의 작용은 다른 많은 거시적·미시적 문제들에 했던 것과 마찬가지로 상업용 부동산에도 기존의 트렌드를 가속화하고 증폭시키는 역할을 할 것이다. '좀비 기업(정부나 채권단의 지원을 받아 파산은 면했지만 회생할 가능성이 없는 기업. 이런 기업은 빚으로 빚을 돌려 막기 하고, 이자를 낼 만큼 돈을 벌지도 못한다)' 파산과 원격근무 증가로 인해 사무실 건물을 임대해서 쓰려는 세입자가 훨씬 더 줄어들 것이다. 이에 따라 대부분 상당한 액수의 돈을 빌려 사업하는 부동산 개발업자들의 연쇄 파산이 시작될 것이다. 최소한 가장 규모가 크고 시스템적으로 중요한 업체들은 정부가 구제에 나서야 한다. 따라서 세계 주요 도시에서 부동산 가격이 장기간에 걸쳐 하락하면서 지난 수년 동안 누적되어 온 글로벌 부동산 거품이 터질 것이다. 대도시의 주거용 부동산에도 어느 정도 같은 논리가 적용된다. 원격근무 추세가 본격화되면 통근은 더 이상 고려 대상이 되지 않고 일자리도 늘지 않으면서 젊은 세대는 생활비가 많이 드는 도시에서 집을 임대하거나 사려고 하지 않을 것이다. 그렇게 되면 필연적으로 가격은 떨어진다. 게다가 많은 사람들은 재택근무가 출퇴근하는 것보다 더 기후 친화적이고 덜 스트레스를 준다는 걸 깨달을 것이다.

원격으로 일할 수 있게 되면 고도성장의 혜택을 누려온 거점 도시들에서 차기 신흥 도시로 노동자가 떠날 수도 있다. 이러한 현상 때문에 결국 더 저렴한 가격에 더 많은 공간을 확보함으로써 더 나은 삶의 질을 원하는 사람들을 끌어모으는 유망 도시나 지역이 잇달아 생겨날 수 있다.

지금까지의 설명에도 불구하고 광범위한 원격 재택근무 개념이 표준이 된다는 게 얼토당토않아 보일 수도 있다. 원격으로 일하기 위한 작업 데이터의 수집, 처리, 전달 등을 기본으로 하는 '지식 작업 knoweldge work'을 최적화하려면 신중하게 설계된 사무실 환경이 마련돼야 한다는 이야기는 예전부터 논의되었었다. 캠퍼스에 대규모로 투자하면서 오랫동안 그러한 움직임을 거부해온 기술산업이 봉쇄를 경험한 후 생각을 고쳐먹고 있다. 트위터가 처음으로 본격적인 원격 재택근무에 착수했는데, 지난 5월 잭 도시Jack Dorsey CEO는 코로나19 팬데믹 사태가 누그러진 뒤라도 직원들 다수가 재택근무를 할 수 있게 '영구적으로' 허용할 것이라고 밝혔다. 구글과 페이스북과 같은 다른 기술 회사들도 직원들이 적어도 2020년 말까지 원격으로 계속 일할 수 있도록 했다. 단편적으로 나오는 증거들은 다양한 산업에 종사하는 다른 글로벌 기업들이 비슷한 결정을 내리면서, 일부 직원들이 근무 시간 중 일부라도 원격으로 일할 수 있게 될 것임을 시사하고 있다. 코로나19는 불과 몇 달 전만 해도 대규모 시행을 상상할 수조차 없었던 일을 가능하게 만들어줬다.

고등교육 분야에서도 이와 같은 파괴적인 변화가 일어날 수 있을까? 지금보다 훨씬 더 적은 수의 학생들이 캠퍼스에서 교육받는 세상을 상상할 수 있을까? 2020년 5~6월, 봉쇄 조치로 인해 학생들이 원격으로 공부하고 졸업할 수밖에 없게 되었고 과연 9월에는 다시 캠퍼스로 가서 수업을 받을 수 있을지도 의문스러운 상황이 되었다. 동시에 대학들은 이 전례 없는 사태가 사업 모델에 어떤 영향을 미칠지 고민하면서 예산을 삭감하기 시작했다. 온라인 수업으로 가야 하나 말아야 하나? 코로나19 이전에 대학들은 일부 수업만 온라인으로 진행했을 뿐 온라인 교육을 100% 수용한 건 아니었다. 명문대들은 가상 학위 수여를 거부했다. 그랬다가 학위의 고유한 가치가 희석되고, 일부 교수들이 불필요해지고, 오프라인 캠퍼스의 존재 자체가 위협받을까 우려됐기 때문이다. 포스트코로나 시대에는 달라질 것이다. 대부분의 대학들, 특히 등록금이 비싼 앵글로색슨 사회의 대학들은 코로나19로 쓸모없어진 사업 모델을 바꾸지 않으면 파산할 수도 있다. 온라인 강의가 계속된다면 많은 학생들은 가상 수업에도 똑같이 높은 등록금을 내는 것을 용납하지 않고 등록금 인하나 등록 연기를 요구할 것이다. 아울러 많은 예비 대학생들은 높은 실업률로 얼룩진 세계에서 고등교육을 받기 위해 엄청나게 많은 돈을 지출하는 게 적절한 것인지 의문을 제기할 것이다. 잠재적 해결책을 하이브리드 모델에서 찾을 수 있다. 대학들은 이제 온라인 교육을 대대적으로 확대하는 동시에 다른 집단의 학생들을 위해 캠퍼스의 존재감을 유지하면 될 것이다. 이미 이런 모델이 성공을 거둔 사례가 몇 곳 있다, 컴퓨터 과학 전공 온라인 석사 학위를 주는 조지아 공과대학교가 대표적이다.[140] 이런 하이브리드 모델을 채택한 대학들은 교육 비용을 줄이면서 접근성을 넓힐 것이다. 다만 문제는 기술 및 독점적인 최고 수준의 콘텐츠 확보를 위해 투자할 재원이 없는 대학이 하이브리드 모델을 확장하고 재현할 수 있느냐 여부다. 그러나 온라인 교육의 복합적 성격은 또한 온라인 대화와 개인지도 등 여러 형태의 지원과 도움을 줄 수 있는 앱을 통해서 한 커리큘럼 내에서 대면과 온라인과 수업을 결합하는 식의 다른 형태를 취할 수도 있다. 이렇게 하면 효율적으로 학습할 수 있게 해주는 장점이 있지만, 캠퍼스에서 할 수 있는 사회생활과 개인적 교류를 상당 부분 포기해야 한다는 단점도 있다. 추세적 방향은 분명히 정해진 것 같다. 즉, 다른 많은 산업처럼 교육도 일부 가상화될 것이다.

회복력

Resilience

빅테크, 건강과 웰빙, 은행과 보험, 자동차 산업, 전기 등에 미치는 영향

　코로나19 팬데믹 동안, 어려운 환경에서도 번창할 수 있는 회복력이 '꼭 필요한' 능력으로 관심을 끌면서 장소 불문하고 유행하는 단어가 되었다! 당연한 일이다. '본래부터' 팬데믹에 회복력이 있는 산업에 종사하고 있는 행운아들은 이번 위기를 더 잘 견뎌낼 수 있을 뿐만 아니라 대다수가 고통스러워하는 와중에도 위기를 수익 창출의 기회로 삼을 수도 있다. 포스트코로나 시대에는 특히 빅테크, 건강, 웰빙이라는 세 가지 산업이 모두 번창할 것이다. 위기의 직격탄을 맞은 다른 산업에서는 회복력의 증명 유무에 따라서 코로나19라는 갑작스러운 외부 충격에서 다시 회복하느냐 아니면 희생되느냐가 판가름날 것이다. 은행, 보험, 자동차는 건강 위기로 인해 생긴 심각한 장

기 불황을 헤쳐나가기 위해 더 큰 회복력을 길러야 하는 세 가지 다른 산업이다.

빅테크 분야는 급변하는 시기에 최대 수혜자로 부상했다는 점에서 특출한 회복력을 보인 산업이다. 코로나19가 창궐하자 기업과 고객 모두가 디지털로 전환하고, 온라인 계획을 가속화하고, 새로운 네트워킹 도구를 채택하고, 재택근무를 시작할 수밖에 없게 되면서 전통적으로 기술 사용을 꺼리던 고객들 사이에서도 디지털 기술은 절대적으로 필요한 것이 되었다. 이런 상황 속에서 주요 기술 기업들의 전체 시가총액은 봉쇄 기간 중 계속해서 기록을 경신하며 코로나19 발발 이전 수준을 훨씬 뛰어넘었다. 이런 현상은 곧 줄어들기는커녕 더 확대될 전망이다.

모든 좋은 관행이 그렇듯이 회복력도 집에서 먼저 체득하게 되기 때문에 포스트코로나 시대에 신체적·정신적 회복력의 중요성을 모두 더 많이 인식하게 될 것이다. 신체적·정신적으로 좋은 상태를 유지하고자 하는 욕구가 더 커졌을 뿐 아니라 면역체계를 강화하고자 하는 욕구 또한 커지면서 웰빙과 건강 관련 산업이 상당한 호황을 누릴 것이다.

공중보건의 역할은 진화하고 확대될 것이다. 우리는 주변 여건이 뒷받침돼야 웰빙을 느낄 수 있다. 엉망이 된 세상에서 혼자만 안녕할 수는 없기 때문이다. 따라서 전 지구적 관리가 개인적 관리만큼 중요하기 때문에 이해관계자 자본주의, 순환 경제, ESG 전략처럼 앞에서 얘기했던 원칙이 강력하게 추진되도록 뒷받침해야 한다. 환경 파괴가 건강에 미치는 영향이 점점 더 분명해지는 만큼 기업 차원에선 대기 오염, 수질 관리, 생물 다양성 존중 같은 문제가 가장 중요해질 것이다. '청결'은 소비자들이 긴급하게 요구하는 조건이자 업계가 반드시 이뤄내야 할 과제가 될 것이다.

다른 산업과 마찬가지로 디지털은 웰빙의 미래에 중요한 역할을 한다. AI와 IoT, 센서와 웨어러블 기술이 결합하면 개인의 웰빙에 대한 새로운 통찰력을 얻을 수 있을 것이다. 이런 디지털 기술이 우리가 어떻게 살면서 느끼고 있는지를 감시하고, 공공의료 시스템과 개인 맞춤 건강 시스템 사이의 경계를 점점 더 모호하게 만들고 결국에는 없어지게 할 것이다. 환경부터 개인적 조건에 이르는, 많은 개별 영역에서 흘러나오는 데이터는 우리가 건강과 웰빙을 훨씬 더 잘 통제할 수 있게 해줄 것이다. 포스트코로나 세계에서는 우리가 남기는 탄소 발자국, 생물 다양성에 미치는 영향, 소비하는 모든 재료의 독성, 진화하는 환경이나 공간적 맥락에 대한 정확한 정보에 의해 집단적·개인적 웰빙에 대한 인식 측면에서 상당한 진전이 이뤄질 것이다. 업계는 이 점에 주목해야 한다.

회복력을 얻기 위한 집단적인 모색은 웰빙과 밀접한 관련이 있는 스포츠 산업에 대한 관심과 이어진다. 신체 활동이 건강에 크게 기여한다는 걸 모두 아는 만큼 스포츠는 더 건강한 사회를 만들기 위한 저비용 수단이란 인식이 점점 더 확산될 것이다.

스포츠가 주는 또 다른 혜택은 포용성과 사회 통합을 높이기 위한 최고의 수단이라는 점이다. 따라서 정부는 스포츠를 장려할 것이다. 한동안 사회적 거리두기로 몇몇 스포츠를 하지 못할 수도 있지만, 대신에 e스포츠는 전례 없는 수준의 강력한 인기를 누리게 될 것이다. 기술과 디지털은 매우 중요한 역할을 할 것이다.

코로나19 사태로 생긴 여러 가지 특별한 도전들과 씨름해 온 네 개의 산업은 다양한 성격의 회복력을 보여준다. 은행업계에서는 디지털 전환에 대비하는 문제, 보험업계에서는 앞으로 있을 소송에 대비하는 문제와 각각 관련된다. 또 자동차업계에서는 다가올 공급망 단축에 대비하는 문제, 전기업계에서는 불가피한 에너지 전환에 대비하는 문제와 각각 관련된다. 결국 이런 각각의 도전 과제에 대해 각 산업에서 가장 회복력이 강하고 잘 준비된 기업만이 성공적인 결과를 '꾀할' 수 있다.

경제위기가 발생했을 때 은행업의 성격상 은행은 항상 폭풍의 중심에 있게 되는데, 코로나19 사태로 은행이 감수해야 할 위험은 두 배로 늘어났다. 우선 소비자들이 겪는 유동성 위기가 주요 기업의 지급 불능 위기로 전환될 가능성에 대비해야 하는데, 이 경우 은행의 회복력은 심각한 시험대에 오를 수 있다. 다음으로 팬데믹이 전통적인 은행업 관행에 도전하는 방식에 적응해야 하는데, 다시 말해 추가적인 적응 능력을 요구하는 다른 형태의 회복력을 갖춰놓아야 한다는 뜻이다.

첫 번째 위험은 은행이 오랫동안 대비해온 '전통적인' 금융 위험의 범주에 속한다. 그것은 큰 충격을 견딜 만큼 충분히 견고해야만 하는 자본과 유동성 완충 장치liquidity buffer를 통해 해결하고 있다. 코로나19 사태의 경우 부실채권 규모가 증가하기 시작하면 회복력이 시험대에 오를 것이다. 두 번째 위험이 터졌을 때는 상황이 완전히 달라진다. 거의 하룻밤 사이에 소매·상업·투자 은행들은 온라인으로 옮겨 가야 하는 예상치 못한 상황에 직면했다. 동료나 고객과의 대면 접촉이 불가능해지고, 비접촉식 결제 방식의 필요성이 높아졌으며, 원격근무 조건에서 온라인 뱅킹과 온라인 거래를 이용하라고 규제 당국으로부터 권유를 받음으로써 은행업계 전체가 단번에 디지털 뱅킹으로 전환해야 했다. 코로나19는 모든 은행들로 하여금 사이버 보안 위험(이 위험을 적절히 낮추지 못한다면 시스템적 안정성에 가해지는 피해가 커질 수 있다)을 심화시킨, 하지만 이미 생활의 일부가 되어버린 디지털 전환을 가속화하게 만들었다. 고속 디지털 열차를 놓쳐 타지 못한 곳들은 적응과 생존이 매우 힘들어질 것이다.

보험업계에서는 상업용 부동산 및 영업 손실, 여행, 생활, 건강 및 배상책임(산업재해보상과 고용관행보상책임보험 등)을 포함한 다양한 유형의 가계보험과 영리보험에 따라 코로나19 관련 보험금 청구가 이루어지고 있다. 코로나19 팬데믹으로 보험 산업은 특히 많은 위험을 안게 되었다. 보험 산업은 위험 분산 원칙에 기초하고 있으나, 정부의 봉쇄 조치로 이 원칙이 효과를 발휘하지 못했기 때문이다. 이 때문에 전 세계 수십만 개 보험 회사들이 일을 제대로 처리하지 못했고, 수개월 간의 소송 혹은 파산에 직면해 있다. 2020년 5월 기준, 코로나19 팬데믹으로 입을 손해가 2,000억 달러를 넘어가자 보험업계는 이번 사태를 업계 역사상 가장 값비싼 대가를 치러야 하는 사건으로 추산했다(봉쇄 기간이 길어질수록 보험사들이 감당해야 할 비용은 더 늘어날 것이다). 보험 산업의 경우 포스트코로나 시대의 과제는 팬데믹, 극단적 기상 이변, 사이버 공격, 테러 같은 '보험 가입이 안 될 수 있는' 광범위한 범위의 재난적 충격에 대한 회복력을 높여 변화하는 고객의 보호 요구를 충족시키는 것이다. 아울러 예상되는 소송과 전례 없는 보험금 청구 및 손실 가능성에 대비하고 초저금리 환경을 헤쳐 나가야 하는 상황이다.

지난 몇 년 동안 자동차 산업은 무역과 지정학적 불확실성, 매출 감소, 이산화탄소 규제 강화에서부터 급변하는 고객 요구와 전기차, 자율주행차, 공유차의 등장으로 모빌리티 분야의 여러 면에서 더욱 치열해진 경쟁에 이르기까지 강한 도전의 폭풍에 휩싸였다. 코로나19 팬데믹은 특히 공급망 차원에서 자동차 산업이 직면하고 있는 엄청난 불확실성을 가중시킴으로써 이러한 문제들을 더욱 악화시켰다. 코로나19 발발 초기에는 중국산 부품 부족이 글로벌 자동차 생산에 악영향을 미쳤다. 앞으로 자동차 산업은 빠르면 몇 달, 늦어도 몇 년 안에 공급망이 줄어들고 자동차 판매 감소 가능성이 커진 상황을 맞이할 것이고, 이에 맞춰 전체 조직과 경영 방식을 재고해야 할 것이다.

팬데믹의 전개 단계 내내, 특히 봉쇄 기간 중 전기 분야는 전 세계 대부분이 디지털 방식으로 계속 움직이고, 병원이 돌아가고, 모든 필수 산업이 정상적으로 가동하도록 해주는 데 필수적인 역할을 했다. 사이버 위협과 수요 패턴의 변화로 인해 상당히 어려움이 커졌지만, 전기는 충격에 대한 회복력을 증명하며 계속 유지됐다. 앞으로 전기 부문은 에너지 전환을 가속화해야 하는 과제를 받아들여야 한다. 재생에너지, 수소 파이프라인, 전기차 충전망 등의 혁신적인 에너지 인프라에 대한 투자와 화학 생산에 필요한 에너지의 전기화 등의 산업 클러스터(서로 연관이 있는 산업의 기업들과 연구소 및 각종 기관들이 한 곳에 모여 시너지 효과를 도모하는 산업집적단지 - 옮긴이 주) 재개발과의 결합은 고용과 경제 활력을 창출해줌으로써 경기회복을 지원할 수 있는 잠재력을 가지고 동시에 청정에너지 생산 측면에서 에너지 부문의 전반적인 복원력을 높여준다.

미시적 차원의 리셋으로 모든 산업 내 모든 기업들은 새로운 사업과 작업과 영업 방식을 실험하게 될 것이다. 옛날에 하던 방식으로 되돌아가고 싶은 유혹에 빠지는 기업은 실패할 수밖에 없다. 민첩하게, 그리고 상상력을 발휘해 적응하는 기업만이 결국 코로나19 위기를 자신들에게 유리하게 바꿔놓을 수 있다.

MACRO RESET

MICRO RESET

INDIVIDUAL RESET

개인적 차원의 리셋

거시적·미시적인 차원에서의 효과와 마찬가지로 코로나19는 개인으로서의 우리 삶에도 심오하고 다양한 영향을 미칠 것이다. 코로나19는 이미 많은 사람들의 일상을 뒤흔들어 놓았다. 현재까지 코로나19는 전 세계 대다수의 사람들을 가족과 친구들로부터 억지로 자가 격리 하게 만들고, 개인적·직업적 계획을 완전한 혼란 속으로 내동댕이치고, 경제적이면서 때로는 심리적이며 육체적인 안전감을 심각하게 손상시켰다. 우리 모두 인간의 취약점과 결점을 깨달았다. 이러한 깨달음은 봉쇄 때문에 생긴 스트레스와 앞날에 대한 불안감이 합쳐지면서 은연중이라도, 우리와 우리 자신뿐 아니라 다른 사람들, 그리고 우리가 사는 세계와 관계를 맺는 방식을 바꿔놓을 것이다. 어떤 사람들에게는 변화 때문에 시작한 일들이 개인적인 리셋을 일으킬 수도 있다.

CHAPTER 1

인간성의 재정의

REDEFINING OUR HUMANNESS

우리 본성의 선한 천사들

The Better Angels in Our Nature... or Not

심리학자들은 코로나19 팬데믹이 대부분의 변혁적인 사건들과 마찬가지로 우리 안에 있는 최선과 최악의 것들을 끄집어낼 수 있다고 지적한다. 천사나 악마를 말이다. 지금까지 나온 증거를 살펴보자.

얼핏 봤을 때 코로나19는 사람들을 단합하게 만든 것처럼 보였다. 2020년 3월 당시 가장 큰 타격을 받은 이탈리아에서 찍힌 사진들을 보면, 코로나19와 맞서기 위한 집단적인 '전시 보급품'이 코로나19 참사의 유일한 긍정적 면이라는 인상마저 주었다. 전 국민이 집에서 격리되자 결과적으로 사람들끼리 함께 보낼 시간이 더 늘어났고, 서로를 더 아끼는 것 같은 사례들이 수없이 많이 등장했다. 이처럼 커진 집단적 감수성은, 이웃을 위해 발코니에서 공연하는 유명 오페라 가수, 저녁 8시 정각이 되면 창문을 열거나 발코니에 나와 의료진에 대한 감사와 연대를 표현하기 위해 박수치고 노래하는 의식(이것은 유럽 거의 전 지역으로 확대된 현상이다), 도움이 필요한 사람들을 위한 다양한 원조와 지원 활동 등 다양한 형식으로 표출됐다. 어떤 면에서 이탈리아가 이런 행동들을 주도했다고도 볼 수 있는데, 이후 격리 기간 내내 전 세계에 걸쳐 이와 유사한 개인적이고 사회적인 연대 사례들이 광범위하게 등장했다. 친절함과 관대함과 이타주의를 보여주는 단순한 행동들이 표준이 되고 있는 듯 보였고 협력, 공동체주의, 공익을 위한 사리사욕의 희생, 배려 같은 개념이 소중히 여겨지며 주목받았다. 반면에 개인적 권력, 인기, 위신을 표출하는 건 눈살을 찌푸리게 만드는 행동으로 여겨졌고, 코로나19가 진행되면서 '부와 명성'이 주는 매력은 상당 부분 빛을 잃었다. 한 논평가는 코로나바이러스가 현대성의 핵심적 특징인 '명사 숭배 문화'를 단번에 무너뜨리는 효과를 냈다고 진단했다. "사회가 봉쇄되고, 경제활동이 중단되고, 사망자가 늘어나고, 북적대는 아파트나 저택 안에서 모든 사람들의 미래가 동결될 때 계급 이동의 꿈은 사라진다. 코로나19 전과 후만큼 차이가 극명했던 적은 없었다."[141] 이런 가시적인 결과는 사회 평론가들뿐만 아니라 일반 대중들까지도 코로나19가 우리가 가진 최고의 장점을 이끌어내면서 우리가 더 고상한 삶의 의미를 찾게 만드는 데 성공했는지를 곰곰이 따져보게 만들어줬다. 우리 머릿속에는 많은 질문들이 떠올랐다. 코로나19가 더 나은 자아와 더 나은 세상을 만들어줄 수 있을까? 뒤이어 우리의 가치관도 바꿔줄까? 인간적 유대감을 공고히 다지고 사회적 인맥을 유지하려는 의지도 강해질까? 한마디로 우리가 더 배려심 많고 동정심 많은 사람으로 변할까?

역사적 사례를 살펴보면, 허리케인이나 지진 같은 자연재해는 사람들을 하나로 묶어줬지만 팬데믹은 반대로 사람들을 갈라놓았다. 격렬하고 짧은 자연재해에 갑작스럽게 맞닥뜨렸을 때 사람들은 함께 뭉쳐서 비교적 빨리 회복하는 편이다. 이와는 대조적으로 팬데믹은 종종 죽음에 대한 원초적 공포에 뿌리를 둔 불신의 감정을 계속해서 끌어내는, 더 오랫동안 지속되는 장기적 사건이다. 심리학적으로 봤을 때 팬데믹이 낳는 가장 중요한 결과는 경이적 수준의 불확실성 생성이다. 우리는 내일 무슨 일이 일어날지 모른다(코로나19가 재유행할 것인가? 내가 사랑하는 사람들이 감염될까? 내 일자리가 유지될까?). 불확실성이 커지면 우리는 불안과 걱정에 시달린다. 인간은 확신을 갈구한다. 따라서 '평범하게' 생활할 수 있는 능력을 마비시키는 불확실성과 모호함을 지우는 데 유용한 '인지적 종결cognitive closure(새로운 것을 받아들이지 않고 과거의 것을 반복하려는 인지적 경향─옮긴이 주)' 욕구를 느낀다. 팬데믹이 주는 위험은 복잡하고, 파악하기 어렵고, 대부분 잘 알려져 있지 않다. 따라서 팬데믹이 닥쳤을 때 우리는 불시에 자연재해 등이 닥쳤을 때 그렇듯이 (사실 언론에 의해 받게 되는 재해에 대한 일반적인 첫인상과는 다르게) 타인에게 필요한 것에 관심을 쏟기보다는 자신만을 챙길 가능성이 더 크다. 이는 결국 강한 수치심을 낳는데, 수치심은 팬데믹이 일어났을 때 사람들의 태도와 반응을 이끄는 핵심적 감정이다. 이 수치심은 기분 나쁜 감정과 동일시되는 도덕적 감정으로, 후회, 자기혐오, 올바른 일을 하지 않은 데 대해 모호한 치욕감이 뒤섞인 불편한 감정이다. 이 수치심은 과거 팬데믹을 소재로 쓴 수많은 소설과 문학 작품에서 묘사되고 분석되었다. 수치심은 아이들을 운명에 맡기고 버린 부모처럼 급진적이고 끔찍한 형태를 띠기도 한다. 1348년 흑사병으로 황폐해진 피렌체의 한 별장에 은신해 있던 한 무리의 남녀 이야기를 다룬 단편 소설집《데카메론The Decameron》의 서문에서 저자 조반니 보카치오Giovanni Boccaccio는 "부모가 아이들을 돌보지도 찾지도 않고 운명에 맡긴 채 버린 것으로 나타났다"고 썼다. 같은 맥락에서 영국 소설가 대니엘 디포Daniel Defoe의《전염병 연대기A Journal of the Plague Year》에서부터 이탈리아 역사 소설가 알레산드로 만초니Alessandro Manzoni의《약혼자The Betrothed》에 이르기까지 과거 발발한 팬데믹을 다룬 수많은 문학 작품들은 죽음에 대한 두려움이 어떻게 인간의 다른 모든 감정을 압도할 만큼 강해질 수 있는지를 다루고 있다. 어떤 상황이 닥치건 개인은 궁극적으로 자신의 이기적 선택 때문에 나중에 깊은 수치심을 느끼게 되더라도 자기 생명을 구하는 결정을 내릴 수밖에 없다. 감사하게도, 우리가 코로나19 사태 동안 더할 나위 없이 감동적으로 목격했던 사건처럼 항상 예외는 있다. 직업상 의무를 초월해서 동정심과 용기를 보여주는 행동을 수없이 많이 한 간호사와 의사들의 모습이 그런 예외에 해당한다. 하지만 그들은 정말로 그냥 '예외'인 것 같다! 스페인 독감이 제1차 세계대전 말 미국에 미친 영향을 분석한 책인《대大독감The Great Influenza》[142])에서 저자인 역사학자 존 배리John Barry는 당시 의료 분야 종사자들을 도와줄 자원봉사자가 충분하지 않았다고 회고한다. 독감의 기세가 맹렬해질수록 자원봉사를 하려는 사람들이 줄어들었다는 것이다. 미국에서만 제1차 세계대전보다 12배나 많은 사람의 목숨을 앗아갔는데도 불구하고 1918~1919년 동안 일어난 팬데믹에 대한 지식이 그렇게 부족한 이유는 팬데믹 직후 생긴 집단적 수치심 때문일 수도 있다. 이것이 당시의 팬데믹을 다룬 책이나 연극이 현저히 적은 이유를 설명해줄지도 모른다.

심리학자들은 인지적 종결이 일어나면 종종 흑백 논리적 사고에 빠지거나 단순한 해결책을 모색하게 된다고 말한다.[143] 음모 이론이 등장하고 소문과 가짜 뉴스와 불신과 기타 해로운 생각이 전파되기 적합한 환경이 조성되는 것이다. 그럴 때 우리는 리더십과 권위와 명확함을 추구한다. 즉, 우리가 속한 지역사회와 우리를 이끌어주는 리더들 사이에서 누구를 신뢰하는가에 대한 질문이 결정적으로 중요해진다. 결과적으로, 우리가 누구를 불신하는가에 대한 문제 역시 마찬가지다. 스트레스를 받으면 뭉치고 단결하려는 욕구가 커져서 우리는 씨족이나 집단을 중심으로 모이고, 그들의 '뒤'가 아닌 '속'에서 보통 더 사회적으로 변한다. 주변 사람들에 대한 의존도가 높아질수록 우리가 연약하고 취약한 사람처럼 느껴지는 건 당연할 수밖에 없는 것 같다. 가까운 사람들에 대한 애착은 우리가 사랑하는 가족과 친구 등 모든 사람들에게 새삼 고마움을 느끼면서 강해진다. 그러나 여기에는 어두운 측면도 있다. 그런 감정이 애국심과 민족주의 정서를 고조시키고, 동시에 골치 아픈 종교적·민족적인 문제에 대한 고려도 하게 만들기 때문이다. 결과적으로 이 유독한 혼합물은 사회를 최악의 상황으로 치닫게 만든다. 2006년 노벨문학상 수상자인 터키 작가 오르한 파묵Orhan Pamuk은 전염병이 창궐할 때마다 사람들은 항상 소문과 거짓 정보를 퍼뜨리고, 그것을 외국에서 악의적인 의도를 가지고 국내로 유입시킨 질병으로 묘사하는 식의 반응을 보였다고 설명한다. 그러다가 우리는 희생양을 찾게 되는데, 역사를 통틀어 전염병이 발생할 때마다 항상 이런 일이 되풀이됐다. 파묵은 따라서 "르네상스 시대 이후 전염병에 대한 설명을 읽어보면 예상하지 못한 채 걷잡을 수 없이 일어난 폭력, 풍문, 공포, 반란이 흔하게 등장한다"라고 말했다.[144] 그는 이렇게 덧붙였다. "전염병에 대한 역사와 문학을 보면 전염병에 시달리는 민중이 겪는 고통, 죽음의 공포, 형이상학적 두려움, 그리고 괴상한 느낌의 정도가 그들의 분노와 정치적 불만의 깊이를 결정한다는 걸 알 수 있다."

코로나19 팬데믹은 우리가 서로 긴밀하게 연결되어 있지만, 국가 간에서나 종종 심지어 국가 내에서도 연대 의식은 매우 부족한 세계에 살고 있다는 것을 분명하게 보여주었다. 봉쇄 기간 내내 주목할 만한 개인적인 연대 사례들이 등장했지만, 이들과 대조되는 이기적인 행동 사례들 역시 등장했다. 세계적인 수준에서 상호협력의 미덕은 역설적으로 협력이 이뤄지지 않음으로써 두드러졌다. 인간이 동물과 다른 점은 서로 협력하고, 또 그 과정에서 우리 자신보다 더 크고 위대한 뭔가가 될 수 있는 능력이 있기 때문이란 인류학적 증거가 있는데도 불구하고 우리는 협력하지 않곤 했다. 코로나19가 사람들을 이기적으로 만들 것인가, 아니면 타고난 공감과 협동심을 키워줌으로써 사람들이 더 연대하고 싶은 마음을 북돋을 것인가? 과거 일어났던 팬데믹 사례들은 그다지 고무적이지 않지만 이번 팬데믹에는 근본적인 차이가 있다. 우리 모두 더 열심히 협력하지 않으면 우리가 집단적으로 직면한 세계적인 도전들을 해결할 수 없다는 것을 알고 있다. 실존적 도전(무엇보다 환경과 글로벌 거버넌스의 자유낙하)에 맞서기 위해 협력하지 않는다면 우리는 비관적 상황을 맞이하게 될 것이다. 따라서 우리는 우리 본성의 더 나은 천사를 소환할 수밖에 없다.

도덕적 선택
Moral Choices

코로나19 팬데믹은 시민, 정책 입안자 등 모든 집단 내부에서 어떻게 하면 가능한 한 피해를 최소화하면서 공익을 극대화할 수 있는지에 대한 철학적 논쟁에 불을 지폈다. 이로써 우리는 진정 공익이란 게 뭔지를 더 깊이 생각해보게 되었다. 공익이 사회 전체에 이익이 되는 것이라면, 하나의 공동체로서 우리에게 최선인 것을 어떻게 모두가 함께 결정할 것인가? 실업률 상승을 막기 위해 어떤 희생을 치르더라도 GDP 성장과 경제활동을 유지하는 게 공익인가? 공동체의 가장 취약한 구성원들을 돌보고 서로를 위해 희생하는 게 공익인가? 혹시 그 중간에 있는 무엇인가? 만약 그렇다면 어떤 트레이드오프가 일어날까? 개인의 자유를 가장 중시하는 자유의지론libertarianism과 최대 다수를 위한 최고의 결과를 추구하는 걸 더 합리적으로 보는 공리주의 등 일부 철학 사상들이 공익이 추구할 만한 가치가 있는 대의인지를 두고 논쟁할지도 모르지만, 그렇게 하면 이 두 대척적 관계의 도덕적 이론들 사이의 갈등이 해소될 수 있을까? 코로나19가 갈등을 부추겼고, 그로 인해 두 반대 진영 사이에선 격렬한 설전이 일어났다. 오로지 경제적·정치적·사회적 고려에 따라 추진되는 냉정하고 합리적인 결정으로 포장된 다수의 결정이 사실은 도덕 철학, 즉 우리가 무엇을 해야 하는지를 설명할 수 있는 이론을 찾으려는 노력의 영향을 많이 받는다. 사실 코로나19에 대한 최선의 대응 방법과 관련된 거의 모든 결정은 윤리적 선택으로 재포장될 수 있다. 인간이 어떤 경우에나 도덕적인 문제를 고려하며 일한다는 점을 고려해봤을 때 그렇다. 가진 것 없는 사람에게 베풀어야 할까? 의견이 다른 사람에게 공감을 표시해야 할까? 더 큰 이익을 얻기 위해 대중에게 거짓말을 해도 괜찮을까? 코로나19에 감염된 이웃을 돕지 않아도 될까? 나머지 사람들과 함께 사업을 계속 유지할 수 있기 위해 상당수의 직원을 해고하는 게 옳을까? 나만의 안전과 안락함을 위해 휴가지로 탈출해도 괜찮을까? 아니면 나보다 더 필요로 하는 사람에게 대신 휴가지를 제공할까? 친구나 가족을 돕기 위해 격리 명령을 무시할까? 크고 작은 결정 하나하나가 윤리적인 요소를 내포하고 있으며, 우리가 이 모든 질문에 답하는 방법이 궁극적으로 우리가 더 나은 삶을 갈구할 수 있게 해주는 방법이다.

모든 도덕적 철학 개념처럼 공익이란 개념 역시 규정하기 힘들고 논쟁의 여지도 있다. 코로나19 확산을 억제하려고 할 때 공리주의적 계산utilitarian calculus을 적용할 것인지 아니면 신성불가침한 생명의 존엄성 원칙을 고수할 것인지를 두고 격렬한 논쟁이 촉발됐다.

봉쇄 기간 중 공중보건과 경제 타격 사이에 무엇을 더 중요하게 생각해야 하느냐를 둘러싸고 일어난 격렬한 논쟁만큼 윤리적 선택의 문제를 명확히 보여주는 건 없다. 앞에서 언급했듯이, 대부분의 경제학자들은 소수의 생명을 희생하면 경제를 살릴 수 있다는 미신이 틀렸음을 밝혀냈지만, 이러한 전문가들의 판단과 상관없이 논쟁과 논란은 계속되었다. 미국에서만 그랬던 건 아니지만, 특히 미국에선 일부 정책 입안자들이 사람의 목숨보다 경제를 중시하는 것이 정당하다는 입장을 내세우며, 그러한 선언이 정치적 자살(이 사실을 깨달은 존슨 영국 총리는 전문가와 언론이 사회적 다원주의social Darwinism 사례로 묘사하곤 했던 집단 면역을 옹호하던 초기 정책을 서둘러 철회했다)이나 다름없는 아시아나 유럽에서는 상상조차 할 수 없었을 법한 정책적 선택을 옹호했다. 생명보다 경제를 더 우선시하는 생각은 1665년 런던에서 일어난 대역병 때 이탈리아 중부 시에나의 상인들에서부터 1892년 콜레라 발병을 은폐하려 했던 독일 함부르크의 상인들까지 이어지는 오랜 전통을 갖고 있다. 그러나 우리가 가진 모든 의학적 지식과 과학적 자료를 우리 마음대로 할 수 있는 오늘날에도 이런 생각이 여전히 남아 있다는 건 사실 얼토당토않은 것처럼 보인다. '번영을 위한 미국인들Americans for Prosperity' 같은 일부 보수 단체들은 경기 침체로 오히려 더 많은 사람들이 죽는다고 주장한다. 분명 맞는 주장이지만 이것은 본래 윤리적 고려를 바탕으로 한 정치적 선택에서 비롯된 사실이다. 미국에선 실제로 경기 침체로 많은 사람들이 죽는다. 사회안전망의 부재나 부족이 사람들의 생명을 위협하기 때문이다. 어떻게 그럴 수 있을까? 앞에 나왔던 앤 케이스와 앵거스 디턴의 광범위한 분석대로 사람들은 국가 지원이나 건강보험 없이 실직하면 자살, 약물 과다 복용, 알코올중독 등으로 '절망사'하는 경향이 있다.[145] 미국 외 지역에서도 경기 침체로 숨지는 사람들이 나타나지만, 건강보험과 노동자 보호 측면에서의 정책적 선택이 숨지는 사람을 대폭 줄일 수 있다. 이것은 궁극적으로 개인주의적 특성과 공동체의 운명을 선호하는 특성 중에서 무엇을 우선시할 것인지를 둘러싼 도덕적 선택이다. 이것은 (선거를 통해 표현할 수 있는) 집단적이자 개인적인 선택이지만, 코로나19의 사례를 보면 고도로 개인주의적인 사회의 경우 연대감을 표현하는 데 그다지 뛰어나지 않다는 걸 알 수 있다.[146]

2020년 초 코로나19 1차 유행에 뒤이어 전 세계적으로 많은 국가들이 깊은 침체로 빠져들고 있는 시점에서 봉쇄 강화는 정치적 고려 대상이 될 수 없을 듯했다. 아무리 부유한 나라라도 무기한 봉쇄를 견뎌낼 수는 없기 때문이다. 심지어 1년 남짓한 봉쇄도 견뎌내기 힘들다. 특히 실업 측면에서 봉쇄는 최빈곤층뿐 아니라 일반적으로도 개인의 웰빙에 심각한 피해를 줄 수 있다. 경제학자이자 철학자인 아마르티아 센Amartya Sen의 말대로 "사람들은 질병에 걸려서도 죽지만 생계를 꾸려나갈 수 없을 때도 죽는다."[147] 따라서 이제 검사와 접촉자 추적이 광범위하게 실시됨에 따라 많은 개인적이고 집단적인 의사결정을 할 때 필연적으로 복잡한 비용 편익 분석과 함께 때로는 '잔혹한' 공리주의적 계산을 하게 될 것이다. 모든 정책 결정은 가능한 한 많은 생명을 구하는 문제와 가능한 한 경제가 완전히 가동되도록 하는 문제 사이의 극도로 미묘한 타협이 될 것이다. 생명윤리학 교수이자 《물에 빠진 아이 구하기The Life You Can Save》의 저자 피터 싱어Peter Singer는 우리가 잃어버린 생명의 수뿐만 아니라 잃어버린 수명까지 고려해야 한다는 이론을 고수하는 대표적 인사다. 그는 다음과 같은 예를 든다. 이탈리아에서는 코로나19로 사망하는 사람들의 평균 연령이 80세 가까이 된다는 점에서 "코로나19 바이러스로 사망한 사람들 중 다수가 연로할 뿐만 아니라 지병이 있었다는 점을 고려했을 때 이탈리아에선 과연 몇 년의 수명이 사라졌는가?"라고 묻게 만든다는 것이다. 또 일부 경제학자들은 이탈리아인들이 대략 평균 3년의 수명을 잃은 것으로 추정하는데, 이것은 전쟁 발발 시 수많은 젊은이들이 죽었을 때 잃어버리게 되는 40년이나 60년의 인생과 비교했을 때 훨씬 짧은 시간이라는 것이다.[148]

이런 사례를 든 이유를 설명하자면 이렇다. 오늘날 전 세계의 거의 모든 사람들이 자국의 봉쇄가 너무 심했는지 아닌지, 단축되거나 연장됐어야 하는지, 적절히 시행됐는지 아닌지, 적절한 강제성을 갖고 시행됐는지 아닌지에 대해 각자 의견을 내세우면서 본인의 의견을 '객관적 사실'로 포장하는 경우가 종종 있다. 그런데 실제로 우리가 끊임없이 내리는 이러한 모든 판단과 선언은 지극히 개인적이고 기본적인 윤리적 고려에 따라 결정된다. 즉, 우리가 사실이나 의견이라고 드러내는 것이 팬데믹이 드러내준 우리의 도덕적 선택이란 뜻이다. 그것이 우리가 옳거나 그르다고 생각하는 바에 따라 내리는 선택이라는 점에서 우리가 누군지를 정의해준다. 부연 설명 차원에서 간단한 예를 하나 들어보자. WHO와 대부분의 국가 보건 당국은 공공장소에서 마스크 착용을 권한다. 그런데 역학적 필요성이 충분하면서도 손쉬운 위험 완화 조치로 간주되는 마스크 착용이 어느 순간 정치적 논쟁거리로 바뀌었다. 미국뿐 아니라 미국만큼은 아니더라도 몇몇 다른 나라들에서 마스크 착용 여부를 둘러싼 결정이 정치적 쟁점이 되었다. 마스크를 의무적으로 착용하게 하는 게 개인의 자유를 침해하는 것으로 여겨지기 때문이다. 그러나 정치적 선언의 이면에서 보면 공공장소에서의 마스크 착용 거부는 실제로 마스크 착용을 결정하는 것만큼이나 윤리적 결정일 수 있다. 이것이 우리의 선택과 결정을 뒷받침하는 도덕적 원칙에 대해 뭔가를 말해줄 수 있을지도 모른다.

또 코로나19 팬데믹으로 인해 상당히 주관적이면서도 사회적 조화를 위해 필수적인 개념인 공정성의 중요성을 다시금 생각해보게 됐다. 공정성에 대한 고려는, 경제학의 가장 기본적인 몇 가지 전제에 도덕적 요소가 가미되어 있다는 사실을 상기시켜 준다. 예를 들어, 수요와 공급의 법칙을 살펴볼 때 공정성이나 정의를 고려해야 하는가? 그리고 이 질문에 대한 대답이 우리 자신에 대한 무엇을 말해주는 가? 이러한 본질적인 도덕적 문제는, 기름과 화장지 등 일부 기본 생필품과 마스크와 인공호흡기처럼 코로나19 예방과 치료에 꼭 필요한 필수품 부족 사태가 생기기 시작한 2020년 초 표면화되었다. 정답은 무엇이었을까? 수요와 공급의 법칙이 마법을 써서 물가를 충분히 높이 끌어올려 시장에 아무도 없게 만들어야 하나? 아니면 오히려 수요뿐 아니라 심지어 물가까지 잠시 규제해야 하나? 1986년에 작성된 한 유명한 논문에서 대니얼 카너먼Daniel Kahneman과 리처드 탈러Richard Thaler(두 사람은 이후 노벨경제학상을 수상했다)는 이 문제를 연구해 비상시 물가 상승은 불공정하다고 인식되기 때문에 사회적 관점에서 도저히 받아들일 수 없다는 결론을 내렸다. 일부 경제학자들은 수요와 공급에 따라 촉발된 물가 상승이 일명 '패닉 바잉panic buying(가격 상승, 물량 소진 등에 대한 불안으로 가격에 관계 없이 생필품이나 주식, 부동산 등을 사들이는 일을 가리키는 말-옮긴이 주)'을 억제하는 한 효과적이라고 주장할 수 있지만, 대부분은 이것이 경제와 거의 관련이 없고 공정성, 다시 말해 도덕적인 판단에 대한 심리와 더 관련된 문제라고 생각할 것이다. 대부분의 기업들은 이 점, 즉 코로나19 사태처럼 극단적인 상황에서 특히 마스크나 손 소독제 같은 필수품의 가격 인상은 사람들을 언짢게 만들 뿐만 아니라 도덕적·사회적으로 용인될 수 없다는 걸 이해하고 있다. 이 때문에 아마존은 사이트 내에서 바가지 가격을 금지했고, 대형 유통업체들은 상품 가격 인상이 아니라 고객 1인당 구매량을 제한하는 방식으로 공급 부족 문제에 대처했다.

이러한 도덕적 고려가 리셋에 해당하는지, 그리고 그것이 포스트 코로나 시대에도 우리의 태도와 행동에 장기간 계속해서 영향을 미칠지는 알 수 없다. 최소한 우리는 이제 우리의 결정이 가치로 가득 차 있고, 도덕적인 선택에 기반해 내리는 것임을 개인적으로 더 잘 인식하게 됐다고 추정할 수 있다. 미래에 사회적 상호작용을 어지럽히는 사리사욕을 버린다면, 포용성과 공정성 같은 문제에 더 많은 관심을 쏟을 수 있을 것이다. 아일랜드의 극작가이자 소설가이자 시인인 오스카 와일드Oscar Wilde는 이미 1892년에 냉소주의자를 '모든 것의 가격을 알지만 그 어떤 것의 가치도 모르는 사람'으로 묘사하면서 이 문제를 환기시킨 바 있다.

CHAPTER 2

정신건강과 웰빙

MENTAL HEALTH AND WELL-BEING

팬데믹이 정신건강에 미치는 영향

The Impact of the Pandemic in terms of Mental health

여러 해 동안 전 세계 많은 곳에서 정신건강 문제가 유행처럼 번졌다. 코로나19 팬데믹은 이미 정신건강을 악화시켰고, 앞으로도 계속해서 그럴 것이다. 대부분의 심리학자들(우리가 대화를 나눠본 학자들은 모두)은 한 동료 학자가 2020년 5월 밝힌 "코로나19는 정신건강에 치명적인 영향을 미쳤다"는 의견에 동의한다.[149]

육체적 질병과 달리 정신건강 문제가 있는 사람들은 종종 비전문가의 눈에는 띄지 않는 상처를 입는다. 그러나 지난 10년 동안 정신건강 전문가들은 우울증과 자살에서부터 정신병과 중독성 장애에 이르는 정신건강 문제가 폭발적으로 증가했다고 보고하고 있다.

2017년에는 전 세계에서 3억 5,000만 명이 우울증을 앓고 있는 것으로 추정됐다. 당시 WHO는 2020년까지 우울증이 전 세계 질환 중 사회·경제적 부담이 두 번째로 큰 질환이 될 것이고, 2030년에는 허혈성 심장 질환(일부 심장근육에 혈액 공급이 부족해져 생기는 질환 – 옮긴이 주)을 제치고 인류에게 가장 부담을 주는 질환이 될 것으로 전망했다. 미국에선 질병통제예방센터CDC가 2017년 성인의 26%가 우울감을 느끼고 있는 것으로 추정했으며, 약 20명당 1명꼴로 보통에서 심각 사이의 우울 증상을 겪고 있는 것으로 보고됐다. 당시 CDC는 미국 성인의 25%가 정신 질환을 앓을 것이고, 절반 가까이는 평생 동안 적어도 한 가지 정신 질환을 겪을 것으로 예측했다.[150] 미국만큼 심하지는 않더라도 전 세계 대부분의 나라 성인들이 비슷한 수준으로 정신 질환에 시달리고 있다. 직장에서도 정신건강 문제는 골치 아픈 문제가 됐다. 업무와 관련된 스트레스, 우울증, 불안감 등이 계속 악화되고 있는 것으로 보인다. 그렇다는 걸 보여주는 확실한 사례를 들자면, 영국에서 2017~2018년 스트레스, 우울증, 불안감으로 인한 근로자당 근로 손실 일수가 전체 근로 손실 일수의 57%를 차지한 것으로 나타났다.[151]

많은 사람들에게 코로나19 팬데믹 경험은 개인적인 트라우마가 될 것이다. 이로 인해 입은 상처는 몇 년 동안 지속될 수 있다. 우선 코로나19 발병 초기 몇 달 동안 가용성 편향availability bias과 현저성 편향salience bias에 쉽게 빠졌다. 이 두 가지 인지적 편향은 코로나19의 위험에 대해 집착하고 고민하게 만들었다. 가용성 편향은 의사결정이나 확률을 추정하는 과정에서 최근에 많이 접했거나 가장 빨리 떠오르는 사건, 정보, 사례에 근거해서 판단하는 인지적 경향이고, 현저성 편향은 주어진 상황에서 눈에 띄거나 감정적 영향이 큰 단서를 사건의 원인으로 여기는 경향을 말한다. 몇 달 동안 우리가 들은 뉴스라고는 코로나19에 관한 것뿐이었다. 어쩔 수 없이 거의 다 나쁜 뉴스였다. 감정을 자극하는 이미지와 함께 죽음과 전염병과 잘못될 수 있는 다른 모든 일들에 대한 보도는 우리 모두 자신뿐 아니라 사랑하는 사람들에게 어떤 일이 닥칠지 온갖 걱정을 하게 만들었다. 그러한 걱정스러운 분위기는 우리의 정신적 웰빙에 심각한 충격을 가했다. 게다가 언론이 조장한 불안은 전염성이 매우 강할 수 있다. 이런 모든 일들이 현실이 되었다. 소득과 일자리 감소 등의 경제적 영향, 극심한 고립, 외로움, 사망한 친지를 위해 제대로 슬퍼할 수 없는 처지로 인해 받은 감정적 상처 등은 절대 다수의 사람들에게 개인적인 비극을 안겼다.

인간은 본래 사회적 존재다. 누군가와 사귀고 사회적 상호작용을 하는 행위는 우리가 사람답게 살게 해주는 데 필수적인 요소다. 그렇게 못하게 되면 우리는 삶이 망가진 것처럼 느끼게 된다. 사회적 관계는 상당 부분 봉쇄 조치와 신체적 또는 사회적 거리두기에 의해 단절된다. 그런데 코로나19 사태로 인한 봉쇄 조치의 경우 우리에게 사회적 관계가 가장 절실한 때에 취해졌다. 악수, 포옹, 키스, 그 외에 인간다운 삶을 사는 데 필요한 많은 의식이 억압되었다. 그러자 고독과 고립이 생겨났다. 현재로서는 우리가 예전의 생활방식으로 완전히 돌아갈 수 있을지, 돌아간다면 언제 그럴 수 있을지 알 수 없다. 특히 봉쇄가 마무리될 무렵에는 심각한 스트레스를 받던 기간은 오히려 지났는데도 극지 탐험가나 우주 비행사처럼 장기간 고립된 생활을 하는 사람들이 겪는다고 하는, 일명 '3분기 현상third-quarter phenomenon' 같은 정신적 고통을 겪을 위험이 계속된다.[152] 이것은 장기간 고립된 생활을 하는 사람들은 맡은 임무가 절반 지점을 넘어 3분기로 넘어가는 무렵이 되면 여러 가지 문제와 긴장을 경험하는 경향이 있다는 데서 유래된 말이다. 비록 극지나 우주에 가 있는 건 아닐지라도 우리 모두는 정신적 행복감에 매우 심각한 타격을 받았다. 1차 유행에 맞서고 있는 우리는 올지 안 올지 알 수 없는 또 다른 유행을 우려해야 하며, 이때 느끼는 해로운 복합적 감정들은 집단적 괴로움을 유발할 위험이 있다. 정상적인 삶에서 본질적인 부분이자 즐거움의 원천이었던 활동을 할 수 없게 되면(해외에 거주하는 가족과 친구를 방문한다거나 대학 다음 학기를 앞두고 계획을 세운다거나 새로운 일자리에 지원하지 못하게 되면) 혼란을 느끼고 의욕이 저하될 가능성이 커진다. 봉쇄 막바지에 찾아온 딜레마로 인해 겪는 긴장과 스트레스는 많은 사람들에게 몇 달 동안 이어질 것이다. 대중교통을 이용해도 안전한가? 좋아하는 식당에 가는 것은 너무 위험한가? 연로한 가족이나 친한 친구를 방문해도 괜찮은가? 앞으로 오랫동안 이러한 지극히 평범한 결정들을 내릴 때마다 특히 나이나 건강 상태 때문에 질병에 취약한 경우

라면 더 두려움이 커질 것이다.

　이 글을 쓰고 있는 2020년 6월 현재, 코로나19가 정신건강 측면에서 미치는 영향을 정량화하거나 일반화된 방식으로 평가하기는 힘들어도 대략 어떤 영향을 미치고 있는지는 알려져 있다. 쉽게 말해 이번 사태로 우울증 같은 정신 질환을 앓아온 사람들은 불안 장애를 점점 더 심하게 겪게 될 것이고, 사회적 거리두기 조치는 철회된 이후라도 정신건강 문제를 악화시킬 것이며, 많은 가정에서 실직에 따른 소득 감소는 사람들을 '절망사'에 이르게 할 것이다. 또 팬데믹이 지속되는 동안 여성과 어린이를 상대로 한 가정 폭력과 학대가 늘어날 것이다. 특히 돌봐줄 사람이 필요하고, 사회적·경제적으로 혜택을 받지 못하고, 평균 이상의 지원이 필요한 장애가 있는 등 '취약한 상태'에 있는 사람들과 아이들이 정신적 고통을 받을 위험이 더 커진다. 이런 사람들이 겪는 문제를 좀 더 자세히 살펴보도록 하겠다.

　코로나19 팬데믹 초기에 정신 질환을 호소하는 사람들이 폭발적으로 늘어났는데, 이런 현상은 포스트코로나 시대에도 이어질 것이다. 2020년 3월 한 연구팀은 의학 저널 〈랜싯The Lancet〉에 봉쇄 조치가 혼란, 분노와 같은 일련의 심각한 정신 질환을 초래한다는 연구 결과를 발표했다.[153] 심각한 정신건강 문제가 아니더라도 세계 인구의 상당수가 분명 다양한 정도의 스트레스를 겪었을 게 확실하다. 무엇보다도 정신건강 면에서 취약한 사람들은 코로나바이러스에 맞서면서 겪게 되는 도전들(봉쇄, 고립 등)에 더욱 심각하게 반응할 가능성이 높다. 이런 폭풍우를 이겨내는 사람들도 있겠지만, 기존에 진단받았던 우울증이나 불안감이 심각한 임상적 사례로 악화되는 사람들도 일부 있을 것이다. 흥분 상태가 장기간 지속되는 조증 같은 심각한 기분 장애나 우울증 징후, 다양한 정신병적 경험을 처음으로 호소한 사람도 적지 않다. 모두가 팬데믹이나 봉쇄와 직간접적으로 관련된 고립과 외로움, 병에 걸릴지 모른다는 두려움, 실직, 사별, 가족과 친구 걱정 때문에 생긴 결과다. 2020년 5월, 영국 국민건강보험의 정신건강 담당 임상의는 의회 위원회에 출석해서 "일단 봉쇄 조치가 끝나면 정신건강과 관련된 요구가 급증할 것이며, 이후로 수년 동안 외상 치료가 필요한 사람들을 보게 될 것"이라고 말했다.[154] 다른 곳도 상황이 크게 다르지는 않을 것이다.

코로나19 사태가 시작되면서 가정 폭력도 증가했다. 보고되지 않은 사례가 많아서 정확히 얼마나 증가했는지 판단하기는 어렵지만, 불안감과 경제적 불확실성이 같이 높아지면서 가정 폭력이 더 빠르게 늘어난 건 분명해 보인다. 봉쇄 조치로 인해 가정 폭력이 늘어날 수밖에 없는 조건이 모두 갖춰졌다. 친구, 가족, 일자리와의 단절, 폭력적인 파트너에 의한 지속적인 감시와 그와 가까이 붙어 지내야 하는 상황, 그리고 탈출이 제한적이거나 아예 불가능한 처지 등이 이에 해당된다. 봉쇄 상태로 가해자의 기존 폭력적 행동이 더욱 심해졌지만, 피해자는 집 밖으로 나가 그런 행동을 피할 시간을 거의 혹은 전혀 갖지 못했다. 유엔인구기금UNDPF은 2020년 가정 폭력이 20% 증가한다면 봉쇄 기간이 평균 3개월간 지속될 경우 추가로 1,500만 건, 평균 6개월간 지속될 경우 추가로 3,100만 건, 평균 9개월간 지속될 경우 추가로 4,500만 건, 그리고 평균 1년 지속될 경우 추가로 6,100만 건의 가정 폭력이 발생할 것으로 예상했다. 이는 193개 유엔 회원국 모두를 포함한 전 세계적인 전망치이며, '성별에 기반한 폭력gender-based violence'으로 정의되는, 여성을 상대로 한 폭력 중 축소 보고 사례가 많다는 걸 보여주는 결과이기도 하다. 종합해보면, 봉쇄 조치가 3개월 연장될 때마다 추가로 1,500만 건의 성별에 기반한 폭력 사태가 발생한다는 뜻이 된다.[155] 포스트코로나 시대에 가정 폭력이 어떤 양상을 띨지는 예측하기 어렵다. 힘들어진 상황 때문에 가정 폭력 발생 가능성이 더 커지겠지만, 이 문제는 폭력 예방과 보호 노력, 사회 복지, 돌봄 활동 축소와 그로 인한 폭력 사태 발생 증가라는 가정 폭력이 일어나는 상황을 개별 국가가 어떻게 통제하느냐에 달려 있다.

이번에는 "화상 대화와 정신적 웰빙이 서로 역효과를 내는가?"란 질문에 답해보려 한다. 봉쇄 기간 중 화상 대화는 인간관계, 장거리 관계, 동료들과의 관계를 유지할 수 있게 해주면서 많은 사람들의 개인적·직업적인 삶을 구해주는 긍정적인 역할을 해주었다. 그러나 줌을 통한 화상회의가 집중력이 더 많이 필요하다는 데서 나온 일명 '줌 피로Zoom fatigue'로 알려진 정신적 피로도 유발했다. 이는 줌 외에 어떤 형태의 화상 대화를 할 때도 똑같이 겪는 일이다. 봉쇄 기간 중

의사소통을 위해 모니터와 화상캠 수요가 상당히 광범위하게 늘어났다. 마치 새로운 사회 실험이 대규모로 진행되는 것처럼 말이다. 결론적으로, 우리의 뇌는 개인적·직업적 의사소통 대부분을 그러한 가상의 상호작용으로 해야 할 때 이를 수행하기 어렵다고 느끼고 때로는 불안하다고 생각한다. 우리는 물리적·사회적 상호작용을 하는 동안 일반적으로 일어나는 많은 사소하면서도 종종 비언어적인 단서들이 의사소통과 상호 이해의 측면에서 꼭 필요한 사회적 동물이다. 누군가를 만나서 말을 걸 때 우리는 그가 하는 말뿐만 아니라 수많은 언어적 신호에 집중한다. 그 사람의 하반신이 나를 향하고 있는가? 아니면 반대쪽을 향하고 있는가? 손은 어떻게 하고 있는가? 일반적인 보디랭귀지의 분위기는 어떤가? 호흡은? 화상 대화는 미묘한 의미를 부여하는 이러한 비언어적 단서들을 해석하기 불가능하게 만들고, 나오는 말들과 영상의 질에 의해 좌우되는 얼굴 표정에만 전적으로 집중하게 만든다. 가상 대화를 할 때 우리는 장시간의 강렬한 눈맞춤 이외에는 아무것도 하지 않는다. 이런 눈맞춤은 특히 위계적 관계가 존재할 때 고압적이거나 심지어 위협적이 될 수 있다. 이 문제는 눈에 보이는 사람들의 절대적인 숫자가 많을 때 중앙 시야central view 확보가 어려워지는, 마치 미술관에 전시된 여러 작품들에 동시에 집중하지 못하는 것과 같은 경험에 의해서 더 복잡해진다. 우리는 어느 수준을 넘어가면 여러 사람들을 한꺼번에 파악할 수 없게 된다. 심리학자들은 이런 현상을 '부분적 관심의 지속continuous partial attention'이라고 부르는데, 뇌가 여러 가지 일을 동시에 하려고 하지만 좀처럼 하지 못하게 되는 걸 말한다. 대화가 막바지에 이를 때쯤이면 비언어적 단서를 끊임없이 탐색하느라 지친 뇌는 과부하가 걸린다. 이로 인해 기운이 빠지고 불만을 느끼게 되고, 결국 정신적 웰빙에 부정적인 영향을 미친다.

코로나19 사태는 훨씬 더 많은 수의 사람들에게 더 폭넓고 깊은 정신건강 문제를 일으켰다. 이들 중 다수는 이번 사태만 없었더라면 가까운 미래에 그런 문제를 겪지 않았을 가능성이 높다. 이런 측면에서 코로나바이러스는 정신건강 문제를 재설정했다기보다는 심화시켰다고 봐야 할 것이다. 그러나 다른 많은 분야에서와 마찬가지로 정신건강과 관련하여 기존의 추세를 심화시킴으로써 문제의 심각성에 대한 대중의 인식을 끌어올리는 역할도 했다. 삶에 대한 만족도에 가장 큰 영향을 미치는 요소 중 하나인 정신건강[156]은 이미 정책 입안자들의 레이더에 포착됐다. 포스트코로나 시대에는 이러한 문제들이 마땅히 받아야 할 주목을 받게 될 것이다. 이는 리셋에 꼭 필요한 일이다.

CHAPTER 3

우선순위 변경

CHANGING PRIORITIES

우선순위의 변화
A Shift in Our Priorities

코로나19 팬데믹으로 인해 우리가 어떻게 변화될지, 그리고 우리가 세상에 대해 어떻게 생각하고 어떻게 행동하게 될지에 대해 이미 많은 글이 등장했다. 그러나 코로나19 팬데믹이 여전히 진행 중이고 자료와 연구가 부족한 상황에서 우리의 미래 모습에 대한 온갖 추측들은 말 그대로 단지 추측에 불과하다. 그럼에도 불구하고 이 책에서 검토한 거시적이고 미시적인 문제들과 관련된 몇 가지 가능한 변화를 예측해볼 수 있다. 코로나19 팬데믹은 이전에 생각해보지 않았던 방법으로 우리의 내적 문제들을 해결하게 만들지 모른다. 위기와 봉쇄가 없었더라면 절대로 떠올리지 않았을 몇 가지 근본적인 질문을 통해 우리의 심상 지도mental map를 리셋할 수도 있을 것이다.

코로나19 팬데믹 같은 실존적 위기는, 우리가 느끼는 두려움이나 근심과 대면해 성찰해볼 수 있는 좋은 기회를 제공한다. 이는 우리가 정말로 중요한 질문을 던져보게 만들고, 더 창의적으로 대응할 수 있게 해준다. 역사를 보면 경제적·사회적 침체 후에 종종 새로운 형태의 개인적·집단적 조직이 등장한다. 이미 역사의 흐름을 근본적으로 바꾼 과거의 팬데믹 사례들을 제시한 바 있는데, 역경이 닥칠 때 종종 혁신이 번창한다. 오랫동안 필요는 발명의 어머니로 인식되어 왔다. '정상적인' 세계의 속도와 광란에서 벗어나 더 많은 성찰의 시간을 선사한 코로나19 팬데믹의 경우 이 말이 특히 더 사실로 입증될지 모른다. (물론 병원과 식료품점과 슈퍼마켓에서 일하는 수천만 명의 영웅적인 노동자들과 어린 자식을 돌봐야 하는 부모나 부단한 관심이 필요한 노인이나 장애인 친척을 보살펴야 하는 사람들에게는 이런 상황이 적용되지 않을 것이다.) 시간의 여유는 항상 큰 멈춤과 고독을 선사한다. 이 팬데믹 역시 개인적·사회적으로 우리가 누구고, 우리에게 무엇이 진정으로 중요하고, 우리가 무엇을 원하는지에 대해 더 깊이 생각할 수 있는 기회를 제공했다. 강제적인 집단 성찰의 시기는 우리의 믿음과 신념에 대해 보다 진지하게 재고해보는 행동의 변화를 가져올 수 있다. 이로 인해 우리가 어떻게 교제하고, 가족과 친구를 돌보고, 운동하고, 건강을 관리하고, 쇼핑하고, 아이들을 교육시키고, 심지어 세계에서 어떻게 자리매김할지 등 우리 일상의 많은 측면에서 우리가 살아가는 방식에 영향을 미칠 수 있는 우선순위에 변화가 일어날 수 있다. 다음과 같은 질문들이 점점 더 전면적으로 부각될지도 모른다. 우리는 뭐가 중요한지 알고 있는가? 우리가 너무 이기적이라서 우리 자신에게만 몰두하는 걸까? 우리는 좋은 커리어를 쌓는 데만 너무 우선순위를 두고 여기에 과도하게 시간을 할애하는 것은 아닌가? 우리는 소비자주의의 노예인가? 팬데믹이 가져온 멈춰서 생각해볼 시간 덕분에 포스트코로나 시대를 살고 있는 우리의 대답은 이전에 내놓았을 대답보다 더 진화할 것이다.

그럼 발생 가능성이 있어 보이는 잠재적 변화들 중 몇 가지를 자의적이고 비배타적인 방식으로 검토해보기로 하자.

창의성
Creativity

독일의 시인이자 철학자 프리드리히 니체Friedrich Nietzsche가 했던 "우리를 죽이지 않는 것이 우리를 더 강하게 만든다"는 말은 약간 진부하게 들릴지 모르지만 사실 핵심을 짚고 있다. 팬데믹에서 살아남은 모든 사람들이 더 강해진다는 말은 아니다. 전혀 그렇지 않다. 다만 누군가는, 팬데믹 당시에는 별것 아닌 것처럼 보일지 모르지만, 훗날 뒤돌아보면 실로 엄청난 영향을 끼친 것으로 보이는 행동과 성취를 통해 더 강해질 것이다. 이때 창의적인 사고가 도움이 된다. 적절한 산업처럼 적절한 시기에 적절한 장소에 있는 것 또한 마찬가지다. 예를 들어, 향후 몇 년 안에 우리가 디지털과 생명공학 분야에 종사하는 스타트업과 신생 벤처들 사이에서 창의성의 폭발을 목격할 것임은 사실상 의심의 여지가 없다. 코로나19 사태는 스타트업과 신생 벤처들의 항해에 순풍 역할을 해주었다. 즉, 이들 분야에서 가장 창의적이고 독창적인 개인들이 상당한 발전과 많은 혁신을 이뤄낼 것으로 기대된다. 가장 재능 있는 기업가들이 마음껏 능력을 발휘할 장이 열린 것이다!

과학과 예술 분야에서도 같은 일이 일어날 것이다. 창의적인 인물들이 봉쇄 속에서 성과를 이뤄낸 역사적 에피소드가 많다. 아이작 뉴턴은 페스트 기간 동안 빛을 발휘했다. 페스트 발발 이후인 1665년 여름 케임브리지대학교가 문을 닫아야 했을 때 뉴턴은 영국 동부 링컨셔Lincolnshire에 있는 본가로 돌아가 1년 넘게 머물렀다. 다음 해인 1666년 뉴턴은 강제 격리 기간 동안 자신의 중력과 광학 이론, 특히 중력을 지닌 물체들 사이의 거리가 두 배로 되면 중력의 끌어당김은 4분의 1이 된다는 '중력의 역제곱 법칙inverse-square law of gravitation'의 발전 (뉴턴이 살던 집 옆에 사과나무 한 그루가 있었는데, 낙하하는 사과와 달리 달은 낙하하지 않고 공전하는지 이유를 고민하다가 이 법칙을 찾아냈다)[157] 의 토대를 마련하는 등 창조적 에너지를 쏟아냈다. 과학계에서는 이때를 '기적의 해annus mirabilis'라고 부른다.

문학에서도 이와 비슷하게 억압된 창의성이 서구 세계에서 가장 유명한 문학작품 여러 편의 탄생에 기여했다. 학자들은 1593년 페스트에 의해 어쩔 수 없이 런던 극장들이 폐쇄된 사건이 영국 극작가인 윌리엄 셰익스피어William Shakespeare가 시詩로 관심을 돌리게 된 중요한 계기가 되었다고 본다. 이때 그는 비너스가 '위험한 해로부터 감염을 추방하기 위해서'라는 명목으로 소년의 키스를 애원하는 내용의 대중적인 설화시 〈비너스와 아도니스Venus and Adonis〉를 출간했다. 몇 년 뒤인 17세기 초에 런던 극장들은 페스트 때문에 문을 열 때보다 닫을 때가 더 많았다. 페스트로 인한 사망자가 주당 30명을 넘을 경우 극장 공연을 취소해야 한다는 공식 규정도 마련됐다. 1606년에 극장이 페스트로 폐쇄되고 극단이 공연을 할 수 없게 됐기 때문에 셰익스피어는 매우 많은 작품을 쓸 수 있었다. 불과 1년 만에 그는 《리어왕King Lear》,《맥베스Macbeth》,《앤토니와 클레오파트라Antony and Cleopatra》를 썼다.[158] 러시아 작가 알렉산드르 푸시킨Aleksandr Pushkin도 비슷한 경험을 했다. 1830년 러시아 니즈니노브고로드Nizhni Novgorod에 콜레라가 유행하면서 그는 한 지방에서 옴짝달싹하지 못하게 됐다. 몇 년간 개인적으로 혼란스러운 일을 겪던 그는 갑자기 안도감과 자유와 행복감을 느꼈다. 검역소에서 보낸 석 달이 그의 삶에서 가장 창의적이고 생산적인 시기였다. 이때 푸시킨은 걸작 소설 《예브게니 오네긴Evgeny Onegin》을 완성하고 일련의 촌극을 썼는데, 그 촌극 중 하나를 〈페스트 중의 잔치A Feast during the Plague〉라고 불렀다.

코로나19 위기가 문화와 엔터테인먼트 세계에 끼치고 있는 재앙적인 재정적 충격을 축소하거나 외면하려는 것은 아니다. 다만 희미하게라도 희망과 영감의 빛을 발견했으면 하는 바람으로 페스트나 팬데믹이 창궐하는 동안 우리의 위대한 예술가들이 인적 창의성을 발휘한 역사적 사례를 인용해보았다. 창의성은 우리 사회의 문화와 예술 분야에서 가장 풍부하게 발휘되며, 바로 이 창의성이 인류 회복력의 원천임을 역사는 증명하고 있다.

이러한 사례는 다수 존재한다. 이는 특이한 형태의 리셋이지만 그렇다고 놀랄 일은 아니다. 실로 충격적인 사태가 일어났을 때 풍부한 창의성과 독창성이 발휘되는 경우는 드물지 않다.

시간
Time

미국 소설가 조슈아 페리스Joshua Ferris의 2007년작 《호모 오피스쿠스의 최후Then We Came to the End》에 등장하는 인물은 "어떤 날은 다른 날보다 더 길게 느껴졌다. 어떤 날은 꼬박 이틀처럼 느껴지기도 했다"라고 말한다. 코로나19 팬데믹으로 인해 전 세계적으로 이와 똑같은 일이 벌어졌다. 팬데믹은 우리의 시간 감각을 바꿔놓았다. 봉쇄되어 있는 동안 많은 사람들이 격리된 날들이 영원히 지속될 것 같다고 말했지만, 몇 주의 시간은 놀라울 정도로 빠르게 지나갔다. 다시 말하지만 '참호' 속에서 있는 것 같은 사람들, 즉 우리가 앞서 언급한 모든 필수 노동자들을 근본적으로 제외하고, 봉쇄 상태에서 많은 사람들은 어제와 내일이 똑같고, 근무일과 주말의 차이가 거의 없는 것처럼 느꼈다. 마치 모든 표식과 통상적 구분이 사라져서 시간이 무정형적이고 구분이 안 되는 것 같았다. 이와 근본적인 맥락은 다르지만 비슷한 유형의 경험으로, 가장 가혹한 형태의 감금 상태를 겪어본 죄수들은 이것이 어떤 경험인지를 안다. "하루하루가 더디게 간다. 그러다 잠에서 깨어나 보니 한 달이 지났다. 그러면 '도대체 시간이 어떻게 간 거야'라고 생각한다." 여러 차례 감옥에 수감된 적 있는 벨기에 소설가 빅토르 세르주Victor Serge도 같은 말을 했다. "시간이 빠르게 지나가기도, 초가 아주 길게 지나가기도 한다."159) 이런 관찰이 우리에게 시간과의 관계를 재고하고, 시간이 얼마나 정확한지 잘 인식하고, 무심결에 그것이 흘러가게 내버려두지 않도록 만들어줄 수 있을까? 우리는 기술이 만들어낸 즉시성immediacy의 문화 속에서 모든 것이 그 어느 때보다도 훨씬 더 빠르게 진행되는 극한적 속도의 시대에 살고 있다. 모든 것을 당장 필요로 하고 원하는 이 '실시간real-time' 사회에서 끊임없이 시간에 쫓기고 삶의 속도가 예전보다 빨라지고 있다는 느낌을 계속해서 받는다. 봉쇄 경험이 이런 느낌을 바꿔놓을 수 있을까? 포스트 코로나 시대의 '적기' 공급망이 개인적 차원에서 더 큰 회복력과 마음의 평화를 위해 시간의 가속이 억제되는 경험을 줄 수 있을까? 심리적으로 더 강한 회복력을 가져야겠다는 욕구가 우리로 하여금 속도를 늦추고 지나가는 시간을 더 의식하게 만들어줄 수 있을까? 아마도 그럴 수 있을지 모른다. 이것이 코로나19 팬데믹과 봉쇄가 주는 예상치 못한 긍정적인 면일 수 있다. 이 경험을 통해 우리는 친구나 가족과 함께 보낸 소중한 순간들, 계절과 자연, 약간의 시간이 필요하지만 행복에 기여하는 무수히 많은 소소한 일들(낯선 사람과 대화하거나, 새소리를 듣거나, 예술 작품을 감상하는 일 등)처럼 위대한 시간의 흔적을 더욱 자각하고 예민하게 반응하게 됐다. 포스트코로나 시대의 리셋을 통해 우리는 예전과 다른 시간의 진가를 느끼고 더 큰 행복을 얻기 위해 시간을 활용하게 될지도 모를 일이다.[160]

소비
Consumption

많은 언론들이 코로나19 창궐이 소비 패턴에 미칠 영향을 집중적으로 분석한 기사를 쏟아냈다. 기사 중 상당수는 포스트코로나 시대에 우리의 선택과 습관이 가져올 결과를 더 많이 의식하게 되고, 몇몇 형태의 소비는 억제할 것이라고 주장한다. 반면에 몇몇 분석가들은 봉쇄 조치가 끝난 후 소비가 급증하는 '보복 소비'가 등장하면서 소비하려는 우리의 '야성적 충동animal spirits'이 강력히 되살아나고 코로나19 이전에 만연했던 상황으로 돌아갈 것으로 예측한다. 아직 보복소비가 나타나지는 않았다. 자제심이 먼저 발동하면 그런 소비가 아예 일어나지 않을 수도 있다.

환경적 리셋을 다룬 챕터에서 언급했던 "팬데믹이 환경 파괴와 기후변화와 관련된 위험이 얼마나 심각한지 대해 대중들이 극적으로 눈을 뜨게 해주는 역할을 했다"는 주장도 이런 가설을 뒷받침해준다.

한편 사회적 불안을 야기하는 위협이 현실적이고 즉각적이며 우리 문 앞에 다가와 있다는 인식과 결합되면서, 불평등에 대한 높아진 인식과 심각한 우려도 유사한 효과를 낼지 모른다. 극심한 불평등이 임계점에 도달하면 사회계약을 약화시키기 시작하고, 재산을 겨냥한 반사회적이고 범죄적인 행동을 유발하기도 한다. 이 문제를 해결하기 위해 소비 패턴에 변화가 일어나야 한다. 부를 과시하는 과시적 소비 Conspicuous consumption에 대한 관심이 꺾일 수 있고, 최신 모델을 갖는 게 더 이상 지위 과시의 수단이 아니라 현실을 모르는 터무니없는 짓으로 여겨질 수도 있다. '지위를 알려주는 신호Positional signalling'가 뒤집히는 것이다. 즉, 구매를 통해 자신이 누군지를 보여주거나 값비싼 '물건'을 과시하는 게 구식passé이 될 수 있다. 실업, 참기 힘든 불평등, 환경에 대한 고뇌로 얼룩진 포스트코로나 세계에서 부의 과시는 더 이상 용납될 수 없을 것이다.

앞으로 나아갈 길은 일본과 다른 몇몇 국가들의 사례로부터 영감을 얻을 수 있다. 경제학자들은 우리가 '경제적 리셋' 부분에서 언급했던 세계의 일본화 가능성에 대해 끊임없이 걱정하지만, 우리가 소비와 관련하여 나아가고자 하는 방향에 대해 감을 잡을 수 있게 해주는 훨씬 더 긍정적인 일본화 가설도 존재한다. 일본은 서로 뚜렷이 구분되지만 얽혀 있는 두 가지 특징을 갖고 있다. 즉, 일본은 고소득 국가들 중에서 불평등도가 가장 낮은 국가에 속하고, 1980년대 후반 투기 거품이 꺼진 이후 과시적 소비 수준이 낮다. 오늘날 단순하고 간결한 삶을 추구하는 미니멀리즘의 긍정적 가치(일본의 정리 컨설턴트인 곤도 마리에Marie Kondo의 집안 정리·정돈 시리즈에 의해 퍼진), 인생의 의미와 목적을 찾는 삶의 추구, 자연의 중요성과 삼림욕의 실천은 모두 보다 소비주의적인 사회와 비교해 상대적으로 더 '검소한' 일본식 생활 방식을 옹호하고 있는 것임에도 불구하고 세계 각지에서 모방되고 있다. 과시적 소비에 눈살을 찌푸리고, 이를 억제하는 북유럽 국가에서도 비슷한 현상을 관찰할 수 있다. 그러나 이런 현상들 때문에 행복이 줄어들지는 않는다. 오히려 정반대다.[161] 심리학자와 행동경제학자들이 계속 상기시켜 주듯이 과소비를 한다고 해서 행복해지는 건 아니다. 이것은 또 다른 개인적인 리셋으로 이어질 수 있다. 즉, 어떤 식으로건 행해지는 과시적 소비나 과도한 소비는 인간과 지구 모두에 좋지 않다는 사실을 이해하고, 소비를 통해서만 성취감과 만족감을 느끼는 게 아니라 덜 소비해야 그런 느낌을 갖게 된다는 걸 깨닫게 될 것이다.

자연과 웰빙
Nature and Well-being

    코로나19 팬데믹은 엄청난 혼란과 불확실성의 시기에 우리의 불안과 두려움을 어떻게 통제하면 될지에 대한 실시간 연습임이 증명되었다. 여기서 한 가지 분명한 메시지가 도출됐다. 자연이야말로 오늘날의 많은 병을 치료해주는 엄청난 해독제라는 것이다. 최근에 다방면에서 진행된 연구는 이를 이견의 여지 없이 설명해준다. 신경과학자, 심리학자, 의사, 생물학자, 미생물학자, 신체 기능 전문가, 경제학자, 사회과학자 등은 모두 각자의 분야에서 자연이 왜 우리를 기분 좋게 해주고, 어떻게 육체적·심리적 고통을 완화해주고, 왜 신체적·정신적 측면에서 그토록 많은 혜택을 선사하는지를 설명할 수 있다. 또 야생동물, 나무, 동식물 등 풍부하고 다양한 자연과 분리되면 왜 우리의 마

음, 몸, 정서적 삶과 정신건강이 부정적인 영향을 받는지도 보여줄 수 있다.[162]

　코로나19 상황이라도 건강 관리 차원에서 매일 걷거나 운동하라고 보건 당국은 끊임없이 권고하고 있다. 봉쇄 기간 중 나온 무수한 증언들도 마찬가지다. 그 증언들은 도시 사람들이 숲과 공원과 정원, 나무 등과 같은 녹지를 얼마나 갈망하고 있는지를 보여준다. 심지어 프랑스처럼 가장 엄격한 봉쇄 조치가 시행된 나라에서도 보건 당국은 매일 바깥에서 시간을 보낼 필요가 있다고 주장했다. 포스트코로나 시대에는 생활 속에서 자연의 중요하고 본질적인 역할을 무시하는 사람이 훨씬 줄어들 것이다. 코로나19가 많은 사람들이 이런 인식을 갖게 해줬다. 이제 전 세계 모두가 자연의 역할을 더 잘 알게 됐기 때문이다. 이제 앞서 생태계를 보존하고 환경을 존중하는 방식으로 생산하고 소비할 필요성에 대해 했던 주요 지적들이 개인적 차원에서 훨씬 자주 언급될 것이다. 이제 우리가 자연과 생물 다양성 측면에서 제공해야 할 조치를 제대로 취하지 못한다면 인류가 신체적·정신적 웰빙을 누릴 가능성도 심각하게 손상될 것임을 안다.

　코로나19 팬데믹 기간 내내 우리는 사회적 거리두기, 손 씻기, 마스크 착용하기 같은 규칙(추가하자면 가장 취약한 사람들을 배려한 자가격리도)이 코로나19로부터 우리 자신을 보호하기 위한 표준 도구라는 소리를 들었다. 하지만 자연에 대한 노출 여하에 따라 크게 달라지는 두 가지 필수 요소인 면역력과 염증 또한 바이러스에 대한 신체적 회복력에 중요한 역할을 한다. 둘 다 우리를 보호하는 데 기여하지만, 면역력은 나이가 들수록 감소하는 반면에 염증은 늘어난다. 바이러스 저항력을 높이기 위해서는 면역력을 키우고 염증을 억제해야 한다. 이 시나리오에서 자연은 어떤 역할을 할까? 과학이 알려주는 바에 따르면, 자연은 시나리오의 주인공이다. 우리 몸이 낮은 수준의 염증을 계속해서 경험하다 보면 심혈관 질환, 우울증, 면역력 저하 등 온갖 문제가 발생한다. 이런 잔류 염증은 도시나 산업화된 지역에 사는 사람들 사이에서 더 보편적이다. 숲에서 2시간만 보내도 사이토카인cytokine(면역세포로부터 분비되는 단백질 면역 조절제 – 옮긴이 주) 수치를 낮춰 염증을 완화할 수 있다는 연구 결과가 나오는 등 자연과의 접촉 부족이 염증을 키우는 한 요인이라는 사실도 밝혀졌다.[163]

자연에서 보내는 시간뿐만 아니라 먹는 것, 잠자는 방법, 운동하는 시간 등 생활 방식의 선택이 중요해졌다. 나이가 많다고 반드시 치사율이 올라가는 건 아니라는 고무적인 관찰 결과를 암시해주는 선택이다. 자연, 식이요법, 운동이 생물학적 퇴화 속도를 늦춰주거나 심지어 퇴화를 뒤집을 수도 있다는 걸 보여주는 연구 결과는 이미 충분하다. 생물학적 퇴화는 절대로 숙명이 아니다. 운동, 자연, 가공하지 않은 음식 등은 면역력을 향상시키고 염증을 억제해주는 두 가지 이점이 있다.[164] 우리가 방금 소비 습관에 대해 말한 내용과 일맥상통한다. 새로 발견한 이 모든 증거들은 책임 있는 소비로 이어질 것이다.

최소한 환경에 대한 약탈을 줄이고 지속 가능성을 늘리는 방향으로
소비 추세가 이동할 것은 명확해 보인다.

코로나19는 자연의 중요성에 대해 관심을 갖게 해주었다. 앞으로
우리가 가진 자연 자산에 더 많은 관심을 기울이는 일은 더욱 중요해
질 것이다.

결론

코로나19 팬데믹이 시작된 지 불과 6개월 만인 2020년 6월, 세상은 완전히 다른 곳이 되었다. 짧은 기간 동안 코로나19는 중대한 변화를 일으켰고, 이미 경제와 사회를 괴롭혀왔던 문제들은 더욱 부각시켰다. 불평등 심화, 불공평하다는 느낌의 광범위한 확산, 지정학적 분열 심화, 정치적 양극화, 공공 적자 증가와 높은 부채 수준, 비효율적이거나 존재하지 않는 글로벌 거버넌스, 과도한 금융화, 환경 악화 등은 코로나19 발발 이전부터 존재했던 주요한 도전 과제들이다. 그런데 코로나19 위기로 모든 것이 악화됐다. 코로나19 사태는 천둥 전에 치는 번개일까? 코로나19는 일련의 심오한 변화를 일으킬 힘을 가지고 있을까? 지금으로부터 10년 후의 세상은 물론이거니와 10개월 후의 세상도 어떻게 될지 알 수 없지만, 오늘 우리가 사는 세상을 리셋하기 위해 뭔가를 하지 않는다면 내일의 세상은 심각한 고통에 시달릴 것임은 잘 알고 있다. 소설가 가브리엘 가르시아 마르케스Gabriel Garcia Marquez가 쓴《예고된 죽음의 연대기Chronicle of a Death Foretold》에선 마을 전체가 닥쳐올 재앙을 예견하지만, 이미 늦어버릴 때까지도 마을 주민 중 누구도 재앙을 막기 위해 행동하지 않는다. 우리 인류는 그런 마을이 되어서는 안 된다. 그러한 운명을 피하기 위해선 지체 없이 '위대한 리셋'에 착수해야 한다. 이것은 '하면 좋은 일'이 아니라 절대적으로 필요한 일이다. 우리 사회와 경제의 뿌리 깊은 병폐를 해결하고 고치지 못한다면 역사적으로 내내 그랬듯이 혁명 같은 격렬한 충격에 의해 리셋이 강요될 위험이 커질 수 있다. 그런 위험에 정면으로 맞서는 게 우리의 의무다. 코로나19는 우리에게 기회를 줬다. 그것은 "우리가 사는 세상을 성찰하고, 새롭게 구상하고, 리셋할 수 있는 보기 드문 기회다."[165]

코로나19로 인해 야기된 심각한 위기는 경제와 사회가 어떻게 돌아가고, 어떻게 하면 돌아가지 않는지에 대해 성찰해볼 수 있는 기회를 주었다. 결정은 분명해 보인다. 우리는 변해야 한다. 그런데 과연 그럴 수 있을까? 우리가 과거에 저질렀던 실수로부터 교훈을 얻을 수 있을까? 코로나19가 더 나은 미래로 향하는 문을 열어줄까? 전 세계를 제대로 정돈할 수 있을까? 다시 말해, 우리는 '위대한 리셋' 작업에 착수할 것인가? 리셋은 야심찬 일이다. 어쩌면 너무 야심찬 일일지 모르지만 최선을 다하는 수밖에 없다. 그것은 세상을 코로나19 팬데믹 이전 시대에 남겨뒀던 것보다 덜 분열적이고, 덜 오염되고, 덜 파괴적이고, 더 포용적이고, 더 공평하고도 공정하게 만드는 문제다. 아무것도 안 하거나 너무 적게 한다면 전례 없이 많은 사회적 불평등, 경제적 불균형, 불공평함, 환경 파괴를 향해 몽유병에 걸린 채 걸어가는 것과 같다. 행동하지 않는다는 것은 전 세계 많은 인구가 우리 세계를 더 비열해지고, 분열되고, 위험하고, 이기적이면서 견디기 어렵게 만드는 것과 같다. 아무것도 하지 않는다는 건 옵션이 될 수 없다.

그렇더라도 '위대한 리셋'이 일어나는 게 기정사실은 아니다. 어떤 사람들은 위대한 리셋의 규모에 대해 두려워할 것이다. 또 긴박한 상황만 진정되면 조만간 '정상화'될 것이라는 희망을 갖고서 리셋에 참여하기를 거부할지도 모른다. 이런 소극적 태도를 옹호하는 사람들은, 과거에도 팬데믹, 혹독한 경기 침체, 지정학적 분열, 사회적 긴장 등 비슷한 충격을 이겨낸 것처럼 이번에도 다시 이겨낼 수 있다고 주장한다. 늘 그렇듯이 사회나 경제나 모두 예전 상태로 재건될 것이고, 삶은 계속된다는 것이다. 리셋에 소극적인 이유는 또 세계의 상태가 그다지 나쁘지 않고, 그것을 더 좋게 만들기 위해서는 단지 주변에 있는 몇 가지만 고치면 된다는 확신에 근거한다. 오늘날 세계의 상태가 평균적으로 과거보다 상당히 나아진 것은 사실이다. 그럼에도 우리는 인간으로서 결코 그렇게 좋은 세상을 살아본 적이 없다는 점을 인정해야 한다. 집단 복지를 평가하는 거의 모든 주요 지표들(가난하게 살거나 분쟁 속에서 죽어가는 사람 수, 1인당 GDP, 기대수명이나 식자율, 그리고 심지어 팬데믹으로 인한 사망자 수까지)은 지난 세기 동안 꾸준히 개선되었고, 특히 최근 몇 십 년 동안의 개선은 괄목할 만한 정도였다. 그러나 이런 지표들은 '평균적으로' 개선되어 온 탓에, 개선에서 소외되었다고 느끼며 실제로도 자주 소외되었던 사람들에게는 무의미한 통계일 뿐이다. 그러므로 오늘날의 세계가 그 어느 때보다도 나아졌다는 건 부인할 수 없지만, 그것이 현 상태에서 위안을 얻고 세상을 계속해서 괴롭히는 많은 병폐를 방치하는 구실이 될 수는 없다.

앞에서 소개했던, 흑인 조지 플로이드의 비극적인 죽음은 이 말이 옳다는 걸 생생하게 보여준다. 이 사건은 미국 흑인 사회가 느껴왔던, 사회가 심각하게 불공평하다는 감정이 누적되다가 마침내 대규모 시위로 폭발하게 만든 최초의 도미노 내지는 도화선이었다. 그들에게 그들의 운명이 '평균적으로' 과거보다는 더 나아졌다고 하면 분노가 달래질까? 당연히 아니다. 아프리카계 미국인에게 중요한 것은 지금 현재 그들이 처한 상황이지, 150년 전에 그들의 조상 중 다수가 노예로 살았을 때(미국에서 노예제도는 1865년에 폐지되었다)나, 혹은 불과 50년 전 백인 미국인과 결혼하는 게 불법이었을 때(인종 간 결혼은 1967년에야 모든 주에서 합법화되었다)에 비해 그들의 상황이 얼마나 '개선'되었느냐가 아니다. 이런 점에서 다음 두 가지 사실이 '위대한 리셋'과 관련된다. 하나는 인간의 행동과 반응은 통계 자료가 아니라 감정과 정서에 따라 결정되며, 인간관계로 얽힌 실제적·허구적 이야기가 우리 행동을 이끈다는 것이다. 다른 하나는 인간의 상태가 개선될수록 생활수준 향상과 함께 더 좋고 공정한 삶에 대한 기대감도 높아진다는 것이다.

그런 의미에서 2020년 6월에 일어난 광범위한 사회적 시위는 '위대한 리셋'에 착수해야 할 시급성을 상징한다. 시위는 역학 위험(코로나19)과 사회적 위험(시위)을 연결해서 위험, 문제, 도전, 그리고 또 기회 사이의 시스템적 연결성이 오늘날의 세계에서 중요하고 미래를 결정한다는 걸 분명히 보여줬다. 코로나19가 발발하고 첫 몇 달 동안 대중의 관심은 당연히 역학 및 건강상 영향에 집중되었다. 그러나 앞으로 가장 중대한 문제는 이번 사태로 인해 연속해서 발생할 경제적·지정학적·사회적·환경적·기술적 위험과 그것이 기업과 개인에게 지속적으로 미치는 영향이다.

코로나19 바이러스가 감염자들과 그 가족, 지역사회에 재앙이었다는 걸 부인할 수 없다. 그러나 전 세계적인 차원에서 감염된 세계 인구의 비율을 따져본다면 코로나19 위기는 지난 2000년 동안 세계가 겪은 팬데믹 중 가장 덜 치명적인 편에 속한다. 코로나19 팬데믹이 예상하지 못한 방식으로 전개되지 않는 한 십중팔구 그 영향은 건강과 사망률 면에서 이전에 일어났던 팬데믹에 비해 약할 것이다. 남미, 남아시아, 미국 대부분의 지역에서 여전히 코로나19가 맹위를 떨치고 있는 2020년 6월 현재 코로나19로 사망한 사람은 전 세계 인구의 0.006% 미만이다. 이 수치를 다른 팬데믹 때와 비교해본다면, 스페인 독감은 세계 인구 2.7%, HIV/AIDS는 0.6%(1981년부터 지금까지)의 생명을 각각 앗아갔다. 여러 추정에 따르면, 유스티니아누스 역병은 541년 창궐 후 750년 마침내 사라질 때까지 비잔티움 인구의 3분의 1 가까이의 생명을 앗아갔다. 흑사병(1347~1351)은 유행 당시 세계 인구의 30~40%를 숨지게 만든 것으로 보고 있다. 그런데 코로나19 팬데믹은 다르다. 이것은 실존적 위협도 아니고, 수십 년 동안 세계 인구에게 흔적을 남길 충격을 주지도 않는다. 그러나 이미 언급한 모든 이유들로 인해 걱정스러운 면이 있다. 즉 오늘날의 상호의존적인 세계에서 위험들이 합쳐지면서 상호 효과를 증폭시키고 영향력을 키운다는 것이다. 앞으로 어떤 일이 닥칠지 대부분 알 수 없겠지만 우리는 다음과 같은 미래를 확신할 수 있다. 포스트코로나 세계에선 낮은 실질소득부터 사회계약의 재정립에 이르기까지 공정성의 문제가 전면에 부상할 것이다. 마찬가지로, 환경에 대한 심각한 우려나 사회의 이익을 위해 기술을 어떻게 배치하고 통제할 수 있는지에 대한 질문이 정치적 의제로 더욱 더 부각될 것이다. 이 모든 문제들이 코로나19 이전부터 있었지만, 코로나19는 모든 사람들이 볼 수 있도록 문제를 드러내주었다. 이런 추세의 방향이 바뀌지는 않았지만 코로나19의 여파로 추세의 속도가 훨씬 더 빨라졌다.

적절한 리셋을 위한 절대적 전제 조건은 국가들 내와 국가들 사이의 협업과 협력 확대다. 우리 종족을 특이하고 비상한 궤도에 올려

놓는 '더없는 인간의 인지 능력'이 요구되는 협력은 '공동의 목표를 향해 함께 행동하기 위한 공유된 의도성shared intentionality'이란 말로 정의 가능하다.[166] 협력하지 않고선 도저히 발전할 수 없다. 포스트코로나 시대에 협력은 강화될까 약화될까? 내일의 세계는 지금보다 훨씬 더 분열되고, 민족주의적이고, 갈등에 빠지기 쉽다는 아주 현실적인 위험이 존재한다. 거시적 차원의 리셋 섹션에서 검토한 많은 트렌드들은 미래로 나아갈수록 우리 세계가 코로나19 발발 전보다 덜 개방적이고 덜 협조적일 것임을 암시한다. 그러나 다른 시나리오 역시 가능하다. 그것은 지역사회 내 집단 행동과 국가 간 협력 강화를 통해 코로나19 위기로부터 더 빠르고 평화롭게 탈출하게 되는 시나리오다. 경제가 재가동됨에 따라 유엔이 정한 '2030 지속 가능 발전 목표Sustainable Development Goals'를 향한 진전을 늦추기보다는 서두르고, 새로운 번영 시대를 촉발하면서 더 큰 사회적 평등과 지속 가능성을 회복의 화두로 삼을 기회가 마련됐다.[167] 그 가능성과 확률을 높이려면 무엇이 필요할까?

코로나19 위기를 계기로 냉정하게 실패와 결함을 살펴보면 실패한 생각, 제도, 과정, 규칙을 현재와 미래의 니즈에 더 적합한 새로운 것들로 대체하면서 더 빠르게 행동하고자 하는 욕구를 느끼게 될 것이다. 이것이 '위대한 리셋'의 본질이다. 전 세계적으로 공유되고 있는 코로나19 사태의 경험이 위기 시작 이후 우리가 겪었던 문제들을 완화하는 데 도움이 될 수 있을까? 봉쇄 조치를 통해 더 나은 사회가 태동할 수 있을까? 노벨 경제학상 수상자인 아마르티아 센은 "함께 행동할 필요성은 분명 건설적인 공적 행동의 역할이 갖는 가치를 끌어올릴 수 있다"고 말했다.[168] 그는 국제 협력의 중요성을 깨닫게 해주고, 영국 같은 나라들에게 음식 공유 확대와 건강 관리를 통해 얻는 혜택(그리고 궁극적으로는 복지국가의 창출)에 대해 확신을 준 제2차 세계대전 등 몇 가지 사례를 그런 믿음의 근거로 제시했다. 《대변동 위기, 선택, 변화Upheaval: How Nations Cope with Crisis and Change》의 저자인 문화인류학자이자 문명 연구가 재러드 다이아몬드Jared Diamond도 같은 의견이다. 그는 코로나19 위기를 계기로 우리가 집단적으로 직면하고 있는 네 가지 실존적 위험을 해결하는 데 나서주기를 바란다. 네 가지 실존적 위험이란, 첫째 핵 위협, 둘째 기후변화, 셋째 산림과 해산물과 표토와 담수 같은 필수 자원의 지속 불가능한 사용, 넷째 세계인들 사이의 생활 수준 면에서의 현격한 차이가 초래한 결과다. 그는 이렇게 말했다. "이상하게 들릴지 모르지만 팬데믹 위기를 성공적으로 해결하면 우리는 지금까지 맞서길 망설여왔던 더 큰 문제들을 해결하고자 하는 동기를 얻을 수 있을 것이다. 팬데믹이 우리가 마침내 그러한 실존적 위험에 대처할 준비를 하게 해준다면 우리는 바이러스가 드리운 암운暗雲 속에서도 '밝은 전망silver lining'을 보게 될지도 모른다. 바이러스가 초래한 결과 중 그것이 가장 크고, 가장 오래 지속되고, 우리가 희망을 가져야 할 가장 위대한 명분이 될 수 있다."[169]

다수의 조사 결과를 살펴봤을 때도 우리 모두가 변화를 원하고 있다는 결론을 얻을 수 있다. 영국에서 실시한 조사에서는 참가자 네 명 중 한 명만 팬데믹 이후 경제가 회복할 때 원래 상태로 돌아가길 원할 뿐이고 대부분은 경제 상태를 근본적으로 바꾸고 싶어 한다고 나타났다.[170] 또 세계 각국에서 실시된 조사에 의하면, 전 세계 대다수 시민들은 경제 회복 과정에서 기후변화 문제를 중점적으로 다루고[171] 친환경 회복을 지원하기를 원한다[172]는 걸 알 수 있다. 세계적으로 '더 나은 미래'를 주창하고 단순한 GDP 성장보다 우리 모두의 웰빙을 우선시하는 경제 체제로의 전환을 요구하는 움직임이 확산되고 있는 것이다.

우리는 지금 중대한 기로에 서 있다. 한쪽 길은 우리를 보다 포용적이고, 평등하고, 대자연을 존중하는 더 나은 세계로 인도해줄 것이다. 다른 쪽 길은 우리가 방금 지나온 세계와 닮았지만 더 나쁘고 끔찍하고 놀라운 일에 끊임없이 시달리는 세계로 우리를 이끌 것이다. 반드시 우리는 올바른 길을 선택해야 한다. 다가오는 도전은 우리가 지금까지 상상했던 것보다 훨씬 더 파급력이 클 것이다. 하지만 우리의 리셋 능력도 우리가 이전에 기대했던 것보다 훨씬 더 대단할 수 있음을 기억했으면 한다.

감사의 글

좋은 원고가 탄생할 수 있게 도와주고 전반적인 스타일 향상에 크게 기여해준 메리 앤 말르레Mary Anne Malleret와 비판적인 독자 역할을 해준 힐데 슈밥Hilde Schwab에게 감사하고 싶다. 또 연구를 도와준 먼슬리 바로미터의 카미유 마틴Camille Martin과 부족한 시간 속에서도 부지런하고 꼼꼼하게 책을 편집해준 파비엔 스타센Fabienne Stassen에게 감사하다는 말을 전하고 싶다.

책에 대해 조언해주고, 책을 읽고, 검토하고, 포맷하고, 디자인하고, 출판하고, 홍보해준 세계경제포럼의 많은 경제, 사회, 기술, 공중보건, 공공 정책 분야 전문가 동료들에게도 감사드린다. 포럼 회장실에서 일하는 켈리 옴문센Kelly Ommundsen과 피터 반햄Peter Vanham에게도 특별한 감사를 표한다. 끝으로 전 세계의 포럼 관계자들과 여러 다른 배경을 가진 사람들로부터 받은 피드백은 이 책을 바라던 대로 만드는 데 도움이 됐다. 이 책이 세계가 직면하고 있는 이번 세기 가장 엄중한 공중보건 도전과 그것을 해결하고 앞으로 그것이 줄 영향을 완화시키는 방법을 소개하는, 시기적절하고, 균형 잡히고, 유익한 자료가 되길 희망한다.

2020년 7월 스위스 제네바에서
클라우스 슈밥, 티에리 말르레

• 주석

1. Snowden, Frank, Epidemics and Society: From the Black Death to the Present, Yale University Press, 2019.

2. Tuchman, Barbara, A Distant Mirror–The Calamitous 14th Century, Random House Trade Paperbacks; Reissue edition, 1987.

3. Solana, Javier, "Our Finest Hour", Project Syndicate, 28 March 2020, https://www.project-syndicate.org/commentary/global-socioeconomic-landscape-after-covid19-pandemic-by-javier-solana-2020-03.

4. Camus, Albert, The Plague, Stuart Gilbert translation, Alfred A. Knopf, Inc., 1948, p. 80.

5. Mahbubani, Kishore, The Great Convergence: Asia, the West, and the Logic of One World, PublicAffairs, Perseus Books Group, 2013.

6. World Economic Forum, The Global Risks Report 2020, Insight Report, 15th Edition, http://www3.weforum.org/docs/WEF_Global_Risk_Report_2020.pdf.

7. Wharton University of Pennsylvania, Risk Management and Decision Processes Center, "The Ostrich Paradox: Why We Underprepare for Disasters", Issue Brief, May 2018, https://riskcenter.wharton.upenn.edu/wp-content/uploads/2019/03/Ostrich-Paradox-issue-brief.pdf.

8. Wagenaar, William A. and Sabato D. Sagaria, "Misperception of exponential growth", Perception & Psychophysics, vol. 18, 1975, pp. 416–422, https://link.springer.com/article/10.3758/BF03204114.

9. CDC, "2019-2020 U.S. Flu Season: Preliminary Burden Estimates", https://www.cdc.gov/flu/about/burden/preliminary-in-season-estimates.htm

10. Johns Hopkins University & Medicine, Coronavirus Resource Center, "COVID-19 Dashboard by the Center for Systems Science and Engineering(CSSE) at Johns

Hopkins University(JHU)", 24 June 2020.

11. Simon, Herbert, "The Architecture of Complexity", Proceedings of the American Philosophical Society, vol. 106, no. 6, 1962, pp. 467-482.

12. Malleret, Thierry, Disequilibrium: A World Out of Kilter, BookBaby, 2012.

13. 확실한 화이트 스완류의 사건과는 달리 블랙 스완류의 사건은 매우 드물며 예측하기 어렵고(발생 확률이 낮고) 엄청난 결과를 초래한다. 17세기 말 네덜란드 탐험가들이 서호주에서 우리말로 '흑조'로 불리는 블랙 스완을 발견하면서 그동안 존재하지 않는 줄 알았던 블랙 스완이 실제로 존재한다는 게 밝혀진 뒤 일어나지 않을 것 같았지만 일어난 현상을 '블랙 스완'으로 표현하게 됐다.

14. Webb, Richard, "Quantum physics", New Scientist, n.d., https://www.newscientist.com/term/quantum-physics/#.

15. Project Gutenberg, "A Journal of the Plague Year by Daniel Defoe", http://www.gutenberg.org/ebooks/376.

16. Jordison, Sam, "Defoe's Plague Year was written in 1722 but speaks clearly to our time", The Guardian, 5 May 2020, https://www.theguardian.com/books/booksblog/2020/may/05/defoe-a-journal-of-the-plague-year- 1722-our-time.

17. Schama, Simon, "Plague time: Simon Schama on what history tells us", Financial Times, 10 April 2020, https://www.ft.com/content/279dee4a-740b-11ea-95fe-fcd274e920ca.

18. Jordà, Òscar, Sanjay R. Singh and Alan M. Taylor, "Longer-Run Economic Consequences of Pandemics", Federal Reserve Bank of San Francisco, Working Paper 2020-09, 2020, https://www.frbsf.org/economic-research/files/wp2020-09.pdf.

19. Bloomberg, "Coronavirus Is Likely to Become a Seasonal Infection Like the Flu, Top Chinese Scientists Warn", Time, 28 April 2020, https://time.com/5828325/coronavirus-covid19-seasonal-asymptomatic-carriers.

20. Kristof, Nicholas, "Let's Remember That the Coronavirus Is Still a Mystery", The New York Times, 20 May 2020, https://www.nytimes.com/2020/05/20/opinion/us-coronavirus-reopening.html.

21. Draulans, Dirk, "'Finally, a virus got me.' Scientist who fought Ebola and HIV

reflects on facing death from COVID-19", Science, 8 May 2020, https://www.sciencemag.org/news/2020/05/finally-virus-got-me-scientist-who-fought-ebola-and-hiv-reflects-facing-death-covid-19#.

22. Moore, Kristine, et al., COVID-19: The CIDRAP Viewpoint, Center for Infectious Disease Research and Policy(CIDRAP), 2020, https://www.cidrap.umn.edu/sites/default/files/public/downloads/cidrap-covid19-viewpoint-part1_0.pdf.

23. Cherukupalli, Rajeevand Tom Frieden, "Only Saving Lives Will Save Livelihoods", Foreign Affairs, 13 May 2020, https://www.foreignaffairs.com/articles/united-states/2020-05-13/only-saving-lives-will-save-livelihoods.

24. Badger, Emily and Alicia Parlapiano, "Government Orders Alone Didn't Close the Economy. They Probably Can't Reopen It", The New York Times, 9 May 2020 update, https://www.nytimes.com/2020/05/07/upshot/pandemic-economy-government-orders.html.

25. Wighton, Kate, "Lockdown and school closures in Europe may have prevented 3.1m deaths", Imperial College London, 8 June 2020, https://www.imperial.ac.uk/news/198074/lockdown-school-closures-europe-have-prevented.

26. Hsiang, Solomon, et al., "The effect of large-scale anti-contagion policies on the COVID-19 pandemic", Nature, 8 June 2020, https://www.nature.com/articles/s41586-020-2404-8.

27. Goodman, Peter S., " Why the Global Recession Could Last a Long Time", The New York Times, 1 April 2020, https://www.nytimes.com/2020/04/01/business/economy/coronavirus-recession.html.

28. Organisation for Economic Co-operation and Development (OECD), "Evaluating the initial impact of COVID-19 containment measures on economic activity", 10 June 2020, https://read.oecd-ilibrary.org/view/?ref=126_126496-evgsi2gmqj&title=Evaluating_ the_initial_impact_of_COVID-19_containment_measures_on_economic_activity.

29. CPB Netherlands Bureau for Economic Policy Analysis, "Scenarios economic consequences corona crisis", CPB Scenarios, March 2020, https://www.cpb.nl/sites/default/ files/omnidownload/CPB-Scenarios-March-2020-Scenarios-economic-

consequences-corona-crisis.pdf.

30. International Monetary Fund, "World Economic Outlook Update", June 2020, https://www.imf.org/en/Publications/WEO/Issues/2020/06/24/WEOUpdateJune2020.

31. Politi, James, "What to know about America's newly unemployed", Financial Times, 21 May 2020, https:// www.ft.com/content/5924441b-1cb6-4fbd-891b-0afb07e163d7.

32. Frey, Carl Benedikt, "Covid-19 will only increase automation anxiety", Financial Times, 21 April 2020, https://www.ft.com/content/817228a2-82e1-11ea-b6e9-a94cffd1d9bf.

33. Jaimovich, Nir and Henry E. Siu, "Job Polarization and Jobless Recoveries", National Bureau of Economic Research(NBER), Working Paper 18334, November 2018 revision, https://www.nber.org/papers/w18334.pdf.

34. Coyle, Diane and Benjamin Mitra-Khan, "Making the Future Count", mimeo, 2017.

35. Boffey, Daniel, "Amsterdam to embrace 'doughnut' model to mend post-coronavirus economy", The Guardian, 8 April 2020, https://www.theguardian.com/world/2020/apr/08/amsterdam-doughnut-model-mend-post-coronavirus-economy.

36. Banerjee, Abhijit V. and Esther Duflo, Good Economics for Hard Times, PublicAffairs, 2019.

37. 위의 책.

38. Commission on Growth and Development, The Growth Report: Strategies for Sustained Growth and Inclusive Development, World Bank, 2008; Hallward-Driemeier, Mary and Gaurav Nayyar, Trouble in the Making? The Future of Manufacturing-Led Development, World Bank Group, 2018.

39. Ellen MacArthur Foundation, "What is a circular economy?", 2017, https://www.ellenmacarthurfoundation.org/circular-economy/concept.

40. 순환경제촉진플랫폼Platform for Accelerating the Circular Economy(PACE)가 입증한 바와 같다. https://pacecircular.org 참조.

41. International Trade Union Confederation(ITCU), "Investing in the Care Economy:

A Pathway to Growth", 8 March 2016, https://www.ituc-csi.org/investing-in-the-care-economy-a.

42. Cassidy, John, "Can We Have Prosperity without Growth?", The New Yorker, 3 February 2020, https:// www.newyorker.com/magazine/2020/02/10/can-we-have-prosperity-without-growth.

43. Degrowth, "Degrowth: New Roots for the Economy", 2020, https://www.degrowth.info/en/open-letter.

44. McAfee, Andrew, More from Less, Simon & Schuster, Inc., 2019.

45. Blanchard, Olivier, "Designing the fiscal response to the COVID-19 pandemic", Peterson Institute for International Economics(PIIE), Briefing 20-1, 8 April 2020.

46. Reinhart, Carmen M. and Kenneth Rogoff, "The Coronavirus Debt Threat", The Wall Street Journal, 26 March 2020, https://www.wsj.com/articles/the-coronavirus-debt-threat-11585262515.

47. Reinhart, Carmen M., "This Time Truly Is Different", Project Syndicate, 23 March 2020, https:// www.project-syndicate.org/commentary/covid19-crisis-has-no-economic-precedent-by-carmen-reinhart-2020-03.

48. Saez, Emmanuel and Gabriel Zucman, "Keeping Business Alive: The Government Will Pay", 16 March 2020 revision, http://gabriel-zucman.eu/files/coronavirus2. pdf.

49. 큰 폭의 마이너스 금리 정책을 효과적으로 펼치려면 금융 회사들의 현금 비축을 막기 위한 대책이 수반돼야 한다. 다음 참조. Rogoff, Kenneth, "The Case for Deeply Negative Interest Rates", Project Syndicate, 4 May 2020, https://www.project-syndicate.org/commentary/advanced-economies-need-deeply-negative-interest-rates-by-kenneth-rogoff-2020-05.

50. Blanchard, Olivier, "Is there deflation or inflation in our future?", VOX, 24 April 2020, https://voxeu.org/article/there-deflation-or-inflation-our-future.

51. Sharma, Ruchir, "Elizabeth Warren and Donald Trump Are Wrong About the Same Thing", The New York Times, 24 June 2019, https://www.nytimes.com/2019/06/24/opinion/elizabeth-warren-donald-trump-dollar-devalue. html.

52. Kumar, Aditi and Eric Rosenbach, "Could China's Digital Currency Unseat the

Dollar?", Foreign Affairs, 20 May 2020, https://www.foreignaffairs.com/articles/ china/2020-05-20/could-chinas-digital-currency-unseat-dollar.

53. Paulson Jr., Henry M., "The Future of the Dollar", Foreign Affairs, 19 May 2020, https://www.foreignaffairs.com/articles/2020-05-19/future-dollar.

54. Eichengreen, Barry, Arnaud Mehl and Livia Chiţu, "Mars or Mercury? The geopolitics of international currency choice", VOX, 2 January 2018, https://voxeu. org/article/geopolitics-international-currency-choice.

55. Kissinger, Henry A., "The Coronavirus Pandemic Will Forever Alter the World Order", The Wall Street Journal, 3 April 2020, https://www.wsj.com/articles/the-coronavirus-pandemic-will-forever-alter-the-world-order-11585953005.

56. 이 표현은 사용되다 중단되기를 거듭했다. 구체적인 사례는 다음 기사 참조.

Jones, Owen, "Coronavirus is not some great leveller: it is exacerbating inequality right now", The Guardian, 9 April 2020, https://www. theguardian.com/ commentisfree/2020/apr/09/coronavirus-inequality-managers-zoom-cleaners-offices.

57. El-Erian, Mohamed A. and Michael Spence, "The Great Unequalizer", Foreign Affairs, 1 June 2020, https://www.foreignaffairs.com/articles/united-states/2020-06-01/great-unequalizer.

58. Dingel, Jonathan I. and Brent Neiman, "How Many Jobs Can be Done at Home?", Becker Friedman institute, White Paper, June 2020, https://bfi.uchicago. edu/wp-content/uploads/BFI_White-Paper_Dingel_Neiman_3.2020.pdf.

59. Deaton, Angus, "We may not all be equal in the eyes of coronavirus", Financial Times, 5 April 2020, https://www. ft.com/content/0c8bbe82-6dff-11ea-89df-41bea055720b.

60. Milanovic, Branko, "The Real Pandemic Danger Is Social Collapse", Foreign Affairs, 19 March 2020, https://www. foreignaffairs.com/articles/2020-03-19/real-pandemic-danger-social-collapse.

61. 출처: 카네기 국제평화기금의 글로벌 프로테스트 트랙커,

https://carnegieendowment.org/publications/interactive/protest-tracker

62. Milne, Richard, "Coronavirus 'medicine' could trigger social breakdown", Financial

Times, 26 March 2020, https://www. ft.com/content/3b8ec9fe-6eb8-11ea-89df-41bea055720b.

63. Long, Heather and Andrew Van Dam, "The black-white economic divide is as wide as it was in 1968", The Washington Post, 4 June 2020, https://www. washingtonpost. com/business/2020/06/04/economic-divide-black-households.

64. McAdam, Doug, "Recruitment to High-Risk Activism: The Case of Freedom Summer", American Journal of Sociology, vol. 92, no. 1, July 1986, pp. 64-90, https://www.jstor.org/stable/2779717?seq=1.

65. Micklethwait, John and Adrian Wooldridge, "The Virus Should Wake Up the West", Bloomberg, 13 April 2020, https://www.bloomberg.com/opinion/articles/2020-04-13/coronavirus-pandemic-is-wake-up-call-to-reinvent-the-state.

66. Knoeller, Herman, "The Power to Tax", Marquette Law Review, vol. 22, no. 3, April 1938.

67. Murphy, Richard, "Tax and coronavirus: a tax justice perspective", Tax Research UK, 24 March 2020, https:// www.taxresearch.org.uk/Blog/2020/03/24/tax-and-coronavirus-a-tax-justice-perspective.

68. Mazzucato, Mariana, "The Covid-19 crisis is a chance to do capitalism differently", The Guardian, 18 March 2020, https://www.theguardian.com/commentisfree/2020/mar/18/the-covid-19-crisis-is-a-chance-to-do-capitalism-differently.

69. Stiglitz, Joseph E., "A Lasting Remedy for the Covid-19 Pandemic's Economic Crisis", The New York Review of Books, 8 April 2020, https://www.nybooks.com/daily/2020/04/08/a-lasting-remedy-for-the-covid-19-pandemics-economic-crisis.

70. 그렇다는 사실은 글로벌 컨설팅 회사인 에델만(Edelman)이 세계 여러 나라 정부, 비정부 기구NGO, 미디어 등에 대한 신뢰도를 측정해 매년 발표하는 '에델만 신뢰도 지표 조사'를 통해 특히 잘 드러난다. https://www.edelman.com/trustbarometer

71. 21세기 글로벌 도전들에 대한 해결책을 찾아내고자 사회과학 분야 연구 자료를 취합하는 사회 발전국제패널(International Panel on Social Progress)로부터 다음과 같이 두 가지 눈에 띄는 사례들을 구할 수 있다. 2018, https://www.cambridge.org/gb/academic/subjects/politics-international-relations/political-economy/rethinking-

society-21st-century-report-international-panel-social-progress, and the World Bank, Toward a New Social Contract, 2019, https://openknowledge.worldbank.org/bitstream/handle/10986/30393/9781464813535.pdf.

72. Kissinger, Henry A., "The Coronavirus Pandemic Will Forever Alter the World Order", The Wall Street Journal, 3 April 2020 https://www.wsj.com/articles/the-coronavirus-pandemic-will-forever-alter-the-world-order-11585953005.

73. Hu, Katherine, "'I Just Don't Think We Have the Luxury to Have Dreams Anymore'", The New York Times, 24 March 2020, https://www.nytimes.com/2020/03/24/opinion/coronavirus-recession-gen-z.html.

74. McNulty, Jennifer, "Youth activism is on the rise around the globe, and adults should pay attention, says author", UC Santa Cruz, 17 September 2019, https://news.ucsc.edu/2019/09/taft-youth.html.

75. 한 가지 사례로, 2019년 9월 150개국 400만 명 이상의 젊은이들이 동시에 기후변화에 대한 시급한 대책을 촉구하는 시위를 벌였다. 다음 참조. Sengupta, Somini, "Protesting Climate Change, Young People Take to Streets in a Global Strike", The New York Times, 20 September 2019, https://www.nytimes.com/2019/09/20/climate/global-climate-strike.html.

76. 현재의 민족주의 형태에 대한 논의는 다음 자료 참조. Wimmer, Andreas, "Why Nationalism Works", Foreign Affairs, March/April 2019, https://www.foreignaffairs.com/articles/ world/2019-02-12/why-nationalism-works.

77. Rudd, Kevin, "The Coming Post-COVID Anarchy", Foreign Affairs, 6 May 2020, https://www.foreignaffairs.com/articles/united-states/2020-05-06/coming-post-covid-anarchy.

78. Rodrik, Dani, The Globalization Paradox, Oxford University Press, 2012.

79. Pastor, Lubos and Pietro Veronesi, "A rational backlash against globalization", VOX, 28 September 2018, https://voxeu.org/article/rational-backlash-against-globalisation.

80. Huang, Yanzhong, "U.S. Dependence on Pharmaceutical Products from China", Council on Foreign Relations, Blog post, 14 August 2019, https://www.cfr.org/blog/us-dependence-pharmaceutical-products-china.

81. Khanna, Parag, "Post-pandemic: welcome to the multi-speed world of regional disparities", Global Geneva, 26 April 2020, https://www.global-geneva.com/post-pandemic-welcome-to-the-multi-speed-world-of-regional-disparities.

82. Global Business Alliance, "Inbound Investment Survey", May 2020, https://globalbusiness.org/dmfile/GlobalBusinessAlliance_InboundInvestmentSurveyFindings_May2020.pdf.

83. Paulson, Henry, "Save globalization to secure the future", Financial Times, 17 April 2020, https://www.ft.com/content/ da1f38dc-7fbc-11ea-b0fb-13524ae1056b.

84. United Nations, Department of Economic and Social Affairs (DESA), Committee for Development Policy, "Global governance and global rules for development in the post-2015 era", Policy Note, 2014, https://www. un.org/en/development/desa/policy/cdp/cdp_publications/2014cdppolicynote.pdf.

85. Subramanian, Arvind, "The Threat of Enfeebled Great Powers", Project Syndicate, 6 May 2020, https://www.project-syndicate.org/commentary/covid19-will-weaken-united-states-china-and-europe-by-arvind-subramanian-2020-05.

86. Fukuyama, Francis, Political Order and Political Decay: From the Industrial Revolution to the Globalization of Democracy, Farrar, Straus and Giroux, 2014.

87. Shivshankar Menon, a former Indian national security adviser, quoted in Crabtree, James, "How coronavirus exposed the collapse of global leadership", Nikkei Asian Review, 15 April 2020, https://asia.nikkei.com/Spotlight/Cover-Story/How-coronavirus-exposed-the-collapse-of-global-leadership.

88. Cabestan, Jean-Pierre, "China's Battle with Coronavirus: Possible Geopolitical Gains and Real Challenges", Aljazeera Centre for Studies, 19 April 2020, https://studies.aljazeera.net/en/reports/china%E2%80%99s-battle-coronavirus-possible-geopolitical-gains-and-real-challenges.

89. Anderlini, Jamil, "Why China is losing the coronavirus narrative", Financial Times, 19 April 2020, https://www. ft.com/content/8d7842fa-8082-11ea-82f6-150830b3b99a.

90. Kynge, James, Katrina Manson and James Politi, "US and China: edging towards a new type of cold war?", Financial Times, 8 May 2020, https://www.ft.com/

content/fe59abf8- cbb8-4931-b224-56030586fb9a.

91. Lee Hsien Loong, "The Endangered Asian Century", Foreign Affairs, July/August 2020, https://www.foreignaffairs.com/articles/asia/2020-06-04/lee-hsien-loong-endangered-asian-century.

92. Fedrizzi, Alessandro and Massimiliano Proietti, "Quantum physics: our study suggests objective reality doesn't exist", The Conversation, 14 November 2019, https://theconversation.com/quantum-physics-our-study-suggests-objective-reality-doesnt-exist-126805.

93. Jiaming, Li, "Every move to stigmatize China evokes our historical memory", Global Times, 19 April 2020, https://www.globaltimes.cn/content/1186037.shtml.

94. Bill of Rights Institute, "Founding Principles and Virtues", n.d., https://billofrightsinstitute.org/founding-documents/founding-principles.

95. Nye Jr, Joseph S., "No, the Coronavirus Will Not Change the Global Order", Foreign Policy, 16 April 2020, https://foreignpolicy.com/2020/04/16/coronavirus-pandemic-china-united-states-power-competition

96. Mahbubani's latest book, Has China Won? The Chinese Challenge to American Primacy, PublicAffairs, came out in March 2020, in the midst of the health crisis.

97. Mahbubani, Kishore, "How China could win over the post-coronavirus world and leave the U.S. behind", MarketWatch, 18 April 14, 2020, https://www.marketwatch.com/story/how-china-could-win-over-the-post-coronavirus-world-and-leave-the-us-behind-2020-04-14.

98. Sharma, Ruchir, "The Comeback Nation", Foreign Affairs, May/June 2020, https://www.foreignaffairs.com/articles/ united-states/2020-03-31/comeback-nation.

99. 앞에서 인용한 바 있는 케빈 러드의 논문 소제목이 이것이다. "The Coming Post-COVID Anarchy: The Pandemic Bodes Ill for Both American and Chinese Power—and for the Global Order", https://www.foreignaffairs.com/articles/united-states/2020-05-06/coming-post-covid-anarchy. All quotes in the paragraph are from this article.

100. Miyamoto, Takenori, "Interview: US is a mess but China isn't the solution: Niall Ferguson", Nikkei Asian Review, 21 May 2020, https://asia.nikkei.com/Editor-s-

Picks/Interview/US-is-a-mess-but-China-isn-t-the-solution-Niall-Ferguson.

101. Signé, Landry, "A new approach is needed to defeat COVID-19 and fix fragile states", Brookings, 21 April 2020, https://www.brookings.edu/blog/future-development/2020/04/21/a-new-approach-is-needed-to-defeat-covid-19-and-fix-fragile-states.

102. Monthly Barometer, June 2020.

103. Miller, Adam, "Call unanswered: A review of responses to the UN appeal for a global ceasefire", Armed Conflict Location & Event Data Project (ACLED), 13 May 2020, https://acleddata.com/2020/05/13/call-unanswered-un-appeal.

104. Quammen, David, "We Made the Coronavirus Epidemic", The New York Times, 28 January 2020, https://www. nytimes.com/2020/01/28/opinion/coronavirus-china. html.

105. "Coronavirus and Wildlife Letter: Stimulus Package", 24 March 2020, https://www.documentcloud.org/documents/6819003-CoronavirusWildlifeLetterStimulusPackage.html.

106. World Economic Forum, "COVID-19-Food/Nature/Climate", Internal document, May 2020.

107. Cui, Yan, et al., "Air pollution and case fatality of SARS in the People's Republic of China: an ecologic study", Environmental Health, vol. 2, no. 15, 2003, https://ehjournal.biomedcentral.com/articles/10.1186/1476-069X-2-15.

108. Friedman, Lisa, "New Research Links Air Pollution to Higher Coronavirus Death Rates", The New York Times, 7 April 2020, https://www.nytimes.com/2020/04/07/climate/air-pollution-coronavirus-covid.html. 하버드대학교 연구진이 펴낸 과학 논문은 샤오 우(Xiao Wu) 등이 공조한 다음 논문이다. "Exposure to air pollution and COVID-19 mortality in the United States: A nationwide cross-sectional study", Harvard T.H. Chan School of Public Health, 24 April 2020 update, https://projects. iq.harvard.edu/covid-pm.

109. International Energy Agency(IEA), Global Energy Review 2020, April 2020, https://www.iea.org/reports/global-energy-review-2020.

110. United Nations Environment Programme(UNEP), Emissions Gap Report 2019,

2019, https://www.unenvironment.org/interactive/emissions-gap-report/2019.

111. S&P Global and RobecoSAM, The Sustainability Yearbook 2020, 2020, https://www.robeco.com/docm/docu-robecosam-sustainability-yearbook-2020.pdf.

112. International Energy Agency(IEA), "How clean energy transitions can help kick-start economies", 23 April 2020, https://www.iea.org/commentaries/how-clean-energy-transitions-can-help-kick-start-economies.

113. Hook, Leslie and Aleksandra Wisniewska, "How coronavirus stalled climate change momentum", Financial Times, 14 April 2020, https://www.ft.com/content/052923d2-78c2-11ea-af44-daa3def9ae03.

114. Chenoweth, Erica, et al., "The global pandemic has spawned new forms of activism-and they're flourishing", The Guardian, 20 April 2020, https://www.theguardian.com/commentisfree/2020/apr/20/the-global-pandemic-has-spawned-new-forms-of-activism-and-theyre-flourishing.

115. KSTP, "BP takes $17.5B hit as pandemic accelerates emissions cuts", 15 June 2020, https://kstp.com/business/bp-takes-over-17-billion-dollar-hit-as-coronavirus-pandemic-accelerates-emissions-cuts/5760005/; Hurst, Laura, "Supermajors find obstacles, and opportunities, as pandemic drags on", World Oil, 16 June 2020, https://www.worldoil.com/news/2020/6/16/supermajors-find-obstacles-and-opportunities-as-pandemic-drags-on.

116. European Commission, "A European Green Deal", https://ec.europa.eu/info/strategy/priorities-2019-2024/european-green-deal_en.

117. Gray, Emily and Chris Jackson, "Two thirds of citizens around the world agree climate change is as serious a crisis as Coronavirus", Ipsos, 22 April 2020, https://www.ipsos.com/en/two-thirds-citizens-around-world-agree-climate-change-serious-crisis-coronavirus.

118. World Economic Forum, COVID-19 Risks Outlook: A Preliminary Mapping and Its Implications, Insight Report, May 2020, http://www3.weforum.org/docs/WEF_COVID_19_Risks_Outlook_Special_Edition_Pages.pdf.

119. Se-jeong, Kim, "Seoul City to implement 'Green New Deal' to mitigate pandemic fallout", The Korea Times, 4 June 2020 update, https://www.koreatimes.co.kr/

www/ nation/2020/06/281_290628.html.

120. Systemiq and World Economic Forum, "Building a Nature-Positive Future-Recommendations for Policy-makers to Reset the Economy through the Power of Natural Capital", July 2020.

121. Klaus Schwab, The Fourth Industrial Revolution, World Economic Forum, 2016, p. 9.

122. Both quoted in Waters, Richard, "Lockdown has brought the digital future forward-but will we slip back?", Financial Times, 1 May 2020, https://www.ft.com/content/f1bf5ba5-1029-4252-9150-b4440478a2e7.

123. Frey, Carl Benedikt and Michael A. Osborne, "The future of employment: How susceptible are jobs to computerisation?", Technological Forecasting and Social Change, vol. 114, January 2017, pp. 254-280, https://www.sciencedirect.com/science/article/pii/ S0040162516302244.

124. Heric, Michael, et al., "Intelligent Automation: Getting Employees to Embrace the Bots", Bain & Company, 8 April 2020, https://www.bain.com/insights/intelligent-automation-getting-employees-embrace-bots.

125. Chotiner, Isaac, "The Coronavirus and the Future of Big Tech", The New Yorker, 29 April 2020, https://www. newyorker.com/news/q-and-a/the-coronavirus-and-the-future-of-big-tech.

126. Holmes, Oliver, et al., "Coronavirus mass surveillance could be here to stay, experts say", The Guardian, 18 June 2020, https://www.theguardian.com/world/2020/jun/18/coronavirus-mass-surveillance-could-be-here-to-stay-tracking.

127. Harari, Yuval Noah, "The world after coronavirus", Financial Times, 20 March 2020, https://www.ft.com/content/19d90308-6858-11ea-a3c9-1fe6fedcca75.

128. 위와 같음

129. Morozov, Evgeny, "The tech 'solutions' for coronavirus take the surveillance state to the next level", The Guardian, 25 April 2020, https://www.theguardian.com/commentisfree/2020/apr/15/tech-coronavirus-surveilance-state-digital-disrupt.

130. Thornhill, John, "How Covid-19 is accelerating the shift from transport to teleport", Financial Times, 30 March 2020, https://www.ft.com/content/050ea832-

7268-11ea-95fe-fcd274e920ca.

131. Sneader, Kevin and Shubham Singhal, "From thinking about the next normal to making it work: What to stop, start, and accelerate", McKinsey & Company, 15 May 2020, https://www.mckinsey.com/featured-insights/leadership/from-thinking-about-the-next-normal-to-making-it-work-what-to-stop-start-and-accelerate#.

132. 이 일화는 다음 기사에 등장한다. Kulish, Nicholas, et al., "The U.S. Tried to Build a New Fleet of Ventilators. The Mission Failed", The New York Times, 20 April 2020 update, https://www.nytimes.com/2020/03/29/business/coronavirus-us-ventilator-shortage.html.

133. BlackRock, Sustainable investing: resilience amid uncertainty, 2020, https://www.blackrock.com/corporate/literature/investor-education/sustainable-investing-resilience.pdf.

134. Tett, Gillian, "Business faces stern test on ESG amid calls to 'build back better'", Financial Times, 18 May 2020, https://www.ft.com/content/e97803b6-8eb4-11ea-af59- 5283fc4c0cb0.

135. Strine, Leo and Dorothy Lund, "How to restore strength and fairness to our economy" reproduced in "How Business Should Change After the Coronavirus Crisis", The New York Times, 10 April 2020, https://www.nytimes.com/2020/04/10/business/dealbook/coronavirus-corporate-governance.html.

136. Schwab, Klaus, "Covid-19 is a litmus test for stakeholder capitalism", Financial Times, 25 March 2020, https://www.ft.com/content/234d8fd6-6e29-11ea-89df-41bea055720b.

137. Merchant, Brian, "Google Says It Will Not Build Custom A.I. for Oil and Gas Extraction", OneZero, 19 May 2020, https://onezero.medium.com/google-says-it-will-not-build-custom-a-i-for-oil-and-gas-extraction-72d1f71f42c8.

138. Baird-Remba, Rebecca, "How the Pandemic Is Driving Labor Activism Among Essential Workers", Commercial Observer, 11 May 2020, https://commercialobserver.com/2020/05/how-the-pandemic-is-driving-labor-activism-among-essential-workers.

139. Hamilton, Gabrielle, "My Restaurant Was My Life for 20 Years. Does the World

Need It Anymore?", The New York Times Magazine, 26 April 2020 update, https://www.nytimes.com/2020/04/23/magazine/closing-prune-restaurant-covid.html.

140. Taparia, Hans, "The Future of College Is Online, and It's Cheaper", The New York Times, 25 May 2020, https://www.nytimes.com/2020/05/25/opinion/online-college-coronavirus.html.

141. Hess, Amanda, "Celebrity Culture Is Burning", The New York Times, 30 March 2020, https://www.nytimes. com/2020/03/30/arts/virus-celebrities.html.

142. Barry, John, The Great Influenza: The Story of the Deadliest Pandemic in History, Penguin Books, 2005.

143. Kruglanski, Arie, "3 ways the coronavirus pandemic is changing who we are", The Conversation, 20 March 2020, https://theconversation.com/3-ways-the-coronavirus-pandemic-is-changing-who-we-are-133876.

144. Pamuk, Orhan, "What the Great Pandemic Novels Teach Us", The New York Times, 23 April 2020, https://www.nytimes.com/2020/04/23/opinion/sunday/coronavirus-orhan-pamuk.html.

145. Case, Anne and Angus Deaton, Deaths of Despair and the Future of Capitalism, Princeton University Press, 2020, https://press.princeton.edu/books/hardcover/9780691190785/deaths-of-despair-and-the-future-of-capitalism.

146. Friedman, Thomas L., "Finding the 'Common Good' in a Pandemic", The New York Times, 24 March 2020, https://www.nytimes.com/2020/03/24/opinion/covid-ethics-politics.html.

147. Facebook, "Knowledge Capsules: Lockdown or no lockdown", 26 April 2020, https://m.facebook.com/KnowledgeCapsules1/posts/2374859852804537.

148. Bazelon, Emily, "Restarting America Means People Will Die. So When Do We Do It?", The New York Times Magazine, 10 April 2020, https://www.nytimes.com/2020/04/10/magazine/coronavirus-economy-debate.html.

149. Twenge, Jean, "New study shows staggering effect of coronavirus pandemic on America's mental health", The Conversation, 7 May 2020, https://theconversation.com/new-study-shows-staggering-effect-of-coronavirus-pandemic-on-americas-

mental-health-137944.

150. Tucci, Veronica and Nidal Moukaddam, "We are the hollow men: The worldwide epidemic of mental illness, psychiatric and behavioral emergencies, and its impact on patients and providers", Journal of Emergencies, Trauma, and Shock, vol. 10, no. 1, 2017, pp. 4-6, https://www.ncbi.nlm.nih.gov/pmc/articles/PMC5316796.

151. Health and Safety Executive(HSE), "Work related stress depression or anxiety statistics in Great Britain, 2018", Annual Statistics, 31 October 2018, http:// greeningconsultants.co.uk/wp-content/uploads/2019/03/HSE-Stats-2018.pdf.

152. Bechtel, Robert B. and Amy Berning, "The Third-Quarter Phenomenon: Do People Experience Discomfort after Stress Has Passed?", in A.A. Harrison, Y.A. Clearwater and C.P. McKay (eds), From Antarctica to Outer Space, Springer, 1991, https://link.springer.com/chapter/10.1007/978-1-4612-3012-0_24.

153. Brooks, Samantha K., et al., "The psychological impact of quarantine and how to reduce it: rapid review of the evidence", The Lancet, vol. 395, no. 10227, 14-20 March 2020, pp. 912-920, https://www.sciencedirect.com/science/article/pii/S0140673620304608.

154. Campbell, Denis, "UK lockdown causing 'serious mental illness in first-time patients'", The Guardian, 15 May 2020, https://amp-theguardian-com.cdn. ampproject.org/c/s/amp.theguardian.com/society/2020/may/16/uk-lockdown-causing-serious-mental-illness-in-first-time-patients.

155. United Nations Population Fund(UNFPA), "Impact of the COVID-19 Pandemic on Family Planning and Ending Gender-based Violence, Female Genital Mutilation and Child Marriage", Interim Technical Note, 27 April 2020, https:// www.unfpa.org/sites/default/files/resource-pdf/COVID-19_impact_brief_for_ UNFPA_24_April_2020_1.pdf.

156. Layard, Richard, "A New Priority for Mental Health", Paper EA035, Centre for Economic Performance, London School of Economics and Political Science, May 2015, http://cep.lse.ac.uk/pubs/download/ea035.pdf.

157. Falk, Dan, "Must We All Become More Creative because of the Pandemic?", Scientific American, 29 March 2020, https://blogs.scientificamerican.com/

observations/must-we-all-become-more-creative-because-of-the-pandemic.

158. Pollack-Pelzner, Daniel, "Shakespeare Wrote His Best Works During a Plague", The Atlantic, 14 March 2020, https://www.theatlantic.com/culture/archive/2020/03/ broadway-shutdown-could-be-good-theater-coronavirus/607993.

159. Freedland, Jonathan, "Adjust your clocks: lockdown is bending time completely out of shape", The Guardian, 24 April 2020, https://www.theguardian.com/commentisfree/2020/apr/24/lockdown-time-coronavirus-prisoners.

160. Whillans, Ashley, "Time for Happiness", Harvard Business Review, January 2019, https://hbr.org/cover-story/2019/01/time-for-happiness.

161. Helliwell, John F., Richard Layard, Jeffrey Sachs and Jan-Emmanuel De Neve(eds), World Happiness Report 2020, Sustainable Development Solutions Network, 2020, https://happiness-report.s3.amazonaws.com/2020/WHR20.pdf.

162. 이 연구는 다음 자료에 정리되어 있다. Jones, Lucy, Losing Eden: Why Our Minds Need the Wild, Allen Lane, 2020.

163. Im, Su Geun, et al., "Comparison of Effect of Two-Hour Exposure to Forest and Urban Environments on Cytokine, Anti-Oxidant, and Stress Levels in Young Adults", International Journal of Environmental Research and Public Health, vol. 13, no. 7, 2016, https://www.ncbi.nlm.nih.gov/pmc/articles/PMC4962166.

164. Nieman, David C. and Laurel M. Wentz, "The compelling link between physical activity and the body's defense system", Journal of Sport and Health Science, vol. 8, No. 3, 2019, pp. 201-217, https://www.sciencedirect.com/science/article/pii/S2095254618301005.

165. Klaus Schwab on 3 March 2020; see also World Economic Forum, "The Great Reset", 3 June 2020, https://www.facebook.com/worldeconomicforum/videos/189569908956561.

166. McGowan, Kat, "Cooperation Is What Makes Us Human", Nautilus, 29 April 2013, http://nautil.us/issue/1/what-makes-you-so-special/cooperation-is-what-makes-us-human.

167. Cleary, Seán, "Rebuild after the crisis on three pillars: Equity, security and sustainability", G20 Insights, Policy Brief, 29 May 2020, https://www.g20-insights.

org/policy_briefs/rebuild-after-the-crisis-on-three-pillars-equity-security-and-sustainability.

168. Sen, Amartya, "A better society can emerge from the lockdowns", Financial Times, 15 April 2020, https://www.ft.com/content/5b41ffc2-7e5e-11ea-b0fb-13524ae1056b.

169. Diamond, Jared, "Lessons from a pandemic", Financial Times, 27 May 2020, https://www.ft.com/content/71ed9f88-9f5b-11ea-b65d-489c67b0d85d.

170. Harvey, Fiona, "Britons want quality of life indicators to take priority over economy", The Guardian, 10 May 2020, https://www.theguardian.com/society/2020/may/10/britons-want-quality-of-life-indicators-priority-over-economy-coronavirus.

171. Gray, Emily and Chris Jackson, "Two thirds of citizens around the world agree climate change is as serious a crisis as Coronavirus", Ipsos, 22 April 2020, https://www.ipsos.com/en/two-thirds-citizens-around-world-agree-climate-change-serious-crisis-coronavirus.

172. World Economic Forum, COVID-19 Risks Outlook: A Preliminary Mapping and Its Implications, Insight Report, May 2020, http://www3.weforum.org/docs/WEF_COVID_19_Risks_Outlook_Special_Edition_Pages.pdf.

옮긴이 | 이진원

홍익대학교 영어영문학과를 졸업하고, 서울대학교 대학원에서 영어영문학 석사 학위를 취득했다. 〈코리아헤럴드〉 기자로 언론계에 첫발을 내딛은 후 IMF 시절 재정경제부(현 기획재정부) 해외홍보과에서 공무원으로 일하면서 한국 경제 대외 신인도 제고에 기여한 점을 인정받아 장관상을 수상했다. 이후 로이터통신으로 자리를 옮겨 거시경제와 채권 분야를 취재했고, 10여 년간 국제경제금융 뉴스 번역팀을 이끌었다. 경제경영 분야 전문번역가로도 활동하면서 《머니》, 《결단》, 《필립 코틀러의 마켓 4.0》, 《구글노믹스》, 《혁신 기업의 딜레마》 등 다수의 책을 번역했다.

클라우스 슈밥의
위대한 리셋

초판 5쇄 발행 2022년 5월 17일
초판 1쇄 발행 2021년 2월 1일

지은이 클라우스 슈밥, 티에리 말르레
옮긴이 이진원
발행인 손은진
개발책임 조현주
개발 김민정
제작 이성재 장병미
디자인 이정숙
발행처 메가스터디(주)
출판등록 제2015-000159호
주소 서울시 서초구 효령로 304 국제전자센터 24층
전화 1661-5431 팩스 02-6984-6999
홈페이지 http://www.megastudybooks.com
출간제안/원고투고 writer@megastudy.net

ISBN 979-11-297-0707-9 03320

메가스터디BOOKS
'메가스터디북스'는 메가스터디㈜의 출판 전문 브랜드입니다.
유아/초등 학습서, 중고등 수능/내신 참고서는 물론, 지식, 교양, 인문 분야에서 다양한 도서를 출간하고 있습니다.